左传

张宗友 注译

国学经典

中州古籍出版社

左传

前　言

《左传》被尊奉为经，是中华元典之一。它以叙事解《春秋》，记录了约两个半世纪的历史事件，塑造了一大批历史人物群像，在经学、史学及文学等方面，均取得了极高的成就。因此，选注、选译这样一部经典，对于弘扬民族传统、传承华夏文明而言，具有十分重要的意义。

一、《左传》的性质

《左传》全称是《春秋左氏传》，与《春秋公羊传》（以下简称《公羊》）、《春秋穀梁传》（以下简称《穀梁》）合称"《春秋》三传"，是解读《春秋》经的三种著作。"春秋"原为周代诸侯国史官记录的通称（也有其他的名称，如晋国的叫"乘"，楚国的叫"梼杌"等）。史官记录都是比较原始的史料，具有大事记的共同性质。史官按时记载自然现象与历史事件，即使没有任何可记录的现象或事件，也要记下时间，以尽职分。因此，这些史官记录实为年代记，还不是严格意义上的编年体史书。作为一部独立著作的《春秋》，是在鲁国史官记录（原来就被称为"鲁春秋"）的基础上编选而成的，因此保留了年代记的特性而更为凝练和简明。学者们普遍相信，《春秋》这部著述是由孔子编选的，蕴涵有孔子所赋予的微言大义，因此被尊奉为经，成为六经之一。六经（《易》、《诗》、《书》、《礼》、《乐》、《春秋》）掌于王官，是古代政教之精华、学术之渊薮。对孔子作《春秋》一事，虽有学者加以怀疑，而限于文献不足征，至今不能定论，但孔子取《春秋》教授弟子，作为恢复先王政教的手段，这是没有疑问的。

《春秋》文本极其简略，语意隐晦，大义隐而不彰，随着时间的推移，后人便无法理解其中的事件与意义。这样，解读《春秋》的传、说、记等便应运而生。《左传》即是其中最重要的一种。

《左传》初名《左氏春秋》，又有"《春秋》左氏"、"古文《春秋左氏传》"等名称，至班固《汉书》，始称《春秋左氏传》。它的作者，一般认为是大致与孔子同时的左丘明（"邱"或作"丘"。"左丘"是复姓，古人或单称"左"字）。有学者认为，左丘明应是一位熟知古事的瞽史，凭借记忆、口说传承历史。对他作《左传》的动机，司马迁解释道："孔子明王道，干七十余君，莫能用，故西观周室，论史记旧闻，兴于鲁而次《春秋》，上记隐，下至哀之获麟，约其辞文，去其烦重，以制义法，王道备，人事浃。七十子之徒，口受其传指，为有所刺讥褒讳挹损之文辞，不可以书见也。鲁君子左丘明惧弟子人人异端，各安其意，失其真，故因孔子史记具论其语，成《左氏春秋》。"（《史记·十二诸侯年表》）刘向、刘歆父子也说："（孔子）以鲁周公之国，礼文备物，史官有法，故与左丘明观其史记，据行事，仍人道，因兴以立功，就败以成罚，假日月以定历数，藉朝聘以正礼乐。有所褒讳贬损，不可书见，口授弟子，弟子退而异言。丘明恐弟子各安其意，以失其真，故论本事而作传，明夫子不以空言说经也。"（见班固《汉书·艺文志·六艺略》春秋类小序）传承史事，使政教不坠，本来就是史官职责所在。以《春秋》为纲而史事详明的《左传》，正契合了孔门后学总结先师遗教、为当时形势服务的需要。当然，《左传》在传授过程中，也应有所增删润饰。同

《公羊》、《穀梁》写定于汉代不同，《左传》在先秦即已写定，属于先秦古书。

《左传》以叙事解经，记录史实，富于文学性，既是一部解经著作，也是一部史学著作、文学著作。

二、《左传》的传承

《左传》自问世起，即流行于世，不废传承。左丘明而下，曾申、吴起、吴期（吴起子）、铎椒、虞卿、荀况、张苍等，递次相授，张苍则传贾谊（参陆德明《经典释文·序录》引刘向《别录》）。秦始皇焚书坑儒，《左传》虽同其他典籍一样，遭到焚禁，而民间一直传承不坠。汉初，除张苍、贾谊传习《左传》外，河间献王还立有《左氏春秋》博士，可见曾于民间得其书与研习者。贾谊而下，又递次相传至刘歆（《汉书·儒林传》）。刘歆绍承父业，受命校书，广校中秘等传本，对《左传》大力表彰，汉平帝时遂立于学官，《左传》成为显学。

对《左传》加以注解，是传承《左传》的一种有效形式。自汉代以降，注解《左传》之作，代有佳构。汉代贾逵撰《左传解诂》、《春秋左氏长义》，郑众撰《左氏条例章句》，服虔撰《左氏章句》。晋杜预采贾、服注义，撰《春秋经传集解》，集前儒之大成。唐孔颖达撰《春秋左传正义》，专用杜注；陆淳撰《春秋集传纂例》、《春秋微旨》，开宋学先声。宋程颐撰《春秋传》，苏辙撰《春秋集解》，胡安国撰《春秋传》，陈傅良撰《春秋后传》、《左氏章指》，吕祖谦撰《左氏博议》。清代是《左传》学极盛时期，出现了一大批著作，如顾炎武《杜解集正》，朱鹤龄《读左日抄》，惠栋《左传补注》，沈彤《春秋左传小疏》，洪亮吉《左传诂》，马宗梿《左传补注》，梁履绳《左传补释》，刘文淇《春秋左氏传旧注疏证》等。当代学者杨伯峻先生撰《春秋左传注》，后出转精，为集大成式的代表作。

三、《左传》的经学成就

《左传》引史事以解经,既明史事,也发明经义,较《公羊》、《穀梁》但凭经师口说者,经义更明。即以《春秋·隐公元年》"郑伯克段于鄢"一条(文见所选《郑伯克段于鄢》)为例。《公羊》的解说是:

克之者何?杀之也。杀之,则曷为谓之克?大郑伯之恶也。曷为大郑伯之恶?母欲立之,己杀之,如勿与而已矣。段者何?郑伯之弟也。何以不称弟?当国也。其地何?当国也。齐人杀无知,何以不地?在内也。在内,虽当国不地也。不当国,虽在外,亦不地也。

《穀梁》的解说是:

克者何?能也。何能之?能杀也。何以不言杀?见段之有徒众也。段,郑伯弟也。何以知其为弟也?杀世子母弟,目君。以其目君,知其为弟也。段弟也而弗谓之弟,公子也而弗谓公子,贬之也。段失子弟之道矣,贱段而甚郑伯也。何甚乎郑伯?甚郑伯之处心积虑成于杀也。于鄢,远也,犹曰取之其母之怀中而杀之云尔,甚之也。然则为郑伯者宜奈何?缓追逸贼,亲亲之道也。

《公羊》、《穀梁》二传,解释经文字句,串讲句意,申明书法与微义。《左传》则叙述史事,将共叔段图谋夺权、郑庄公成功驱逐共叔段、颍考叔设法使庄公母子和好如初的完整过程,娓娓道出。共叔段的骄纵狂妄、郑庄公的老谋深算、颍考叔的足智纯孝,都在叙述中得到了很好的展现。《左传》又通过"书曰"数句,揭示经文书法;通过"君子曰"的议论,抒发对人物行为的评价。史实既具,史事自明;书法既显,微义自彰。显然,《左传》开辟了一条以铺陈史实、兼论书法与品评人物的解经道路。汉代桓谭指出:"《左氏》经之与传,犹衣之表里相持而成,经而无传,使圣人闭目思之,十年不能知也。"(桓谭《新论》)这一评价,道出了《左传》引史事以解经的价值所在。《左传》与《公羊》、《穀梁》解经体式的不同，盖在于《左传》为史官制作，而《公羊》、《穀梁》实为经师口义。

另外，就本条经文的解说而言，《公羊》训"克"为"杀"，《穀梁》训为"能"、"能杀"，其实均误解了郑庄公的本意（其意在驱逐共叔段，而非置诸死地）。在此基础上，《公羊》对"当国"、"不地"的解读，《穀梁》对"缓追逸贼，亲亲之道"的引申，均未免有误（参傅隶朴《春秋三传比义》）。《左传》铺陈史实，略释书法，不空发议论而事、义俱明，显得平实可信。

四、《左传》的史学成就

《左传》记事，上起鲁隐公元年（前722年），下迄鲁哀公二十七年（前468年）。这是中国以分封制、宗法制为特点的政治体制逐渐解体的历史时期，王室衰微，礼坏乐崩，诸侯力征，战乱频仍。《左传》以《春秋》经文为骨干，对这段历史中发生的大事作了忠实的记录。据统计，《左传》记载的军事行动达483次，朝聘盟会达450次。其中如秦晋韩之战、楚宋泓之战、秦晋殽之战、齐晋鞌之战、晋楚鄢陵之战等，都是中国军事史上的著名战例。吴季札聘诸国、韩宣子聘鲁等，不仅是外交史上的重大事件，也是中国文化史上的著名事件。

除了保留大量春秋时期的史实外，《左传》还不同程度地记载了一些上古史事及传说，对我们了解上古历史提供了可靠的凭借。如鲁国季文子劝谏宣公驱逐莒仆，提到了上古帝王选贤与能的情况（《季文子逐莒仆》）；叔向论刑书，指陈上古议事与刑辟制度的特点（《叔向论刑书》）；周景王指出籍谈世有官守，反映了上古职官分司的情况（《籍谈数典问祖》）；郯子向鲁昭公介绍少皞氏如何命名官职，反映了上古部族组织、图腾等情况（《少皞氏以鸟名官》）。这些都是探讨上古史的宝贵资料。陈澧指出："当知所谓道德仁义、宪章坟典、故实文献、经学德行名言,皆出于孔子之前,赖有《左传》、《国语》述之,至今得以考见,此左氏之大功矣。"(陈澧《东塾读书记》卷十)

中国具有悠久的史官传统,《左传》开创了史书的编纂体例。《尚书》所记史事虽古,基本上是史事资料的汇编,各篇先皆独立,且以语录体为主。《春秋》脱胎于史官档案,为大事记、年代记性质,虽然也按年月时日记载,但剥离了儒家所认为的微言大义之后,还不是严格意义上的编年体史书。宋王安石甚至讥之为"断烂朝报"(《宋史·王安石传》)。《左传》则以《春秋》为纲,按时间顺序,备载史事,为编年体史书的鼻祖。所记人物史事,往往分系数年之中(如秦晋之争、晋楚之争、吴楚之争、吴越之争等),相互旁通,为后世纪传体的萌芽;对一些大的历史事件的铺陈叙述,本末俱在,因果完备,为后世纪事本末体的萌芽。

杜预指出:"(左丘明)身为国史,躬览载籍,必广记而备言之。其文缓,其旨远,将令学者原始要终,寻其枝叶,究其所穷。优而柔之,使自求之;餍而饫之,使自趋之。若江海之浸,膏泽之润,涣然冰释,怡然理顺,然后为得也。"对左氏的良史之才,赞誉有加,并盛赞其书"发凡以言例,皆经国之常制,周公之垂法,史书之旧章"(《春秋经传集解序》)。

五、《左传》的文学成就

《左传》不仅内容丰富,史料价值高,而且开始脱离刻板的史官记录,叙述详明,始终条贯,情节生动,形象鲜明,富于故事性,具有很高的文学成就,堪称一部叙事文学精品,在中国文学发展史上占有重要地位。如《郑伯克段于鄢》一文,完整地叙述了整个事件的起因、发展、高潮、结果与尾声,不仅较《春秋》寥寥六字经文远为丰富生动,也胜于《公羊》、《穀梁》二传之空说大义。《左传》对战争的描写，尤为擅长，为后世所称道。它不注重具体战斗场面的精确描绘，而泼墨于战争起因、前景的细致交代。例如秦晋殽之战，先后经过卜偃预报、杞子密告、秦穆公问计、蹇叔哭师、王孙满观秦师、弦高劳师、郑穆公辞使、秦师灭滑、晋败秦师、文嬴释囚、阳处父追囚、孟明发誓复仇、秦穆公示悔等一系列情节的叙述，将殽之战的前因后果，交代得非常清楚，对秦穆公劳师袭远而必遭失败的结局，做了充分的揭示，并为孟明将来兴师复仇，埋下了伏笔。又如楚宋泓之战，先写宋襄公不听公孙固的劝阻，执意与强大的楚国兵戎相见；接着写宋襄公抱着陈腐的观念不放，失去了半渡而击的最佳战机，最终兵败股伤，为天下笑。虽着墨不多，而决定战争胜负的因素却交代得清楚明白。

唐刘知几说："《左氏》之叙事也，述行师则簿领盈视，哤聒沸腾；论备火则区分在目，修饰峻整。言胜捷则收获都尽，记奔败则披靡横前。申盟誓则慷慨有余，称谲诈则欺诬可见。谈恩惠则煦如春日，纪严切则凛若秋霜。叙兴邦则滋味无量，陈亡国则凄凉可悯。或腴辞润简牍，或美句入咏歌。跌宕而不群，纵横而自得。若斯才者，殆将工侔造化，思涉鬼神，著述罕闻，古今卓绝。"（刘知几《史通·外篇上·春秋》）对《左传》的叙事成就，概括全面，可谓推崇备至。清代陈澧也认为，《左传》"叙事之精善，非后世史家所及也"（陈澧《东塾读书记》卷十）。

《左传》塑造了一大批性格鲜明的人物。诸如石碏的大义灭亲（《卫州吁之乱》），虞公的贪得无厌（《虞公贪玉剑》），卫懿公的玩物丧志（《卫懿公好鹤》），士芎的巧言令色（《士芎筑蒲》），荀息的尽忠守信（《荀息尽忠》），鲁僖公的骄傲轻敌（《鲁邾升陉之战》），富辰的深察时势（《富辰谏王伐郑》），晋灵公的昏庸无道（《晋灵公不君》），楚庄王的问鼎雄心（《楚庄王问鼎》），知䓨、钟仪的忠君爱国、威武不屈（《楚归知䓨》、《楚归钟仪》），祁奚的唯贤是举（《祁奚请老》)、魏绛的铁面执法（《魏绛戮扬干》）、驹支的坚强不屈（《驹支不屈于晋》）、齐国太史的秉笔直书（《崔杼之乱》）、吴公子季札的观乐知风、博学多识（《季札聘诸国》）、子产的开明治国（《子产为政》、《子产不毁乡校》、《子产论学入政》）、晏子、叔向的察微知著（《晏婴叔向论齐晋季世》）、孔子的明德习礼（《孟僖子论孔丘》）、知其不可而为之（《孔子请伐齐》）、越王勾践的忍辱负重、知耻复仇（《吴越相争》、《勾践灭吴》），如此等等，均刻画得极为生动鲜明，成为中国文学史上的经典形象。

春秋时代，诸侯力征，列国交聘，往来频繁。《左传》对这种情况，多有记载，所写行人（使者）或临危受命，或往来应对，赋诗言志，观诗知风，其辞令之美，令人击节赞赏，数千载之下，犹想见其风仪。诸如展喜（《展喜犒齐师》）、烛之武（《烛之武退秦师》）等，无不审时度势，以情动人，达到理想的外交效果。

总之，《左传》在经学、史学、文学等各个方面，均取得了极高的成就，是中华民族不朽的元典，具有永恒的价值。

六、本书选注选译的原则

《左传》最好的版本，首推阮元校刻《十三经注疏》本。其次，杨伯峻先生的《春秋左传注》，精详富赡，为集大成之作。近来赵生群先生撰有《春秋左传新注》，成果丰硕，并对《左传》学上的相关问题做了全新的研究。本书即选用阮元校刻《十三经注疏》本为底本，同时吸收杨、赵两位先生校注之成果，并对前贤所作注译中的校读成果均有参考，择善而从。

《左传》格局宏大，文字详赡，在十三经中属于"大经"，总字数近20万字（《公羊》、《穀梁》都只有4万多字）。本书在众多名篇中，尽量选取那些能够反映春秋时代特点的历史事件，兼顾文学性、史料性与学术性，力求具体而微地反映《左传》的成就。限于篇幅，还有不少名篇未能选入。读者如有全面了解与研究的志向，不妨去读杨、赵两位先生的注本。

在注译过程中，采取了以下原则：

（一）注释从简。注释以训解文意为主，不以语法为关注中心。《左传》涉及大量的名物制度，与我们今天生活相去较远，注释中酌加简介，以助理解文意。

（二）直译为主。译文以直译为主，如果句意晦涩难懂，则略予补足，以通其意。

（三）注译互补。有些背景知识，在译文中无法准确传达或交代出来，则在注释中略加串讲。有些字句的意思在译文即可表达清楚，就不再出注加以训释。注译互补，以省篇幅。

当然，如何选注、选译《左传》这样的经典，仁者见仁，智者见智。本书囿于编者一人之见，未免有失。我期待着教正。

张宗友

2009年中秋于南京大学

目　录

郑伯克段于鄢（隐公元年） ———————— 17
卫州吁之乱（隐公三年、四年） ———————— 22
鲁郑伐许（隐公十一年） ———————— 27
臧哀伯谏取鼎（桓公二年） ———————— 31
桓王伐郑（桓公五年） ———————— 36
楚武王侵随（桓公六年） ———————— 39
申繻论命名（桓公六年） ———————— 43
虞公贪玉剑（桓公十年） ———————— 46
齐襄公之死（庄公八年） ———————— 47
齐桓公争国（庄公八年、九年） ———————— 50
曹刿论战（庄公十年） ———————— 52
卫懿公好鹤（闵公二年） ———————— 55
屈完退齐师（僖公四年） ———————— 58
晋骊姬之乱（僖公四年） ———————— 61
士蔿筑蒲（僖公五年） ———————— 64
宫之奇谏假道（僖公五年） ———————— 66

葵丘之盟（僖公九年） …… 69
荀息尽忠（僖公九年） …… 71
秦晋韩之战（僖公十五年） …… 74
鲁邾升陉之战（僖公二十二年） …… 85
楚宋泓之战（僖公二十二年） …… 87
重耳流亡（僖公二十三年、二十四年） …… 90
富辰谏王伐郑（僖公二十四年） …… 102
晋侯勤王（僖公二十五年） …… 108
展喜犒齐师（僖公二十六年） …… 112
晋文公教民（僖公二十七年） …… 114
晋文公称霸诸侯（僖公二十八年） …… 116
烛之武退秦师（僖公三十年） …… 132
秦晋殽之战（僖公三十二年、三十三年） …… 135
秦晋彭衙之战（文公元年、二年） …… 142
秦霸西戎（文公三年） …… 146
赵盾执政（文公六年） …… 148
秦殉三良（文公六年） …… 150
晋立灵公（文公六年、七年） …… 152
郤缺说赵盾（文公七年、八年） …… 157
季文子逐莒仆（文公十八年） …… 159
晋灵公不君（宣公二年） …… 165
楚庄王问鼎（宣公三年） …… 170
申叔时说楚庄王（宣公九年、十年、十一年） …… 172
晋楚邲之战（宣公十二年） …… 176
我无尔诈，尔无我虞（宣公十四年、十五年） …… 197
齐晋鞌之战（宣公十七年、成公二年） …… 201
楚归知罃（成公三年） …… 207

晋归钟仪（成公九年）	210
楚灭莒（成公九年）	212
吕相绝秦（成公十三年）	214
晋楚鄢陵之战（成公十六年）	220
祁奚请老（襄公三年）	233
魏绛戮扬干（襄公三年）	235
驹支不屈于晋（襄公十四年）	238
师旷论卫人出其君（襄公十四年）	242
叔孙豹论不朽（襄公二十四年）	245
崔杼之乱（襄公二十五年）	247
子产戎服献捷（襄公二十五年）	255
向戌弭兵（襄公二十七年）	260
季札聘诸国（襄公二十九年）	271
子产为政（襄公三十年）	277
子产不毁乡校（襄公三十一年）	280
子产论学入政（襄公三十一年）	282
韩宣子聘鲁（昭公二年）	285
晏婴叔向论齐晋季世（昭公三年）	288
晏子辞更宅（昭公三年）	292
苟利社稷，死生以之（昭公四年）	295
叔向论刑书（昭公六年）	297
孟僖子论孔丘（昭公七年）	301
籍谈数典忘祖（昭公十五年）	303
少皞氏以鸟名官（昭公十七年）	307
晏子论祝史荐信（昭公二十年）	310
晏子论同与和（昭公二十年）	314
子产论为政（昭公二十年）	317

赵简子问礼（昭公二十五年） —————— 320
王子朝奔楚（昭公二十六年） —————— 323
晏子论禳彗星（昭公二十六年） —————— 328
晏子论礼可以为国（昭公二十六年） —————— 330
鱄设诸刺王僚（昭公二十七年） —————— 333
楚郤宛之难（昭公二十七年） —————— 336
伍员教吴病楚（昭公三十年） —————— 340
召陵之盟（定公四年） —————— 342
吴楚相争（定公四年） —————— 350
申包胥乞秦师复楚（定公四年、五年） —————— 357
夹谷之会（定公十年） —————— 360
吴越相争（定公十四年、哀公元年） —————— 363
楚昭王不祭河（哀公六年） —————— 370
孔子自卫返鲁（哀公十一年） —————— 372
黄池之会（哀公十三年） —————— 375
孔子请伐齐（哀公十四年） —————— 378
勾践灭吴（哀公十三年、十七年、十九年、二十年、
二十二年） —————— 379

附录 —————— 384

郑伯克段于鄢（隐公元年）

[题解]

本篇反映了郑国内部的权力斗争。共叔段在母亲的纵容下，一步步扩张势力，图谋夺权；郑庄公则不动声色，等待时机，终于成功地驱逐了共叔段，巩固了权力。在处理郑庄公如何与母亲和好的问题上，颍考叔展示了自己的智慧，结果皆大欢喜。

初，郑武公娶于申，曰武姜，①生庄公及共叔段②。庄公寤生③，惊姜氏，故名曰寤生，遂恶之。爱共叔段，欲立之。亟请于武公，公弗许。

及庄公即位，为之请制④。公曰："制，岩邑也，虢叔死焉。⑤佗⑥邑唯命。"请京，使居之，谓之京城大叔⑦。

祭仲⑧曰："都，城过百雉，⑨国之害也。先王之制：大都，不过参国之一⑩；中，五之一；小，九之一。今京不度，非制也，君将不堪。⑪"公曰："姜氏欲之，焉辟⑫害？"对曰："姜氏何厌之有？不如早为之所，⑬无使滋蔓⑭。蔓，难图也。蔓草犹不可除，况君之宠弟乎？"公曰："多行不义，必自毙⑮，子姑待之。"

既而大叔命西鄙、北鄙贰于己⑯。公子吕⑰曰："国不堪贰，君将若之何?欲与⑱大叔,臣请事之;若弗与,则请除之,无生民心。"公曰:"无庸,将自及。⑲"大叔又收贰以为己邑,至于廪延⑳。子封曰:"可矣。厚㉑将得众。"公曰:"不义,不昵㉒。厚将崩。"大叔完、聚㉓,缮甲兵㉔,具卒乘㉕,将袭郑,夫人将启㉖之。公闻其期,曰:"可矣。"命子封帅车二百乘㉗以伐京。京叛大叔段。段入于鄢。公伐诸鄢。五月辛丑㉘,大叔出奔共。书曰:"郑伯克段于鄢。"段不弟㉙,故不言弟;如二君,故曰克;称郑伯,讥失教也;谓之郑志㉚。不言出奔,难之也。㉛

遂置姜氏于城颍㉜,而誓之曰:"不及黄泉㉝,无相见也!"既而悔之。颍考叔为颍谷封人㉞,闻之,有献于公。公赐之食。食舍肉㉟。公问之。对曰:"小人有母,皆尝小人之食矣;未尝君之羹,请以遗㊱之。"公曰:"尔有母遗,繄㊲我独无!"颍考叔曰:"敢㊳问何谓也?"公语之故,且告之悔。对曰:"君何患焉?若阙㊴地及泉,隧㊵而相见,其谁曰不然?"公从之。公入而赋:"大隧之中,其乐也融融㊶。"姜出而赋:"大隧之外,其乐也泄泄㊷。"遂为母子如初。

君子曰㊸:"颍考叔,纯孝㊹也,爱其母,施㊺及庄公。《诗》曰:'孝子不匮,永锡尔类'㊻,其是之谓乎㊼!"

[注释]

①"初"三句:初:时间副词,常用以追述前事。郑武公:名掘突,公元前770至公元前744年在位。申:国名,姜姓。武姜:武为武公谥号,姜是本姓。②共(gōng)叔段:共为地名(今河南辉县),叔为排行,段后来逃到共地,所以称"共叔段"。③寤(wù)生:即倒着生。寤,"牾"的借字。④制:地名,今河南郑州市西北。⑤"岩邑也"二句:岩:险要。虢叔:东虢末代国君,亡于郑。⑥佗:同"他"。⑦京:地名,故城在今河南荥阳。大(tài):同"太"。⑧祭仲:郑大夫。⑨"都"二句:都:都邑。城:城垣。雉:长一丈、高一丈为一堵,三堵为一雉。⑩参(sān)国之一:国都的三分

之一。"参"同"三"。⑪"今京不度"三句：度：法度。堪：经得起。⑫辟：同"避"。⑬"姜氏"二句：厌：满足。早为之所：及早处置。所，处所。⑭滋蔓：滋生蔓延。⑮毙：倒下，失败。⑯既而：不久。鄙：边邑。贰：两属。⑰公子吕：郑大夫，字子封。⑱与：给予，指把国君之位让于大叔。⑲"无庸"二句：无庸：用不着。自及：自己赶上（祸患）。⑳廪延：郑邑，今河南延津。㉑厚：土地广大。㉒昵：亲近。㉓完：加固城墙。聚：聚集粮草。㉔缮：修缮。甲兵：泛指武器。㉕具：准备。卒：步兵。乘（shèng）：车兵。㉖启：打开（城门），指欲为内应。㉗乘：一辆战车为一乘，可有甲士三人、步卒七十二人。㉘辛丑：二十三日。古代采用干支记日法。㉙不弟：不像兄弟。㉚郑志：郑庄公的意志。㉛不言出奔，难之也：庄公也有过错，经文难以说共叔段是主动出奔。自"书曰"以下至"难之也"，是对《春秋》经文写法的说明。㉜城颍：郑邑，今河南襄城。㉝黄泉：地下之泉。意指至死不相见。㉞颍考叔：郑大夫。颍谷：郑邑，今河南登封市西南。封人：管理守护疆界的官职。㉟食舍肉：舍肉不食。㊱遗（wèi）：赠送。㊲繄（yī）：句首语助词。凡语助词均无实际词义。㊳敢：谦辞，表示冒昧。㊴阙（jué）：同"掘"，挖掘。㊵隧：地道。㊶融融：和乐的样子。㊷泄（yì）泄：舒畅快乐的样子。㊸君子曰：这是《左传》发表议论的一种形式，常引用前贤或时人的话来评论时事。君子指有道德修养的人。㊹纯孝：大孝。㊺施（yì）：延及。㊻匮：穷尽。锡（cì）：同"赐"。㊼其是之谓乎：即"其谓是乎"。"其"为表测度的语气副词，"之"为结构助词。

[译文]

当初，郑武公娶申国女为妻，称为武姜，生了庄公和共叔段。庄公是倒着出生的，使姜氏受到惊吓，所以取名叫寤生，并因此而讨厌他。姜氏喜欢共叔段，想立他为太子，屡次向武公请求，武公不同意。

等到庄公即位，姜氏就为共叔段请求把制地作为封邑。庄公说："制地是险要的地方，虢叔就死在那里。其他的地方唯命是从。"姜氏改请京地，让共叔段住在那里，称为京城太叔。

祭仲对庄公说："凡是都城，城墙超过三百丈，就是国家的祸害。先王规定的制度：大的都城不得超过国都的三分之一，中等的不得超过五分之一，小的不得超过九分之一。现在京地的城墙不合规定，不是应有的制度。您会经不起的。"庄公说："姜氏想这么做，哪能避开祸害呢？"祭仲回答说："姜氏哪有什么满足的呢？不如早作安排，不能让祸害滋生蔓延。一旦蔓延开来，就难以对付了。蔓延的野草尚且不能除净，何况是您受宠的弟弟呢？"庄公说："多做不义的事，必然自己跌倒，您姑且等着吧。"

不久太叔命令西部、北部的边境地区听命于自己。公子吕说："国家不能忍受这种两面听命的局面，您打算怎么办？如果要把君位让给太叔，下臣我就去侍奉他；如果不给，就请除掉他，不要让老百姓产生其他的想法。"庄公说："用不着，他会自取其祸的。"太叔进而把西部、北部的边境地区收为自己的领地，并且扩大到廪延。公子吕说："可以动手了。领地扩大了，归附他的民众就多了。"庄公说："没有正义就不能团结人，领地扩大了，反而会崩溃。"太叔修治城池，积聚粮草，修缮衣甲武器，训练步兵、车兵，将要偷袭首都。姜氏准备做内应打开城门。庄公打听到太叔进军的日期，说："可以了！"命令公子吕率领二百辆战车去攻打京地。京地的人民起来反对太叔段，太叔段逃到鄢地，庄公又攻打鄢地。五月二十三日，太叔段逃到共国。《春秋》记载道："郑伯克段于鄢。"太叔不像兄弟，所以不提"弟"字；两人像两个敌对的君主，所以说是"克"；称庄公为"郑伯"，是讽刺他没有教导好弟弟，说这样的结果正是庄公的意愿。不说"出奔"，是史官下笔时感到为难。

于是庄公就把姜氏安置在城颍，对她发誓说："不到黄泉，不要相见了。"不久又后悔了。颍考叔当时任颍谷封人，听说这件事，就向庄公进献。庄公赏赐他吃饭。吃饭时，颍考叔把肉留下来不吃。庄公问他原因，他回答说："小人有母亲，一直吃小人的食物，还没有尝过君王的肉汤，请允许我把这肉带给她。"庄公说："你有母亲可送，我却偏偏没有！"颍考叔说："请问这是什么意思？"庄公就向他说明原因，并且告诉他自己的后悔。颍考叔回答说："您有什么好担心的呢？如果掘地见水，在隧道中相见，有谁说不对呢？"庄公听从了他的建议。庄公进入隧道，赋诗说："走进大隧中，全身乐融融。"姜氏走出来赋诗说："走出大隧外，心情多畅快。"于是母子和好如初。

　　君子说："颍考叔称得上是大孝了，他爱他的母亲，并把爱扩大到庄公身上。《诗经》上说，'孝子的孝心没有穷尽，永远赐福给你的同类'，说的就是这样的情况吧！"

卫州吁之乱（隐公三年、四年）

[题解]

卫庄公溺爱儿子州吁而不加以正确的教导，因此被杀；州吁弑父自立，死于非命。石碏先是劝谏庄公，继而告老避祸，最后定计铲除州吁，显示了过人的胆识与智慧。他对国家忠心耿耿，大义灭亲，一直为后世所传颂。

卫庄公娶于齐东宫①得臣之妹，曰庄姜，美而无子，卫人所为赋《硕人》也②。又娶于陈，曰厉妫，生孝伯，早死。其娣戴妫，③生桓公，庄姜以为己子。公子州吁，嬖人④之子也。有宠而好兵⑤，公弗禁。庄姜恶之。石碏⑥谏曰："臣闻爱子，教之以义方⑦，弗纳⑧于邪。骄、奢、淫、泆⑨，所自邪⑩也。四者之来，宠禄过也。将⑪立州吁，乃定之矣；若犹未也，阶之为祸⑫。夫宠而不骄，骄而能降⑬，降而不憾，憾而能眕⑭者，鲜⑮矣。且夫贱妨⑯贵，少陵长，远间⑰亲，新间旧，小加⑱大，淫破义，所谓六逆也；君义，臣行⑲，父慈，子孝，兄爱，弟敬，所谓六顺也。去顺效逆，所以速祸也。君人者，将祸是务去⑳，而速之，无乃不可乎？"弗听。其子厚与州吁游，禁之，不可。桓公立，乃老㉑。

四年，春，卫州吁弑㉒桓公而立。

……

宋殇公之即位也，公子冯㉓出奔郑。郑人欲纳之㉔。及卫州吁立，将修先君之怨于郑㉕，而求宠于诸侯，以和其民。使告于宋曰："君若伐郑，以除君害㉖，君为主，敝邑以赋与陈、蔡从㉗，则卫国之愿也。"宋人许之。于是陈、蔡方睦㉘于卫，故宋公、陈侯、蔡人、卫人伐郑，围其东门，五日而还。公问于众仲曰㉙："卫州吁其㉚成乎？"对曰："臣闻以德和民，不闻以乱。以乱，犹治丝而棼之也㉛。夫州吁，阻兵而安忍㉜。阻兵，无众；安忍，无亲。众叛、亲离，难以济㉝矣。夫兵，犹火也；弗戢㉞，将自焚也。夫州吁弑其君，而虐用其民，于是乎不务令德㉟，而欲以乱成，必不免矣。"

……

州吁未能和其民，厚问定君于石子㊱。石子曰："王觐㊲为可。"曰："何以得觐？"曰："陈桓公方有宠于王。陈、卫方睦，若朝陈使请，必可得也。"厚从州吁如陈。石碏使告于陈曰："卫国褊小㊳，老夫耄㊴矣，无能为也。此二人者，实弑寡君㊵，敢㊶即图之。"陈人执之，而请莅㊷于卫。九月，卫人使右宰㊸丑莅杀州吁于濮。石碏使其宰獳羊肩㊹莅杀石厚于陈。

君子曰："石碏，纯臣也。恶州吁而厚与焉。'大义灭亲'，其是之谓乎！"

[注释]

①东宫：太子所居，代指太子。②赋：作诗。《硕人》：《诗经》篇名。③"曰厉妫"四句：厉妫、戴妫：陈为妫姓之国，厉、戴为谥。娣：女弟，妹妹。④嬖（bì）人：地位不高而受宠幸的女人。⑤兵：武事。⑥石碏（què）：卫大夫。⑦义方：道义。⑧纳：引导。⑨泆：同"逸"，放纵。⑩所自邪：邪所自，即产生邪的原因。⑪将：如果。⑫阶之为祸：留作祸乱之阶梯。⑬能降：能坦然面对地位降低。⑭畛（zhěn）：忍受。⑮鲜（xiǎn）：少。

⑯妨：损害。⑰间：疏离。⑱加：侵凌。⑲臣行：守臣道。⑳祸是务去："务去祸"的倒装。㉑老：告老退休。㉒弑：子杀父、臣杀君叫做弑。㉓公子冯：宋宣公传位其弟宋穆公，穆公传位殇公（宣公之子），公子冯为穆公之子。㉔纳之：使之纳于宋，即使其归国。㉕将修先君之怨于郑：郑、卫世有战争，修怨即报仇。㉖君害：指公子冯。㉗赋：兵，古代按田赋出兵。陈：妫姓之国。蔡：姬姓之国。㉘睦：亲。㉙公：鲁隐公。《春秋》以鲁国纪年，称鲁国君主单称"公"。《左传》从之。众仲：鲁大夫。㉚其：将。㉛治：理。棼（fén）：紊乱。㉜阻：依恃。安忍：安于残忍。㉝济：成功。㉞戢（jí）：停止。㉟令德：美德。㊱定君：使君位安稳。石子：石碏。㊲王觐：即觐王，朝见周王。㊳褊（biǎn）小：狭小。㊴耄（mào）：年高。㊵寡君：对他人谦称本国君主。㊶敢：谦辞，以示冒昧。㊷莅：临。㊸宰：卿大夫家臣，家务总管。㊹獳（nòu）羊肩：人名。

[译文]

　　卫庄公娶了齐国太子得臣的妹妹，叫庄姜，美貌而没有儿子，卫国人就是为她创作了《硕人》一诗。卫庄公又在陈国娶妻，叫厉妫，生下孝伯，很小就死了。厉妫的妹妹叫戴妫，生下桓公，庄姜就把他当做自己的儿子。公子州吁，是庄公宠姬所生的儿子，受到宠爱而喜好武事，庄公不予禁止，庄姜则讨厌他。石碏劝谏庄公说："我听说，爱自己的儿子，就用道义来教导他，使他不要走上邪路。骄傲、奢侈、违法、放荡，都是走上邪路的来由。这四者之所以产生，是宠爱过分的缘故。如果准备立州吁为太子，那就要定下来；如果还没有这种打算，就会逐渐酿成祸乱。受到宠爱而不骄傲，骄傲而能安于地位下降，地位下降而不怨恨，怨恨而能自我克制，这样的人是很少的。而且低贱的妨害高贵的，年幼的驾凌年长的，疏远的离间亲近的，新人离间旧人，弱小的欺侮强大的，邪恶破坏道义，这就是六逆。国君行事合乎道义，臣下受命执行，父亲慈爱，儿子孝顺，兄长友爱，弟弟恭敬，这就是六顺。去掉顺的而效法逆的，就会很快招来祸害。作为人君，应该致力于消除祸害，现在却加速它的到来，恐怕不可以吧！"庄公不听。石碏的儿子石厚与州吁交游，石碏加以禁止，没有成功。桓公即位，石碏就告老退休了。

四年春，卫国的州吁杀了桓公，自立为国君。

……

宋殇公即位时，公子冯逃亡到郑国，郑国人打算送他回国。等到卫国州吁自立为君，准备向郑国报复上代君主结下的怨仇，以讨好诸侯，安定国内民众。他派人告诉宋国说："您如果要讨伐郑国，除掉祸害，请以您为主，敝国提供兵力和陈、蔡两国相从，这就是卫国的愿望。"宋国答应了。这时陈国、蔡国正和卫国友好，所以宋公、陈侯、蔡人、卫人联合攻打郑国，包围了都城的东门，五天以后才撤军。鲁隐公向众仲询问说："卫国的州吁会成功吗？"众仲回答说："我听说用德行安定百姓，没有听说用战乱的。用战乱，如同要理清乱丝的头绪，反而弄得更乱。州吁这个人，倚恃武力而安于残忍。倚恃武力，就会失去民众；安于残忍，就会失去亲信。众叛亲离，难以成功。用兵就像用火一样，不加节制，就会烧到自己。州吁杀了他的国君，又暴虐地使用民众，不致力于建立美好的德行，而想通过战乱取得成功，一定不能免于祸害了。"

……

州吁没能安定民众，石厚向石碏请教稳固君位的方法。石碏说："朝见天子就可以了。"石厚问："怎样才能去朝见呢？"石碏说："陈桓公正受到周王的宠信，陈国和卫国关系亲睦，如果拜会陈桓公，使他代向周王请求，一定能达到目的。"石厚就陪侍州吁到了陈国。石碏派人告诉陈国说："卫国地方狭小，我老头子年龄大了，不能做什么了。就是这两个人，杀害了我们的国君，敢请您借此机会设法除掉他们。"陈国人就把这两个人抓起来，请卫派人来处置。九月，卫国派右宰丑到陈国在濮地杀了州吁，石碏派家臣主管獳羊肩到陈国杀了石厚。

君子说:"石碏,是真正的忠臣啊!憎恶州吁,同时连带上了石厚。'大义灭亲',说的就是这样的人吧!"

鲁郑伐许(隐公十一年)

[题解]

郑庄公联合鲁隐公、齐侯讨伐许国,深谋远虑,措制得宜,受到君子的称赏。但他偏袒宠臣的做法,受到君子的非议。

郑伯将伐许。五月,甲辰,授兵于大宫①。公孙阏②与颍考叔争车,颍考叔挟辀③以走,子都拔棘④以逐之。及大逵⑤,弗及,子都怒。

秋,七月,公会齐侯、郑伯伐许。庚辰,傅⑥于许。颍考叔取郑伯之旗蝥弧⑦以先登,子都自下射之,颠。瑕叔盈又以蝥弧登,周麾而呼曰:"君登矣!"郑师毕登。壬午,遂入许。许庄公奔卫。

齐侯以许让公。公曰:"君谓许不共⑧,故从君讨之。许既伏其罪矣,虽君有命,寡人弗敢与闻。"乃与郑人。

郑伯使许大夫百里奉许叔以居许东偏⑨,曰:"天祸许国,鬼神实不逞⑩于许君,而假手于我寡人,寡人唯是一二父兄不能共亿⑪,其敢以许自为功乎?寡人有弟,不能和协,而使糊其口于四方,⑫其况能久有许乎?吾子其奉许叔以抚柔此民也,吾将使获⑬也佐吾子。若寡人得没于地⑭,天其以礼悔祸于许⑮,无宁兹许公复奉其社稷⑯,唯我郑国之有请谒⑰焉,如旧婚媾⑱,其能降以相从也。无滋他族实偪处此⑲,以与我郑国争此土也。吾子孙其覆亡⑳之不暇,而况能禋祀㉑许乎?寡人之使吾子处此,不唯许国之为,亦聊以固吾圉㉒也。"乃使公孙获处许西偏,曰:"凡而器用财贿㉓,无㉔实于许。我死,乃亟㉕去之!吾先君新邑于此㉖,王室而既卑矣㉗,周之子孙日失其序㉘。夫许,大岳之胤也㉙。天而既厌周德矣,吾其能与许争乎?"

君子谓郑庄公:"于是乎有礼。礼,经㉚国家,定社稷,序㉛民人,利后嗣者也。许,无刑㉜而伐之,服而舍之,度德而处之,量力而行之,相时而动,无累㉝后人,可谓知礼矣。"

郑伯使卒出豭㉞,行㉟出犬、鸡,以诅射颍考叔者。君子谓郑庄公:"失政刑矣。政以治民,刑以正邪。既无德政,又无威刑,是以及邪。邪而诅之,将何益矣!"

[注释]

①兵:武器。大宫:即"太宫",郑国祖庙。②公孙阏(è):字子都,郑大夫。③辀:车辕。④棘:戟。⑤大逵:大路。⑥傅:附着,逼近攻打。⑦蝥弧:郑伯旗名。⑧共:法。⑨许叔:名郑,谥桓公。许东偏:许城东部。⑩不逞:不满。⑪共亿:相安。⑫"寡人有弟"三句:指共叔段之事。⑬获:即下文公孙获,郑大夫。⑭得没于地:指善终。⑮天其以礼悔祸于许:指天依礼撤回加于许之祸。⑯无:发语词。兹:使。⑰谒:请。⑱如旧婚媾:指像旧的通婚之国那样亲近。⑲滋:同"兹",使。偪:同"逼",逼近。⑳覆亡:挽救危亡。㉑禋(yīn)祀:祭祀。㉒圉:边疆。㉓而:同"尔",你。财贿:财货。㉔无:不要。㉕亟:急。㉖先君:郑武公。新邑:新建都邑,即新郑。㉗既:已经。卑:衰微。㉘序:绪业。㉙大岳:即"太岳",四岳。胤:后代。㉚经:经营,治理。㉛序:排次,治理。㉜无刑:不法。㉝累:忧。㉞卒:百人为卒。豭(jiā):公猪。㉟行:二十五人为行。

[译文]

郑庄公将要攻打许国。五月十四日,在太庙里分发兵器。公孙阏与颖考叔争夺兵车，颖考叔挟起车辕就跑，公孙阏拔起一支戟就追。追到大路上，没有赶上，公孙阏很恼怒。

秋七月，鲁隐公会合齐侯、郑庄公攻打许国。初一，进攻许城。颖考叔拿过郑庄公的蝥弧旗，率先登城，公孙阏从城下用箭射他，摔了下来。瑕叔盈又拿过蝥弧旗登城，向四周挥舞，大喊："君王登城了！"郑国军队就全部登上了许城。初三日，郑庄公就进入许城。许庄公逃到卫国。

齐侯要把许国让给鲁隐公。隐公说："君王认为许国不守法度，所以我跟随君王讨伐它。许国既然已经服罪，虽然君王有令，寡人不敢领受。"于是就把许国送给郑国。

郑庄公让许国大夫百里侍奉许叔居住在许城东部，对他说："上天降祸给许国，鬼神确实对许君不满，而借寡人之手进行惩罚。寡人连一两个父老兄弟都不能相安，怎么敢把讨伐许国作为自己的功绩？寡人有个兄弟，不能和睦相处，而使他到外邦四处求食，怎么可能长久地占有许国？您应当侍奉许叔来安抚这里的百姓，我将派公孙获来辅佐您。如果寡人得以善终，上天或者又依礼撤回加于许国的祸害，愿意让许公重新治理他的国家，只要我郑国有所请求，可能还会像对待老亲戚一样，降格而同意吧。不要让别国逼近住在这里，来和我郑国争夺这块土地。我的子孙挽救危亡都来不及，还能替许国祭祀祖先吗？寡人请您留在这里，不单是为了许国，也姑且以此巩固我们的边境啊。"于是让公孙获住在许城西部，说："凡是你的器用财货，不要放在许城。我死之后，赶快离开许国！我的先君在这里新建城邑，周王室已经逐渐衰微，周王朝的子孙也一天天地失去祖先留下来的功业。许国，是四岳的后代，上天既然厌弃周德，我哪里还能与许国相争呢？"

君子认为郑庄公："在这件事情上是合乎礼的。礼，是用来治理国家、安定社稷、使人民有次序、使后代获得利益的。许国不守法度就讨伐它，服罪了就宽恕它，揣量德行而处置，估衡力量而行事，选择有利时机而行动，不给后代留下忧患，可以说是懂得礼了。"

郑庄公让每卒拿出一头公猪，每行拿出一条狗或一只鸡，用来诅咒射中颖考叔的人。君子认为郑庄公："丧失政治、刑罚的原则了。政治用来治理人民，刑罚用来匡正邪恶。既缺乏有道德的政治，又缺乏有威信的刑法，所以才会产生邪恶的事。产生了邪恶的事而诅咒，又有什么益处呢！"

臧哀伯谏取鼎（桓公二年）

[题解]

宋国内乱，华父督靠行贿得到鲁、齐、陈、郑等国的支持。鲁桓公把华父督行贿的郜鼎放入太庙，受到臧哀伯直言劝谏。从中可见春秋时期对君主德行与器数名物的认识。

二年，春，宋督攻孔氏，杀孔父而取其妻。①公怒，督惧，遂弑殇公。

君子以督为有无君之心，而后动于恶，故先书弑其君。②

会于稷③，以成宋乱，为赂故，立华氏也。④

宋殇公立，十年十一战，⑤民不堪⑥命。孔父嘉为司马，督为大宰，故因民之不堪命，先宣言⑦曰："司马则⑧然。"已杀孔父而弑殇公，召庄公⑨于郑而立之，以亲郑。以郜大鼎赂公⑩，齐、陈、郑皆有赂，故遂相宋公⑪。

夏，四月，取郜大鼎于宋。戊申，纳于太庙，非礼也。臧哀伯⑫谏曰："君人者，将昭德塞违⑬，以临照⑭百官，犹惧或失之，故昭令德以示子孙。是以清庙茅屋⑮，大路越席⑯，大羹不致⑰，粢食不凿⑱，昭其俭也。衮、冕、黻、珽⑲，带、裳、幅、舄⑳，衡、紞、纮、綖㉑，昭其度㉒也。藻、率、鞞、鞛㉓，鞶、厉、游、缨㉔，昭其数也㉕。火、龙、黼、黻㉖，昭其文㉗也。五色比象㉘，昭其物㉙也。钖、鸾、和、铃㉚，昭其声也。三辰旂旗㉛，昭其明也㉜。夫德，俭而有度，登降有数，㉝文物以纪之㉞，声明以发之㉟，以临照百官。百官于是乎戒惧而不敢易纪律㊱。今灭德立违，而寘其赂器于太庙，以明示百官。百官象㊲之，其又何诛㊳焉？国家之败由官邪也，官之失德，宠赂章也。郜鼎在庙，章孰甚焉㊴？武王克商㊵，迁九鼎于雒邑㊶，义士㊷犹或非之，而况将昭违乱之赂器于太庙㊸，其若之何？"公不听。

周内史㊹闻之曰："臧孙达其有后于鲁乎㊺！君违，不忘谏之以德。"

[注释]

①"二年"四句：二年：公元前710年。宋督：宋国大夫，名督，字华（huà）父，又称华父督。古人名字连称时，先字后名。孔父：名嘉，所以又称孔父嘉。正考父之子，孔子祖先。桓公元年《传》记载："宋华父督见孔父之妻于路，目逆而送之，曰：'美而艳。'"②"君子"三句：是解释《春秋》经文书法的。经文作"宋督弑其君与夷及其大夫孔父"，宋督弑君在前，杀孔父在后，实际过程正相反。经文这样书写，是因为宋督擅自杀害大夫，早已目无君长。③会于稷：经文作："公会齐侯、陈侯、郑伯于稷，以成宋乱。"传文因此省略与会诸人。稷，今河南商丘境内。④"以成宋乱"三句：宋督杀害大夫与国君，实为内乱。齐、陈、郑等国收了宋督的贿赂而与会，实际上是助成宋乱，默认宋督控制朝政，建立华氏政权。"为赂故，立华氏也"是对经文的解释。宋督于庄公十二年被杀，但华氏执掌宋国政权长达二百多年。成：成就。赂：贿赂。⑤"宋殇公立"二句：宋殇公与夷十分好战，在位十年，进行了十一场战争。⑥堪：承受，忍受。⑦宣言：扬言，放话。孔父嘉担任主管军事的司马，宋人为战争所累，因此宋督的话易于使人相信。⑧则：实，是。⑨庄公：名冯，穆公之子，隐公三年奔郑。⑩郜：姬姓之国，今山东成武县东南。此前已为宋所灭，因此所铸鼎为宋所有。公：鲁桓公。⑪相宋公：为庄公之相。⑫臧哀伯：鲁国大夫，名达，臧僖伯之子。⑬昭德塞违：昭扬德

义,杜绝奸邪。塞,闭塞,杜绝。违,邪,恶,指不合德义而违礼之事。德、违对举成词。⑭临照:临。临、照二字同义。⑮清庙茅屋:指清庙用茅草盖屋,以示节俭。清庙,即太庙,又称明堂或太室,是天子的祖庙。茅屋,茅草所盖之屋。⑯大路:又作"大辂",祀天之车。或用玉,或用木。越席:蒲草编织之席,祭祀所用。越,通"括",结。"大路越席"与"清庙茅屋"相对,指用蒲草编织的席子茵敷在祀天之车中。⑰大(tài)羹:肉汁。不致:不用五味(酸、苦、辛、咸、甘)加以调和。⑱粢(zī)食(sì):主食。祭祀所用,多以黍、稷做成。不凿:指不加细舂。凿,细米。⑲衮(gǔn):古代天子、上公祭祀时所用的礼服,画有卷曲龙,天子红色,上公黑色。冕:礼帽,大夫以上服之。黻:同"韨",用韦(熟皮)制作的蔽膝,祭祀时所用。珽(tǐng):玉笏(hú),天子所用,长三尺。作用相当于汉魏以后的手板,有事可书写其上,避免遗忘。⑳带:大带,又叫绅带,宽四寸,以丝为之,用以束腰,古代衣服外用大带束腰,在前面打结,两边下垂的部分叫绅。裳:上衣曰衣,下衣曰裳,即裙。幅(bī):古人以布斜缠足背,上达膝部,略同于后世的绑腿。舄(xì):鞋,古人称鞋为履,单层底的叫屦,双层的叫舄。㉑衡:横笄,起固定冠冕的作用。纮(dǎn):冕冠上用来悬瑱(tiàn)(塞耳)的带子,垂于冠之两边。纮(hóng):冠冕上的带子,起固定冕弁的作用。綖(yán):覆在冠冕上的装饰。㉒度:法度,指尊卑上下,各有区别。㉓藻:又作"缫"、"缫藉",内为木板,外包熟皮,上画水藻之文。率:又作"帨",借为"帅",佩巾。鞞(bǐng):刀鞘。鞛(běng):通"琫",刀柄上的饰物。㉔鞶(pán):革带。用以系蔽膝或其他饰物。厉:革带之下垂者为厉。游(liú):同"旒",古代旌旗上的饰物。缨:马鞅,马颈上用来驾车的革。㉕昭其数也:以上八种物品各依身份地位的不同而有不同的规格。㉖火、龙、黼(fǔ)、黻(fú):都是衣服上的花纹,火形为半环,龙作龙形。黼,用黑白二色在礼服上绣成一对斧形。黻,用黑青二色在礼服上绣成的"亚"字形(像两个"弓"字相背之形)。黼、黻均为五章之一。㉗文:文饰,文采。㉘五色:青、黄、赤、白、黑,古代以此为正色。比象:用五色绘出山、龙、华、虫等各种物象,仍指衣服饰纹。㉙物:色。㉚钖(yáng):马额上的铜制饰物,行走时能发出声音。鸾:车上饰物,摆在马嚼子或车衡上方。和:设在

臧哀伯谏取鼎(桓公二年) 33

轼（车前横木）上的小铃。铃：设在旌旗上的小铃。㉛三辰：指日、月、星。旂（qí）旗：旗有九种，旂旗是其总称。㉜昭其明也：旗帜起标识作用，又绘上日月星，更加醒目，所以叫做"昭其明"。㉝"夫德"三句：德：以上所言皆是礼物，礼物要表达的是礼意，故归于德。俭承上文大羹不致、粢食不凿而言，度承上文衮冕等十二物而言。登降：增减。数：等级，等差。㉞文物：文承上文火龙黼黻而言，物承上文五色比象而言。㉟声明：声承上文钖鸾和铃而言，明承上文三辰旂旗而言。㊱易：违反。纪律：纲纪法度。㊲象：效，效法。㊳诛：责备，惩罚。㊴焉：于此。㊵武王：周武王，名姬发，周王朝建立者。克商：灭商。㊶九鼎：夏朝根据九州贡金所铸九个大鼎，武王克商而得之。雒邑：即成周，今河南洛阳市。㊷义士：指伯夷、叔齐。武王于商为臣子，而有灭商之举，二人认为武王不对，不食其禄，饿死于首阳山。㊸将：乃。违乱：奸邪。㊹内史：官名，掌书王命。㊺臧孙达：即臧哀伯。有后于鲁：在鲁国后继有人。

[译文]

　　二年春，华父督攻打孔氏，杀死了孔父而占有他的妻子。宋殇公发怒，华父督害怕，就杀死了宋殇公。

　　君子认为华父督心中早已没有国君的位置，然后才做出杀人的罪恶行为，因此《春秋》先记载他杀害他的君王。

　　诸侯在稷地相会而成全宋国的内乱，是因为华父督加以贿赂的缘故，确立了华氏的执政地位。

　　宋殇公即位以来，十年中参与了十一次战争，百姓承受不起了。孔父嘉担任司马，华父督为太宰，他有意顺着百姓难以承受这一点，事先宣扬说："司马就要这样做。"华父督杀死孔父嘉又杀害殇公后，把庄公从郑国召回立为国君，以此亲近郑国。他用郜国的大鼎贿赂桓公，齐、陈、郑等国都有贿赂，所以就做了宋庄公的国相。

　　夏四月，从宋国取来郜国的大鼎。初九日，把鼎安放在太庙里，这是不合乎礼的。臧哀伯进谏说："作为百姓的君王，应该昭扬德义，杜绝邪恶，以此来照临百官，这样还担心有所过失，所以要宣扬美德，来教育子孙后代。因此，太庙用茅草盖顶，大辂用蒲席铺就，肉汁不用五味调和，祭祀用的米不经细春，这是为了表明节俭。礼服、礼帽、蔽膝、玉笏、革带、裙子、绑腿、鞋子、横簪、瑱绳、纽带、冕布，这是为了表明法度。缫藉、佩巾、刀鞘、刀饰、革带、飘带、旗饰、马鞧，这是为了表明数量。衣服上所绘火、龙、黼、黻等图案，这是为了表明纹饰。用五色绘出各种物象，这是为了表明色彩。钖、鸾、和、铃，这是为了表明声音。画着日、月、星的旗帜，这是为了表示光亮。行为的准则，应当是节俭而有法度，增减有一定的数量，用纹饰和色彩来记录它，用声音与光亮来发扬它，以此来照临百官。百官因此才会警戒畏惧，不敢违反纪律。如今却抛弃德义而树立邪恶，把人家贿赂的器物放在太庙里，把它展示在百官面前。百官如果加以效法，又怎么去责备他们呢？一个国家的衰败，是由于官员的行为不正。官员丧失德义，是由于受宠而贿赂公行。把郜鼎放在太庙里，还有比这更明显的贿赂吗？武王战败殷商，把九鼎迁移到王城，还有义士认为他不对，更何况把表明违法叛乱的贿赂来的器物放在太庙里，这又该怎么办呢？"桓公听不进去。

  周朝的内史听到这件事，说："臧孙达在鲁国后继有人吧！君主违背礼制，他没有忘记用德义进行规劝。"

桓王伐郑（桓公五年）

[题解]

春秋时期，王室衰微，诸侯纷争，五霸迭兴。郑庄公竟敢与周天子交战，并射中王肩，正是这一历史发展趋势的生动说明。

王夺郑伯政①，郑伯不朝②。

秋，王以诸侯伐郑，郑伯御之。王为中军；虢公林父③将右军，蔡人、卫人属焉；周公黑肩④将左军，陈人属焉。

郑子元请为左拒⑤，以当蔡人、卫人；为右拒，以当⑥陈人，曰："陈乱⑦，民莫有斗心。若先犯⑧之，必奔。王卒顾⑨之，必乱。蔡、卫不枝⑩，固将先奔。既而萃⑪于王卒，可以集事⑫。"从之。曼伯⑬为右拒，祭仲足⑭为左拒，原繁、高渠弥以中军奉公，为鱼丽之陈⑮。先偏后伍，伍承弥缝⑯。

战于繻葛⑰。命二拒曰："旝⑱动而鼓！"蔡、卫、陈皆奔，王卒乱，郑师合以攻之，王卒大败。祝聃射王中肩，王亦能军⑲。祝聃请从⑳之。公曰："君子不欲多上人㉑，况敢陵天子乎？苟㉒自救也，社稷无陨，多矣。"

夜，郑伯使祭足劳王㉓，且问左右。

[注释]

①王夺郑伯政：郑伯一直为周王卿士，主持朝政。后来周桓王任命虢公忌父担任右卿士，郑伯为左卿士，分担朝政。此年桓王则全夺郑伯之职，使其不与朝政。②朝：朝见，觐见。③虢公林父：周王卿士。④黑肩：即周桓公。⑤子元：名突，郑公子。拒：军队方阵。⑥当：面对，抵御。⑦陈乱：陈桓公死，其弟杀太子自立，国内陷入争斗，政局不稳。⑧犯：进攻。⑨顾：照顾，分心。⑩枝：通"支"，抵挡。⑪萃：聚，合攻。⑫集事：成事。⑬曼伯：郑公子忽的字。⑭祭（zhài）仲足：郑大夫。下文原繁、高渠弥、祝聃等同。⑮陈（zhèn）：同"阵"。⑯"先偏后伍"二句：根据《司马法》，二十五辆战车为一偏，前车后伍。伍由五人组成，用于填补战车之间的空档。⑰缥（xū）葛：长葛，郑邑，今河南长葛市东北。⑱旝（kuài）：大将所用军旗，号令全军。用绛帛制成，无画饰。⑲王亦能军：周王还能指挥全军。⑳从：追击。㉑上人：驾凌于人。㉒苟：如果。㉓祭足：即祭仲。劳（lào）：安抚，慰劳。

[译文]

周桓王不让郑庄公参与周朝政事，郑庄公就不再入周朝觐。

秋，周桓王率领诸侯攻打郑国，郑庄公发兵抵抗。周桓王率领中军；虢公林父率领右军，蔡军、卫军属其节制；周公黑肩率领左军，陈军属其节制。

郑国的子元建议用左方阵来抵御蔡军和卫军，用右方阵来抵御陈军。他说："陈国正逢内乱，人民没有战斗的意志。如果先进攻他们，他们一定会奔逃。周天子的军队要照顾这种局面，一定会发生混乱。蔡、卫的军队支持不住，必然会争先逃奔。接下来集中兵力对付周天子的军队，就可以取得胜利了。"郑庄公接受了他的建议。曼伯率领右方阵的军队，祭仲足率领左方阵的军队，原繁、高渠弥率领中军拱卫庄公，摆开鱼丽战阵，前为偏，后为伍，伍弥补偏的空档。

双方在缥葛展开战斗。郑庄公令左右二方阵说："将旗一旦挥动,便击鼓进攻!"蔡、卫、陈国的军队都四散奔逃,周天子的军队产生混乱,郑国的军队从两边合围,进攻周军,周军大败。祝聃发箭,射中周桓王的肩膀,但周桓王还可以指挥全军。祝聃请求追击周军,郑庄公说:"君子不希望过多地凌驾于人,更何况敢欺凌周天子呢?如果能挽救自己,使国家免于危亡,这就足够了。"

　　晚上,郑庄公派遣祭足慰问周桓王,同时问候天子的群臣。

楚武王侵随（桓公六年）

[题解]

楚国兴起于南方，向汉水以东扩张，采用骄敌之策，以麻痹随国。随君采纳贤臣季梁的建议，修明政治，亲近兄弟之国，终使楚国不敢轻举妄动。

楚武王侵随①，使薳章求成焉②，军于瑕以待之③。随人使少师董成④。斗伯比⑤言于楚子曰："吾不得志于汉东也⑥，我则使然。我张⑦吾三军，而被⑧吾甲兵，以武临之，彼则惧而协⑨以谋我，故难间⑩也。汉东之国，随为大。随张⑪，必弃小国。小国离⑫，楚之利也。少师侈⑬，请羸师以张之⑭。"熊率且比⑮曰："季梁⑯在，何益？"斗伯比曰："以为后图，少师得其君⑰。"王毁军⑱而纳少师。

少师归，请追楚师。随侯将许之。季梁止之，曰："天方授⑲楚，楚之羸，其诱我也。君何急焉？臣闻小之能敌大也，小道大淫⑳。所谓道，忠于民而信于神也。上思利民，忠也；祝史正辞㉑，信也。今民馁而君逞欲㉒，祝史矫举㉓以祭，臣不知其可也。"公曰："吾牲牷肥腯㉔，粢盛㉕丰备，何则㉖不信？"对曰："夫民，神之主㉗也，是以圣王先成民㉘而后致力于神。故奉牲以告曰'博硕肥腯'，谓民力之普存也，㉙谓其畜之硕大蕃滋也㉚，谓其不疾瘯蠡也㉛,谓其备腯咸有也㉜;奉盛以告曰:'洁粢丰盛',谓其三时不害而民和年丰也㉝。奉酒醴以告曰'嘉栗旨酒'㉞,谓其上下皆有嘉德而无违心也。所谓馨香,无谗慝也㉟。故务其三时,修其五教㊱,亲其九族㊲,以致其禋祀㊳,于是㊴乎民和而神降之福,故动则有成㊵。今民各有心,而鬼神乏主;㊶君虽独丰,其何福之有?君姑修政,而亲兄弟之国㊷,庶㊸免于难。"随侯惧而修政,楚不敢伐。

[注释]

①楚武王:名熊通。楚本为子爵,楚武王开始僭称王。随:姬姓之国,今湖北随州市一带。②薳(wěi)章:楚大夫。成:和解。③军:驻扎。瑕:随地。④少师:官名。董:主持。⑤斗伯比:楚大夫,若敖之子,令尹子文之父。⑥不得志:没实现志愿,指扩张土地。汉东:汉水以东。⑦张:陈列。⑧被:披。⑨协:和。⑩间(jiàn):离间。⑪张:自高自大。⑫离:离心。⑬侈:骄傲。⑭羸师以张之:用羸弱之态,使少师自大,不加防备。⑮熊率(lǜ)且(jǔ)比:楚大夫。⑯季梁:随国贤臣。⑰得其君:将来得到君王的宠信。⑱毁军:使军队呈现疲弱之态,即上文之"羸师"。⑲授:与。⑳道:得道。淫:邪僻。㉑祝史:主持祭祀祈祷的官员。正辞:言辞诚实。㉒馁:饥饿。逞欲:放纵私欲。㉓矫举:虚举,虚报功德。㉔牲牷:即牺牲,祭祀所用牲畜。躯体完整叫牲,毛色纯一叫牷。腯(tú):肥。㉕盛(chéng):盛于祭器中的祭品。㉖何则:何为,为什么。㉗主:主人,主宰。鬼神依民而行。㉘成民:使民安定。㉙"故奉牲"二句:指百姓财力普遍充足。㉚谓其畜之硕大蕃滋也:指牲畜体大而繁殖很快。㉛谓其不疾瘯蠡也:指牲畜不瘦弱。瘯(cù),借为"瘦"。蠡(luǒ),借为"羸"。㉜备、咸:皆。㉝三时:春、夏、秋三季。不害:不妨害农事。㉞醴:甜酒。嘉:善。栗:通"冽",清、洁。旨:美。㉟谗、慝:奸邪。㊱五教:父义、母慈、兄友、弟共、子孝。㊲九族:自高族至玄孙为九族。杜预认为九族指外祖父、外祖母、从母子及妻父、妻母、姑之子、姊妹之子、女子之子并己之同族。㊳禋(yīn)祀:祭祀。㊴于是:因此。㊵有成:有功。㊶"今民各有心"二句:民各有心则不和,

不和则鬼神无主。㊷兄弟之国：指汉水以东姬姓诸国。㊸庶：庶几，差不多。

[译文]

　　楚武王入侵随国，派蒍章去随国讲和，把军队驻扎在瑕地等待结果。随国人派少师主持和议。斗伯比对楚武王说："我国在汉水以东不能如愿，是我们自己造成的。我们壮大军队气势，整顿装备，用武力来凌驾他们，他们就会因为惧怕而联合起来对付我国，因此很难离间他们。汉东诸国，随国最大，随国如果自高自大，就一定会抛弃那些小国。小国如果和随国离心，就是我们楚国的利益所在。少师这个人狂妄自大，请君王让我军表现出疲弱的状态，让他更加自满。"熊率且比说："随国有贤臣季梁在，这样做有什么益处呢？"斗伯比说："这是为以后作打算，少师会得到他的君王的宠任的。"楚武王因此有意使军容不整，接待少师。

　　少师回去后，请求追击楚军。随侯准备听从他的请求。季梁劝阻随侯说："上天正眷顾楚国，楚军的疲弱，是在诱惑我们啊。君王何必急着出兵呢？臣听说小国所以能抗衡大国，是由于小国得道，而大国政治邪乱。所谓道，就是忠于百姓而取信于神灵。国君经常想为百姓谋利，这就是忠；祝史祭祀时能诚实不欺，这就是信。如今百姓挨饿而国君放纵私欲，祝史虚报功德进行祭祀，我不知道这样怎么可以成功。"随侯说："我祭祀时，牲畜毛色纯正而且肥壮，盛在祭器中的粮食丰富完备，为什么不能取信于神灵？"季梁回答说："百姓，是神灵的主宰。因此圣明的君王先使百姓安定，然后才致力于祭祀神灵。所以在奉献牺牲时就祝告说'牲畜又大又肥壮'，是说百姓的财力普遍富足，是说他们的牲畜肥大而且繁殖很快，是说牲畜不生疾病而瘦弱，是说牲畜体格健壮、种类齐全。在奉献祭粮时祝告说'洁净的粮食丰富充足'，是说他们春夏秋三季没有遇到灾害，百姓和睦，年成丰收。在奉献甜酒时祝告说'又好又清的美酒'，是说他们上下都有美好的德行而没有二心。所谓祭品芳香，是说没有奸邪之人。因此他们专心忙着春、夏、秋三季的农事，修明五教，亲近九族，用这些来祭祀神灵。这样，百姓和睦，神灵赐福，因此做任何事都会获得成功。现在人民各自怀着异心，神灵也就没有了主宰；君王即使个人祭品丰盛，又有什么福气呢？君王姑且修明政事，亲近周围的兄弟国家，差不多能免于灾难。"随侯感到恐惧，于是修明政事，楚国不敢前来进攻。

申繻论命名（桓公六年）

[题解]

本篇讲桓公之子同的命名。申繻提出了命名的五种类型，并指出大物不可以命名的原则。

九月丁卯，子同生。以大子生之礼举之①：接以太牢②，卜士负之③，士妻食之④，公与文姜、宗妇命之⑤。

公问名于申繻⑥。对曰："名有五：有信，有义，有象，有假，有类。以名生⑦为信，以德命⑧为义，以类命⑨为象，取于物⑩为假，取于父⑪为类。不以国，不以官，不以山川，不以隐疾⑫，不以畜牲，不以器币⑬。周人以讳事神⑭，名，终将讳之⑮。故以国则废名，以官则废职，以山川则废主⑯，以畜牲则废祀，以器币则废礼。晋以僖侯废司徒⑰，宋以武公废司空⑱，先君献、武废二山⑲，是以大物⑳不可以命。"公曰："是其生也，与吾同物㉑，命之曰同。"

[注释]

①大（tài）：同"太"。举：立。②接：接见。《礼记·内则》："国君世子生，告于君，接以太牢。"太牢：古代祭祀，牛、羊、豕三牲都用叫太牢，只有一牲叫特，用羊与豕叫少牢。③卜士负之：通过占卜，选定士人之士者抱

负之。④士妻食之：通过占卜，选定士之妻、大夫之妾喂养他。⑤文姜：桓公嫡妻，齐女。宗妇：同宗之妇。命：同"名"，命名，取名。《仪礼·丧服传》："故子生三月，则父名之。"⑥申繻（xū）：鲁大夫。⑦以名生：以与出生时有关的特征来命名，如唐叔虞出生时手掌有字形似"虞"字，鲁季友出生时手掌有字形似"友"字，就分别以"虞"、"友"为名。⑧以德命：用吉祥的意象来命名，如文王名昌，武王名发。⑨以类命：用相类似的事物来命名，如孔子名丘。⑩取于物：用各种物品来命名，如宋昭公名杵臼，孔子之子名鲤。⑪取于父：用与父亲有关的字词来命名，如庄公名字叫同，是因为与父亲同一天生日。⑫不以隐疾：不用疾病来命名。隐，疾。⑬器币：礼器与礼物。⑭以讳事神：生时不避讳，死后讳之。⑮终将讳之：人死后，其名终将避讳。天子与诸侯避讳父、祖、曾祖、高祖之名，五世亲尽，以上之名则不讳。⑯以山川则废主：用山川命名，则改山川之名。⑰晋以僖侯废司徒：晋僖侯名叫司徒，就把司徒一职改为中军。⑱宋以武公废司空：宋武公名司空，司空一职就改为司城。⑲先君献、武废二山：鲁献公名具，武公名敖，就把具山、敖山的名字改了，用其乡来命名。⑳大物：指以上所举国、官、山川、隐疾、畜牲、器币等。㉑物：六物，指岁、时、日、月、星、辰。

[译文]

九月二十四日，桓公的儿子同出生了。举行太子出生的礼仪：桓公用太牢之礼接见他，通过占卜，选择士人来抱他，让士人的妻子给他做奶妈，桓公及文姜、同宗有德望的妇人给他命名。

桓公向申繻询问命名的事。申繻回答说："名有五种，有信，有义，有象，有假，有类。用出生时的特征来命名叫做信，用吉祥的意象命名叫做义，用相类似的事物来命名叫做象，用各种物品的名称来命名叫做假，用与父亲有关的字词来命名叫做类。不用国名来命名，不用官名来命名，不用山川来命名，不用疾病来命名，不用畜牲来命名，不用器物礼物来命名。周朝人通过避讳来侍奉神灵，名，在死后必定要避讳。因此，用国名来命名就会废除国名，用官名来命名就会废除官名，用山川来命名就会改变山川的名，用畜牲来命名就会废除祭祀，用器物礼物来命名就会废除礼仪。晋国因为僖公而废除了司徒的官名，宋国因为武公而废除了司空的官名，我国因为前代献公、武公而废除二山之名，所以大的事物不能用来命名。"桓公说："这孩子的出生，与我同一天，就命名他为同。"

虞公贪玉剑（桓公十年）

[题解]

虞公贪得无厌，终于招来祸患。

初，虞叔①有玉，虞公求旃②。弗献。既而悔之，曰："周谚有之：'匹夫无罪，怀璧其罪。'吾焉用此，其以贾③害也？"乃献之。又求其宝剑。叔曰："是无厌④也。无厌，将及我⑤。"遂伐虞公。故虞公出奔共池⑥。

[注释]

①虞叔：虞公之弟。②旃："之焉"两字的合音。③贾（gǔ）：买。④厌：满足。⑤将及我：祸患到我身上。⑥共（gōng）池：地名，今山西平陆。

[译文]

起初，虞公的弟弟虞叔有块美玉，虞公向他索取。虞叔没有进献。不久就后悔了，说："周朝谚语有这样的话：'百姓没有罪，怀藏璧玉就有罪。'我哪里用得着这块玉呢，留着它给我买来祸害吗？"于是就献给了虞公。虞公又向虞叔索取他的宝剑。虞叔说："这样就没有满足的时候了。不满足，祸患就会到我身上。"于是就讨伐虞公。所以虞公逃亡到共池。

齐襄公之死（庄公八年）

[题解]

齐国内乱，公孙无知杀齐襄公自立，公子小白等逃亡国外。

齐侯使连称、管至父戍葵丘①。瓜时②而往，曰："及瓜而代③。"期④戍，公问⑤不至。请代，弗许。故谋作乱。

僖公之母弟曰夷仲年⑥，生公孙无知，有宠于僖公，衣服礼秩如适⑦。襄公绌⑧之。二人因之以作乱⑨。

连称有从妹在公宫⑩，无宠，使间⑪公。曰："捷，吾以汝为夫人。"

冬，十二月，齐侯游于姑棼⑫，遂田于贝丘⑬。见大豕。从者曰："公子彭生⑭也。"公怒，曰："彭生敢见！"射之。豕人立⑮而啼。公惧，队⑯于车。伤足，丧屦⑰。反，诛屦于徒人费⑱。弗得，鞭之，见血。走出，遇贼⑲于门。劫而束之⑳。费曰："我奚御哉？"袒而示之背。信之。费请先入。伏㉑公而出，斗，死于门中。石之纷如㉒死于阶下。遂入，杀孟阳㉓于床。曰："非君也，不类。"见公之足于户下，遂弑之，而立无知。

初，襄公立，无常㉔。鲍叔牙㉕曰："君使民慢㉖，乱将作矣。"奉公子小白㉗出奔莒。乱作，管夷吾、召忽奉公子纠来奔㉘。

[注释]

①连称、管至父：均为齐大夫。戍：戍守，守卫。葵丘：又名渠丘，今山东淄博市西。②瓜时：瓜熟之时，夏历七月。③及瓜而代：到来年瓜熟时使人替换。④期（jī）：周年。⑤问：音讯，指替代戍守的消息。⑥母弟：同母弟。夷仲年：齐僖公弟弟，齐襄公叔父，夷为字或谥，仲是排行，年是名。⑦秩：通"秩"，爵位等级。適（dí）：同"嫡"。⑧绌：通"黜"，贬退，贬低。⑨二人因之以作乱：连称、管至父因此勾结公孙无知作乱。⑩从（zòng）妹：堂妹。在公宫：在宫为妾。⑪间（jiàn）：窥伺，侦察情况。⑫姑棼（fén）：齐地，即薄姑，今山东博兴县东北。⑬田：猎。贝丘：齐地，今山东博兴县南。⑭公子彭生：齐公子。齐襄公与其妹鲁桓公夫人私通，桓公不满，彭生就杀死了桓公。齐襄公在鲁国的压力下，杀死彭生以谢罪。详见桓公十八年传。⑮人立：身子直起，前足悬空，后足立地，像人一样立起来。⑯队：同"坠"。⑰屦（jù）：单层底的鞋子。⑱诛：责备。徒人："侍人"之误。侍人即寺人。寺人，宦者。⑲贼：作乱者。⑳劫：劫持。束：捆绑。㉑伏：藏匿。㉒石之纷如：宦者，受齐襄公宠信。㉓孟阳：宦者，伪装成襄公卧于床上。㉔无常：行为没有准则，使人不知所措。㉕鲍叔牙：齐大夫，姒姓之后。㉖慢：松弛放纵。㉗公子小白：齐桓公，齐襄弟，僖公庶子。㉘公子纠：公子小白庶兄。来奔：出奔鲁国。

[译文]

齐襄公派遣连称、管至父戍守葵丘。瓜熟时前往，襄公对他们说："等明年瓜熟时派人接替你们。"一年戍守期满，齐襄公派人接替的消息并没有到。二人请求襄公派人接替，襄公不同意。二人因此策划叛乱。

齐僖公的同母弟名叫夷仲年，生了公孙无知，得到僖公的宠爱，所用衣服、礼数、爵位等级都与嫡子一样。襄公即位后，降低了公孙无知的待遇。连称、管至父便依靠公孙无知发动叛乱。

连称有个堂妹在襄公的后宫，不得宠，公孙无知就派她窥探襄公的举动，对她说："事成之后，我立你为夫人。"

冬十二月，齐襄公到姑棼去游览，接着在贝丘打猎，见到一头大野猪。随从们说："这是公子彭生啊！"襄公发怒道："公子彭生怎么敢现形！"用箭射它，野猪像人一样直立起身子啼叫。襄公很害怕，从车上摔了下来。跌坏了脚，丢了鞋子。回来后，襄公责令寺人费去找鞋子。没有找到，襄公就用鞭子抽他，打得见血。寺人费走出屋子，与作乱的人在门口相遇，作乱的人劫持了他，把他捆了起来。寺人费说："我哪里会抵抗你们呢？"解开衣服，让他们看受伤的脊背，作乱的人就相信了他。寺人费要求先进去。他把襄公藏匿好了，然后出来，与贼人进行搏斗，死在宫门里。石之纷如斗死在台阶下。作乱的人于是进入宫内，把孟阳杀死在床上，说："这不是君王，样子不像。"见到齐襄公的脚从门下边露出来，于是就把他杀了，拥立公孙无知登位。

起初，襄公即位，政令没有一定的准则。鲍叔牙说："君王使人民松弛放纵，祸乱将要发生了。"于是侍奉公子小白逃亡到莒国。叛乱发生后，管夷吾、召忽侍奉公子纠逃亡来到鲁国。

齐桓公争国（庄公八年、九年）

[题解]

鲁国欲以武力拥立公子纠为齐国国君，因此与先登君位的齐桓公发生战争，结果战败。齐桓公巩固了君位。

初，公孙无知虐于雍廪。①

九年，春，雍廪杀无知。

公及齐大夫盟于蔇②，齐无君③也。

夏，公伐齐，纳子纠。④桓公自莒先入。

秋，师及齐师战于乾时，我师败绩。公丧戎路⑤，传乘⑥而归。秦子、梁子以公旗辟于下道，是以皆止。⑦

鲍叔帅师来言曰："子纠，亲也，请君讨⑧之。管、召，雠⑨也，请受而甘心焉。"乃杀子纠于生窦⑩。召忽死之⑪。管仲请囚，鲍叔受之，及堂阜而税之⑫。归而以告曰："管夷吾治于高傒⑬，使相可也。"公从之。

[注释]

①"初"二句：本条传文在庄公九年。雍廪：渠丘（葵丘）大夫。②公：鲁庄公。蔇：通"暨"。③齐无君：公孙无知杀齐襄公后自立为君，又被雍廪杀死，齐国处于无君状态。④"夏"三句：齐国内乱，管夷吾、召忽

侍奉公子纠逃亡到鲁国。公孙无知被杀，鲁庄公就护送公子纠回国，欲立为君。⑤戎路：兵车。⑥传乘：转乘轻便的战车。⑦"秦子、梁子"二句：两人用鲁庄公的旗子，引诱齐军，以便让庄公逃脱。秦子、梁子：鲁庄公的车御与车右。辟：躲避。下道：小道。止：获，被俘。⑧讨：杀。⑨雠：仇。管仲、召忽都是公子纠之傅，管仲还曾射中公子小白（齐桓公）的带钩，所以说是仇人。⑩生窦：鲁地，今山东菏泽市北。⑪死之：为之死，即为公子纠而自杀。⑫堂阜：齐地，今山东蒙阴县西北。税（tuō）：通"脱"，解缚。⑬治于高傒：治理政事的才干胜过高傒。高傒即高敬仲，齐国名臣。

[译文]

起初，公孙无知虐待过雍廪。

九年春，雍廪杀了公孙无知。

庄公和齐国大夫在暨地会盟，是因为齐国处于没有国君的状态。

夏，庄公攻打齐国，想立公子纠为国君。齐桓公已从莒国先行回国，做了国君。

秋，我军与齐军在乾时展开战斗，我军大败。庄公丢了兵车，转乘轻便的战车回国。秦子、梁子拿着庄公的旗帜，躲避在小路上，因此被齐军俘虏。

鲍叔率领军队前来致辞说："公子纠，是亲兄弟，请君王把他杀了。管仲和召忽，是我们的仇人，请交给我们才甘心。"于是就在生窦这个地方杀了公子纠，召忽为此自杀了。管仲请求把自己囚禁起来，鲍叔接受了他的请求，走到堂阜这个地方就把他放了。回国后，向桓公禀报说："管夷吾比高傒还有治才，让他担任国相是很合适的。"桓公听从了他的意见。

曹刿论战(庄公十年)

[题解]

齐国侵鲁,鲁国曹刿深谋远虑,审时度势,抓住战场上有利时机,帮助鲁庄公战胜了齐国。

十年,春,齐师伐我。①公将战。曹刿②请见。其乡人③曰:"肉食者谋之,又何间焉?"④刿曰:"肉食者鄙⑤,未能远谋。"乃入见,问何以战。公曰:"衣食所安,弗敢专也,⑥必以分人。"对曰:"小惠未遍,民弗从也。"公曰:"牺牲玉帛,弗敢加⑦也,必以信。"对曰:"小信未孚⑧,神弗福⑨也。"公曰:"小大之狱,虽不能察,必以情。"对曰:"忠之属也⑩,可以一战。战,则请从。"

公与之乘⑪。战于长勺。公将鼓⑫之。刿曰:"未可。"齐人三鼓。刿曰:"可矣!"齐师败绩。公将驰⑬之。刿曰:"未可。"下,视其辙⑭,登轼⑮而望之,曰:"可矣!"遂逐齐师。

既克,公问其故。对曰:"夫战,勇气也。一鼓作气⑯,再而衰,三而竭。彼竭我盈,故克之。夫大国,难测也,惧有伏焉。吾视其辙乱,望其旗靡⑰,故逐之。"

夏,六月,齐师、宋师次于郎。公子偃⑱曰:"宋师不整,可败也。宋败，齐必还。请击之。"公弗许。自雩门窃出⑲，蒙皋比而先犯之⑳。公从之。大败宋师于乘丘。齐师乃还。

[注释]

①"十年"三句：鲁庄公介入齐国内政，支持公子纠与齐桓公争立国君，因此齐桓公派兵攻打鲁国。②曹刿：鲁国人。③乡人：同乡之人。④"肉食者"二句：肉食者：吃肉的人。指贵族。间：参与。⑤鄙：鄙陋。⑥"衣食所安"二句：分享衣食属于小恩小惠，受益的也不过是周围亲近的人。专：独享。⑦加：夸大。⑧孚：通"覆"，覆盖，遍及。⑨福：赐福，保佑。⑩忠：尽心于民事叫忠。属：类。⑪公与之乘：庄公与曹刿同乘一车。⑫鼓：击鼓。⑬驰：奔驰，指追击齐军。⑭辙：车迹。⑮轼：车前横木，供扶手用。⑯一鼓作气：第一通鼓，士气高涨。作：振作。⑰靡：偃，倒。⑱公子偃：鲁大夫。⑲雩（yú）门：鲁国南城西门。窃：私自。⑳皋比：虎皮。犯：进攻。

[译文]

十年春，齐国军队进攻我国。庄公准备迎战。曹刿请求晋见庄公。他的同乡人说："那是吃肉的人谋划的事情，您何必进去掺和呢？"曹刿说："吃肉的人鄙陋不通，不能作长远的规划。"于是进见庄公，问庄公靠什么作战。庄公说："穿暖衣，吃饱饭，不敢一个人独享，一定会分给其他人。"曹刿回答道："小恩小惠不能周遍，百姓不会跟从您的。"庄公说："祭祀用的牛羊玉帛，不敢有所夸大，一定诚实献祭。"曹刿回答说："一念之诚不能代表一切，神灵不会赐福的。"庄公说："大大小小的案件，虽然不能全部查明，一定会根据情理来处理。"曹刿回答说："这属于为百姓尽力办理，可以凭这一战。作战时，请让我跟随前去。"

庄公与曹刿同乘一辆战车。与齐军在长勺展开战斗。庄公要击鼓发动进攻，曹刿劝阻说："还不行！"齐军击鼓冲锋了三次。曹刿说："可以了！"齐军大败。庄公准备率军追击。曹刿说："还不行！"下车，仔细察看齐军的车痕，又登上战车的轼木，向前方眺望，说："可以了！"于是就追击齐军。

战胜以后，庄公问他是什么缘故。曹刿回答说："作战，靠的是勇气啊。第一通鼓，能振作士气；第二通鼓，士气就有所衰退；第三通鼓，士气就消尽了。敌人士气消尽，我军士气充盈，所以能战胜他们。大国行事难以预测，我担心他们有埋伏。我看到他们的车迹很乱，眺望发现他们的旗子已经倒下，这才追击他们。"

夏六月，齐军、宋军驻扎在郎地。公子偃说："宋军不整齐，可以打败他们。宋军一败，齐军必退。请痛击他们。"庄公不许。公子偃自西门私自出城，戴着虎皮，向宋军发动进攻。庄公率军跟在他后面。在乘丘这个地方把宋军打得大败。齐军就撤回国了。

卫懿公好鹤（闵公二年）

[题解]

卫懿公好鹤，玩物丧志，荒于国政，国人离心，至于亡国。在齐国帮助下，戴公复国于曹。

冬，十二月，狄①人伐卫。卫懿公②好鹤，鹤有乘轩③者。将战，国人④受甲者皆曰："使鹤！鹤实有禄位⑤，余焉能战！"公与石祁子玦⑥，与宁庄子矢⑦，使守，曰："以此赞⑧国，择利而为之。"与夫人绣衣，曰："听于二子！"渠孔御戎⑨，子伯为右；黄夷前驱，孔婴齐殿。及狄人战于荧泽⑩，卫师败绩，遂灭卫。卫侯不去其旗，是以甚败⑪。狄人因史华龙滑与礼孔，以逐卫人。二人曰："我，大史也，实掌其祭。⑫不先，国不可得也。"乃先之。至，则告守曰："不可待⑬也。"夜与国人出。狄入卫，遂从⑭之，又败诸河。

初，惠公⑮之即位也少，齐人使昭伯烝于宣姜⑯，不可，强⑰之。生齐子、戴公、文公、宋桓夫人、许穆夫人。文公为卫之多患也，先适⑱齐。及败，宋桓公逆⑲诸河，宵济⑳。卫之遗民㉑男女七百有三十人，益之以共、滕㉒之民为五千人。立戴公以庐于曹㉓。许穆夫人赋《载驰》㉔。齐侯使公子无亏㉕帅车三百乘、甲士三千人以戍曹。归公乘马㉖，祭服五称㉗，牛、羊、豕、鸡、狗皆三百，与门材㉘。归夫人鱼轩㉙，重锦三十两㉚。

[注释]

①狄：又称"翟"，古代北方少数民族。②卫懿公：惠公之子，名赤，谥懿。③轩：曲辕而有遮蔽的车子，供大夫以上的人乘坐。④国人：指城市与四郊的居民，与"庶民"不同。⑤禄位：俸禄和官位。⑥石祁子：卫大夫。玦（jué）：古代的一种佩饰，常用以表示决断。⑦宁庄子：卫大夫，名速。矢：箭，用以表示专决之意。懿公把现场指挥权交给了二人。⑧赞：助。⑨御戎：驾车。渠孔、子伯、黄夷、孔婴齐，都是卫大夫。⑩荧泽：地名，在黄河以北。⑪甚败：惨败。⑫"我"三句：古人非常重视祭祀，所以大史（即太史）这样说，以骗狄人。⑬待：抵御。⑭从：尾随追击。⑮惠公：名朔，宣公之子，懿公之父，即位时年十六七岁。⑯齐人：指齐僖公，宣公夫人宣姜之父。昭伯：宣公之子，名顽，惠公庶兄。烝：与长辈通奸。⑰强：强迫。⑱适：到。⑲逆：迎。⑳宵：夜。济：渡河。㉑遗民：残余的民众。㉒共、滕：都是齐邑。共地为今河南辉县。㉓庐：同"旅"，寄居。曹：卫邑，今河南滑县西南白马故城。㉔《载驰》：见于《诗·鄘风》。㉕公子无亏：即公子武孟，母亲为卫姬。㉖归（kuì）：通"馈"，赠送。乘马：用以驾车的马。㉗称：成套的衣服。㉘门材：做门户的材料。㉙鱼轩：用鱼皮装饰的车。㉚重锦：熟细之锦。两：古代布帛单位。一匹为四丈，两丈双行，所以叫做两。

[译文]

冬十二月，狄人进攻卫国。卫懿公喜好鹤，有的鹤甚至乘坐着轩车。要开战的时候，分发到甲胄武器的人都说："让鹤去吧！鹤有俸禄，有高位，我们哪里能作战！"懿公把玦交给石祁子，把箭交给宁庄子，让他们守城，说："用这个来辅助国家，选择有利的去做。"交给夫人绣衣，说："听他们两个人的。"渠孔驾驭战车，子伯为车右，黄夷为前锋，孔婴齐为殿后。与狄人在荧泽交战，卫国军队战败，狄人于是灭亡了卫国。卫懿公不肯去掉他的旗帜，所以败得很惨。狄人俘虏了太史华龙滑与礼孔，带着他们追击卫军。

二人说:"我们是太史,真正掌管着卫国的祭祀。我们不先回国,你们是不可能得到卫国的。"狄人便让他们先回去。他们到了国都,告诉守城的人说:"没法抵御了。"夜里与国都中人一起撤离。狄人进入卫都,尾随追击,又在黄河边上打败了卫国人。

　　起初,卫惠公即位时年龄很小,齐国人让昭伯与宣姜通奸。昭伯不同意,齐国人就强逼他。生下了齐子、戴公、文公、宋桓公夫人、许穆公夫人。文公因为卫国祸患太多,先去了齐国。等到卫国战败,宋桓公在黄河边上迎接卫国溃败的民众,在夜里渡过黄河。卫国剩下民众有男女七百三十人,加上共、滕两地的民众共有五千人。拥立戴公为君,寄居在曹地。许穆公夫人因此创作了《载驰》这首诗。齐桓公派公子无亏率领战车三百辆、甲士三千人保卫曹地。送给戴公驾车的马,祭服五套,牛、羊、猪、鸡、狗各三百只,又给他做门户的材料。送给夫人鱼皮装饰的车、上等的细锦三十匹。

屈完退齐师（僖公四年）

[题解]

齐桓公以尊王攘夷相号召，称霸诸侯，南讨楚国，势力达到顶峰。楚将屈完则针锋相对，示以决战的勇气，并说以德义，最终使齐桓公订立盟约。

四年，春，齐侯以诸侯之师侵蔡。蔡溃，遂伐楚。

楚子①使与师言曰："君处北海，寡人处南海，②唯是风③马牛不相及也，不虞君之涉吾地也④，何故？"管仲对曰："昔召康公命我先君太公曰⑤：'五侯九伯⑥，女实征之，以夹辅周室！'⑦赐我先君履⑧，东至于海，西至于河，南至于穆陵，北至于无棣。⑨尔贡苞茅⑩不入，王祭不共，无以缩酒，⑪寡人是征⑫。昭王南征而不复⑬，寡人是问。"对曰："贡之不入，寡君之罪也，敢不共给？昭王之不复，君其问诸水滨！"师进，次于陉⑭。

夏，楚子使屈完如⑮师。师退，次于召陵。

齐侯陈诸侯之师，与屈完乘而观之。齐侯曰："岂不穀⑯是为？先君之好是继，与不穀同好⑰，如何？"对曰："君惠徼福于敝邑之社稷⑱，辱收寡君⑲，寡君之愿也。"齐侯曰："以此众战，谁能御之？以此攻城，何城不克？"对曰："君若以德绥⑳诸侯，谁敢不服？君若以力，楚国方城㉑以为城，汉水以为池，虽众，无所用之。"

屈完及诸侯盟。

[注释]

①楚子:楚成王。楚国子爵,故称楚子。其时楚已僭称王。②"君处北海"二句:这里指北方、南方,说明两国相距极远。处:居住。北海、南海:古时中国以为四周皆海,故有此称。③风:牝牡相诱相逐。④不虞:不料。涉:蹚水过河,这里指进入。⑤召(shào)康公:周成王时太保召公奭。"召"是封地,"康"为谥号。太公:姜尚。⑥五侯:公、侯、伯、子、男五等爵。九伯:九州之长。泛指所有诸侯。⑦"女实征之"二句:女(rǔ):即"汝",你。夹辅:辅佐。⑧履:践踏,指足迹所至之地。⑨"南至于穆陵"二句:穆陵:楚地,今湖北、河南交界处有穆陵关。无棣:今山东境内。⑩包茅:包裹成束的菁茅。⑪"王祭不共"二句:共:供。缩酒:一种祭祀程式,以酒灌注在束茅上,就像神饮了一样。⑫征:索取,问罪。"征是"即"是征"。⑬昭王南征而不复:周昭王南巡,卒于汉江。复:回。⑭次:临时驻扎。陉:山名,今河南偃城南。⑮如:往,到。⑯不穀:不善。天子自贬之称。齐桓公用天子名义征讨诸侯,因而自称不穀。⑰同好(hào):共同友好。⑱惠:表敬副词。徼(yāo):求。⑲辱:表敬副词。收:收容,接纳。⑳绥:安抚。㉑方城:淮河以南,汉江、长江以北,今桐柏山、大别山一带,楚国统称为方城。

[译文]

· 四年春,齐桓公率领诸侯的军队攻打蔡国。蔡军溃败,于是讨伐楚国。

楚成王派使者到诸侯军中说:"您住在北海,寡人住在南海,即使牛马发情狂奔也到不了一起。没料到您竟然踏入我们楚国的土地,这是什么缘故?"管仲回答说:"从前召康公命令我们先君太公说:'五侯九伯,你都可以征伐他们,以便辅佐王室。'赐给我们先君讨伐的范围:东到大海,西到黄河,南到穆陵,北到无棣。你们不进贡苞茅,王室祭祀时供应不上,没有用来缩酒的物品,这是寡人我要向你们征取的。昭王南下巡狩，没能返回，这是寡人我要向你们责问的。"楚使回答说："贡品没有进献，这是我们君王的过错，怎敢不供给呢？昭王没有返回，您还是到水边去问吧！"诸侯军队向前开进，驻扎在陉地。

夏，楚成王派屈完到诸侯军中。诸侯军队后退，驻扎在召陵。

齐桓公将诸侯军队摆开阵势，与屈完同乘一辆兵车观看。齐桓公说："这哪里是为了我个人？为的是继承我们先君之间的友好关系。与敝国一同友好，怎么样？"屈完回答说："蒙您为敝国社稷求福，肯降格接纳我们的国君，这正是我们国君的愿望啊。"齐桓公说："用这样的军队作战，谁能抵挡？用这样的军队攻城，哪座城池攻不下来？"屈完回答说："您如果用恩德来安抚诸侯，谁敢不服？您如果使用武力，那么，楚国以方城为城，以汉水为池，虽然人多，也没有用武之地。"

屈完和诸侯订立了盟约。

晋骊姬之乱（僖公四年）

[题解]

骊姬欲立其子奚齐为太子，设计陷害其他公子，阴谋得逞，晋国因此陷入内乱。

初，晋献公欲以骊姬①为夫人，卜之，不吉；筮之，吉。②公曰："从筮。"卜人曰："筮短龟长③，不如从长。且其繇④曰：'专之渝⑤，攘公之羭⑥。一薰一莸⑦，十年尚犹有臭。'必不可！"弗听，立之。生奚齐，其娣⑧生卓子。及将立奚齐，既与中大夫成谋⑨，姬谓太子曰："君梦齐姜⑩，必速祭之！"太子祭于曲沃⑪，归胙⑫于公。公田，姬寘诸宫六日。公至，毒⑬而献之。公祭之地⑭，地坟⑮。与犬，犬毙。与小臣⑯，小臣亦毙。姬泣曰："贼由太子⑰。"太子奔新城⑱。公杀其傅⑲杜原款。

或谓太子："子辞⑳，君必辩㉑焉。"太子曰："君非姬氏㉒，居不安、食不饱。我辞，姬必有罪。君老矣，吾又不乐。㉓"曰："子其行乎！"太子曰："君实不察其罪，被此名㉔也以出，人谁纳我？"

十二月戊申，缢㉕于新城。

姬遂谮㉖二公子曰："皆知之。"重耳奔蒲㉗，夷吾奔屈㉘。

[注释]

①骊姬：骊戎之女，晋献公伐骊戎时所获。②"卜之"四句：用龟为卜，用蓍为筮。卜、筮同时运用，不合于礼。③筮短龟长：《左传·僖公十五年》载晋韩简云："龟，象也；筮，数也。物生而后有象，象而后有滋，滋而后有数。"象先于数，而卜用象，筮用数，所以龟长于筮。④繇（zhòu）：占辞。⑤专：专宠。渝：变。⑥攘：偷，夺。羭（yú）：母羊。⑦薰：即薰，一种香草，古称兰蕙，又叫铃铃香、铃子香。莸（yóu）：一种水草，茎似薰，而有恶臭。⑧娣：妹妹。⑨成谋：定下计谋。⑩齐姜：太子申生的母亲，其时已故。⑪曲沃：晋国祖庙所在地，今山东闻喜县东。⑫胙（zuò）：祭祀用的酒肉。《周礼·夏官·祭仆》郑玄注："臣有祭祀，必致祭肉于君，所谓归胙也。"⑬毒：在酒肉中下毒。⑭祭之地：把酒倒在地上。⑮坟（fèn）：指土隆起，像坟一样。⑯小臣：官名，近侍之职。⑰贼由太子：指毒杀君王的行为是太子做的。⑱新城：曲沃。⑲傅：国君及国君之子的老师。⑳辞：申诉，辩解。㉑辨：通"辨"，辨别是非。㉒姬氏：指骊姬。㉓君老矣，吾又不乐：君王老了，我不能让他不快乐。㉔被此名：背着杀父的名声。㉕缢：上吊自杀。㉖谮（zèn）：诬陷，诋毁。㉗重耳：晋献公庶子，后来的晋文公。蒲：晋邑，今山西蒲县。㉘夷吾：晋献公庶子，后来的晋惠公。屈：晋邑，今山西吉县东北。

[译文]

起初，晋献公想立骊姬为夫人，用龟占，不吉利；用蓍草占，吉利。献公说："服从蓍草占的结果。"卜筮的人说："用蓍草占没有用龟占灵验，不如服从龟占的结果。而且它的繇辞说：'专宠产生变乱，夺走您的母羊。香草和臭草配在一起，十年后还有臭味。'一定不可以！"晋献公不听，立骊姬为夫人，生下奚齐，骊姬的妹妹生下卓子。等到准备立奚齐为太子，已经和中大夫定下了计谋，骊姬对太子申生说："君王梦见你的母亲齐姜，一定要赶快祭祀她！"太子就在曲沃祭祀齐姜，把祭祀用的酒肉献给献公。献公在外打猎，骊姬就把酒肉在宫里放了六天。献公回来后，骊姬在酒肉中下了毒,献给献公。献公把酒洒在地上,地皮隆起。把肉给狗,狗吃了就死掉了。把肉给近臣,近臣吃了也死了。骊姬哭着说:"这是太子在害您。"太子逃亡到新城,献公就杀了他的师傅杜原款。

有人对太子说:"您要辩解,君王一定会辨明真相。"太子说:"君王没有骊姬,住不安,吃不饱。我如果辩解,骊姬必定承担罪过。君王老了,我不能让他不快乐。"那人说:"您还是逃走吧!"太子说:"君王还没有查清我的罪,带着这弑君的罪名出逃,有谁会接纳我呢?"

十二月二十七日,太子在新城上吊而死。

骊姬于是又诬陷两位公子说:"太子下毒的事二人都参与了。"重耳逃亡到蒲城,夷吾逃亡到屈城。

士艿筑蒲（僖公五年）

[题解]

晋国士艿奉命筑城，却敷衍塞责，巧言令色，开脱责任。他的言行间接反映了晋献公内政的混乱。

初，晋侯使士艿为二公子筑蒲与屈①，不慎②，寘薪焉。夷吾诉③之。公使让④之。士艿稽首⑤而对曰："臣闻之：无丧而戚⑥，忧必雠⑦焉，无戎而城，雠必保⑧焉。寇雠之保，又何慎焉？守官废命，不敬；⑨固雠之保，不忠。失忠与敬，何以事君？《诗》云：'怀德惟宁，宗子惟城。'⑩君其修德而固宗子，何城如之⑪？三年将寻⑫师焉，焉用慎？"退而赋⑬曰："狐裘龙茸⑭，一国三公，吾谁适从？"⑮及难，公使寺人披伐蒲。重耳曰："君父之命不校⑯。"乃徇⑰曰："校者，吾雠也。"逾垣而走。披斩其袪⑱。遂出奔翟。

[注释]

①士艿（wěi）：晋大夫。二公子：指重耳与夷吾。②不慎：不认真，马虎。③诉：控诉，举报。④让：责备。⑤稽（qǐ）首：古代臣子对君主所行的一种跪拜礼。⑥戚：忧。⑦雠：同"仇"，应。⑧保：保守。⑨"守官废命"二句：担任官职，而不奉命行事，就是不敬。⑩"怀德惟宁"二句：见于

《诗·大雅·板》第七章。怀德惟宁:讽刺晋献公宠爱骊姬。宗子:群宗之子,指重耳、夷吾。⑪何城如之:修筑城池不如稳固宗子。⑫寻:用。⑬赋:作诗。⑭狐裘:大夫之服。尨(máng)茸:杂乱。⑮"一国三公"二句:指献公立嗣不决,令人无所适从。⑯校(jiào):违抗。⑰徇:宣告于众。⑱袪(qū):衣袖。

[译文]

起初,晋献公派士艻为两位公子营建蒲邑与屈邑,士艻没有认真去做,在城墙中填入了木柴。夷吾向献公作了举报。献公派人责备士艻。士艻稽首行礼,回答说:"下臣听说:没有伤心的事情而忧心忡忡,忧愁就会应验;没有战事而修筑城池,敌人一定会占据,作为屏障。既然要成为敌人的屏障,那么认真干什么!作为一位任职官员,不好好执行命令,就是对君王的不敬;巩固敌人的屏障,就是不忠。失去了忠和敬,靠什么侍奉君王呢?《诗经》上说:'心怀道德便是安宁,公子们就是坚固的干城。'君王只要修养德行而巩固公子们的地位就行了,有什么城池能与这相比呢?三年之内将要用兵,又哪里用得上认真去做呢?"退下来后作诗说:"狐皮袍子蓬又松,一个国家有三公,哪位该我来听从?"等到祸难发生,献公派寺人披攻打蒲邑。重耳说:"君父的命令不能抵抗。"于是宣告于众说:"凡是抵抗命令的人,就是我的敌人。"然后爬墙逃走。寺人披只来得及砍下他的衣袖。重耳便逃亡到了翟国。

宫之奇谏假道（僖公五年）

[题解]

虞、虢是相邻的姬姓之国。僖公二年，晋国向虞借道进攻虢国，宫之奇谏阻虞公，虞公不听，还派兵先行进攻虢国。这次晋国再度借道，宫之奇又加劝谏，虞公仍然不听，结果亡国。

晋侯复假道于虞以伐虢①。宫之奇谏曰："虢，虞之表②也；虢亡，虞必从之。晋不可启，寇不可玩。③一之谓甚，其可再乎？谚所谓'辅④车相依，唇亡齿寒'者，其虞、虢之谓也。"公曰："晋，吾宗⑤也，岂害我哉？"对曰："大伯、虞仲，大王之昭也；⑥大伯不从，是以不嗣。⑦虢仲、虢叔，王季之穆也；为文王卿士⑧，勋在王室，藏于盟府⑨。将虢是灭，何爱于虞？且虞能亲于桓、庄乎，其爱之也？⑩桓、庄之族何罪？而以为戮，⑪不唯偪⑫乎？亲以宠偪，犹尚害之，况以国乎？"公曰："吾享祀丰絜，神必据我。⑬"对曰："臣闻之，鬼神非人实亲，惟德是依。⑭故《周书》曰：'皇天无亲，惟德是辅⑮。'又曰：'黍稷非馨，明德惟馨。⑯'又曰：'民不易物，惟德繄⑰物。'如是，则非德民不和，神不享矣。神所冯⑱依，将在德矣。若晋取虞，而明德以荐⑲馨香，神其吐之乎？"弗听，许晋使。宫之奇以其族行，曰："虞不腊⑳矣。在此行也，晋不更举矣。"……

冬，十二月丙子，朔，晋灭虢。虢公丑奔京师。师还，馆㉑于虞，遂袭虞，灭之。

[注释]

①晋侯：晋献公。假：借。②表：外围。③"晋不可启"二句：启：启发。寇：兵。玩：忽视。④辅：车两旁之板。⑤宗：同祖为宗。⑥"大伯、虞仲"二句：昭、穆为古代庙次及墓次，始祖居中，左昭右穆。周始祖后稷以下，单数代为昭，偶数代为穆。大(tài)王(即古公亶父，周文王祖父)为穆，其子大(tài)伯(即泰伯)、虞仲(即仲雍)、季历(即王季)为昭；虢仲、虢叔为王季之子，因而为穆。⑦"大伯不从"二句：泰伯、虞仲知其父欲传位季历，因而避位，前往江南。⑧卿士：执政大臣。⑨盟府：掌策勋封赏盟约的官府。⑩"且虞能亲"二句："其爱之也，虞能亲于桓、庄乎"的倒装。桓、庄：指曲沃桓叔与曲沃庄伯，分别是晋献公的曾祖父与祖父。虞虽与晋同宗，但桓、庄之族与晋献公关系更为亲近。⑪"桓、庄之族何罪"二句：晋献公用士蒍之计，将桓、庄后代群公子杀尽。⑫偪：同"逼"，逼近，威胁。⑬"吾享祀丰絜"二句：享祀：祭祀。絜(jié)：同"洁"。据：依，保佑。⑭"鬼神非人"二句：实：是。依：亲。⑮辅：辅佐，保佑。⑯"黍稷"二句：黍稷：泛指五谷。馨：香气。⑰繄：语气词。⑱冯(píng)：依。⑲荐：献。⑳腊：年终举行的一种祭祀。㉑馆：客舍。

[译文]

晋献公再次向虞借道伐虢。宫之奇向虞公劝谏说："虢国是虞国的外围，虢国一旦灭亡，虞国必然跟着亡国。晋国的野心不能开启，外国军队不能忽视。一次已经非常过分了，怎么可以有第二次呢？谚语所讲的'辅车相依，唇亡齿寒'，讲的就是虞和虢这样的情况啊。"虞公说："晋国和我同宗，难道会害我吗？"宫之奇回答说："大伯、虞仲，是大王的儿子；大伯没有跟从他的父亲，所以没有嗣位。虢仲、虢叔，是王季的儿子，担任文王的卿士，对王室建有功勋，记录保存在盟府。晋国连虢国都要灭掉，对虞国又有什么爱惜的？况且，虞国能比桓叔、庄伯更亲吗？如果晋献公爱惜同宗，桓叔、庄伯的族人有什么罪？但是都被杀戮，不就是因为他们对晋献公造成威胁吗？亲近的人因为受宠而使献公感到威胁，尚且杀害他们，何况一个国家呢？"虞公说："我的祭品丰盛而清洁，神一定会保佑我。"宫之奇回答说："我听说，鬼神并不固定亲近某一个人，而只保佑有德行的人。所以《周书》上说：'皇天没有私亲，只对有德行的人加以辅佐。'又说：'黍稷并不是馨香，光明的德行才是馨香。'又说：'百姓不能变更祭品，只有德行才能充当祭品。'如果这样，那么没有德行，百姓就不和，神灵也不享用祭品。神灵所凭借的，就在于德行了。如果晋国攻取了虞国，而修明德行，把这馨香奉献给神灵，神灵难道会吐出来吗？"虞公不听，答应了晋国使者的要求。宫之奇带着族人离开虞国，说："虞国不会进行腊祭了。就在这一次，晋国用不着再举兵了。"……

冬十二月初一日，晋国灭掉虢国。虢公丑逃到京城。晋国军队班师，在虞国驻扎，于是乘机袭击虞国，灭掉了它。

葵丘之盟（僖公九年）

[题解]

太宰孔深察政情，通过葵丘之盟，指出齐桓公不致力于修明德行而勤于对外征伐，齐国因此将有内乱。

夏，会于葵丘①，寻盟，且修好，②礼也。王使宰孔赐齐侯胙③，曰："天子有事④于文、武，使孔赐伯舅⑤胙。"齐侯将下拜⑥。孔曰："且有后命——天子使孔曰：'以伯舅耋老⑦，加劳，赐一级⑧，无⑨下拜！'"对曰："天威不违颜咫尺⑩，小白余敢贪天子之命⑪，无下拜？恐陨越⑫于下，以遗⑬天子羞。敢不下拜？"下，拜；登，受。⑭

秋，齐侯盟诸侯于葵丘，曰："凡我同盟之人，既盟之后，言⑮归于好。"宰孔先归，遇晋侯⑯，曰："可无会也。齐侯不务德而勤远略⑰，故北伐山戎⑱，南伐楚⑲，西为此会也。东略之不知，西则否矣。⑳其在乱㉑乎！君务靖乱㉒，无勤于行。"晋侯乃还。

[注释]

①会：周王派宰孔与鲁、晋、齐、宋、郑、许、曹等国相会。葵丘：宋地，今河南兰考县东。②"寻盟"二句：寻：寻找，重申。修好：重温旧好。

③宰孔：周室太宰，食邑于周，又称宰周公。胙：祭肉，又叫"膰"。④有事：祭祀的委婉说法。⑤伯舅：指齐桓公。周王称同姓诸侯为伯父、叔父，称异姓诸侯为伯舅、叔舅。⑥下拜：下阶再拜稽首。⑦耋（dié）老：老年，同义联绵词。七十为耋。⑧级：等。将礼遇提高一等。⑨无：不用。⑩违：离。颜：颜面。咫（zhǐ）尺：指很近。八寸为咫。⑪小白：桓公名。与"余"为同位语。贪：领受。⑫陨越：从高处栽下来。⑬遗（wèi）：予，给予。⑭"下"四句：先到阶下拜谢，再登上台阶领受。⑮言：句首语助词，用在动词之前，无义。⑯晋侯：晋献公。⑰勤：劳。远略：指下文的北伐、南伐。略，征伐。⑱北伐山戎：齐伐山戎在庄公三十一年（前663年）。山戎，即北戎，古代北方少数民族之一。⑲南伐楚：齐伐楚在僖公四年（前656年）。⑳"东略之不知"二句：是否向东征伐，还不知道；向西讨伐晋国则不会。㉑在乱：有内乱。㉒务：致力于。靖乱：消弭祸乱。

[译文]

夏，诸侯在葵丘相会，重申旧盟，并且重温友好关系，这是合乎礼的。周王派太宰孔赐给齐桓公祭肉，说："天子祭祀文王、武王，派我来赐给伯舅祭肉。"齐桓公准备下阶跪拜。太宰孔说："还有后面的命令——天子派我说：'因为伯舅您年事已高，再加上有功劳，赐进一级，不用下阶跪拜。'"齐桓公回答说："天子的威严不离颜面咫尺，小白我怎么敢领受天子的命令，不下阶跪拜呢？恐怕我会从上面跌下来的，给天子带来羞辱。我怎么敢不下阶跪拜呢？"齐桓公就下阶跪拜，然后登阶接受祭肉。

秋，齐桓公与诸侯在葵丘结盟，说："凡是我们一起结盟的人，既经盟誓，就归于和好。"太宰孔先回去，遇到晋献公，对他说："可以不去参加盟会了。齐桓公不致力于修行德政而忙于向远方征伐，所以向北攻打山戎，向南攻打楚国，向西举行了这次会盟。他是否会向东征伐还不知道，向西边征伐是不会的了。晋国恐怕会有内乱吧！君王应该致力于平息内乱，不需要忙着赴会。"晋献公就回去了。

荀息尽忠（僖公九年）

[题解]

晋国内乱，荀息信守诺言，尽忠而死。

九月，晋献公卒。里克、丕郑欲纳文公①，故以三公子②之徒作乱。

初，献公使荀息傅奚齐③。公疾，召之曰："以是藐诸孤辱在大夫④，其若之何？"稽首而对曰："臣竭其股肱⑤之力，加之以忠贞。其济⑥，君之灵⑦也；不济，则以死继之。"公曰："何谓忠贞？"对曰："公家之利⑧，知无不为，忠也；送往事居⑨，耦俱无猜⑩，贞也。"

及里克将杀奚齐，先告荀息曰："三怨⑪将作，秦、晋辅之⑫，子将何如？"荀息曰："将死之。"里克曰："无益也。"荀叔曰："吾与先君言矣，不可以贰⑬。能欲复言⑭而爱身乎？虽无益也，将焉辟⑮之？且人之欲善，谁不如我？我欲无贰，而能谓人已⑯乎？"

冬，十月，里克杀奚齐于次⑰。书曰"杀其君之子"，未葬也。荀息将死之，人曰："不如立卓子⑱而辅之。"荀息立公子卓以葬。十一月，里克杀公子卓于朝。荀息死之。

君子曰:"《诗》所谓'白圭之玷,尚可磨也;斯言之玷,不可为也',⑲荀息有焉。"

[注释]

①里克、丕郑:晋大夫。文公:重耳。②三公子:指申生、重耳、夷吾。③荀息:即荀叔,名黡,字息,叔为排行。奚齐:晋献公子,母骊姬。④藐:弱小。诸:之。辱:谦辞,意思是让对方受辱了。⑤股肱:大腿和胳膊,比喻大臣。⑥其:如果。济:成功。⑦灵:福。⑧公家之利:指对公家有利的事情。⑨往:死者(去世的君主)。居:生者(新君)。⑩耦:两,指死者与生者。猜:猜疑。意思是无愧于死者与生者。⑪三怨:三位公子徒众的怨恨。⑫秦、晋辅之:秦人提供帮助,晋人人心归附。⑬贰:违背前言。⑭复言:实践诺言。⑮辟:同"避"。⑯已:停止。⑰次:丧次,办丧事的地方,一般是茅屋。⑱卓子:献公之子,骊姬妹妹所生。⑲"白圭之玷"四句:出自《诗·大雅·抑》。意思是话既然说出去了,就不可收回了。玷:玉之瑕疵。

[译文]

九月,晋献公去世。里克、丕郑想要接纳文公重耳,所以就发动三位公子的党羽作乱。

起初,晋献公派遣荀息辅佐奚齐。献公得病,召见荀息,说:"把这个弱小的孤儿托付给大夫您,您准备怎么办呢?"荀息叩拜后回答说:"下臣一定竭尽辅佐的力量,再加上忠贞。事情如果成功,是托君王在天之灵的保佑;不成功,下臣就以死相继。"献公说:"什么叫做忠贞?"荀息回答说:"有利于国家的事情,凡是知道的一定去做,这是忠;送走死者,侍奉新君,使两者都没有猜疑之心,这是贞。"

等到里克准备杀死奚齐,事先告诉荀息说:"三位公子徒众的怨恨将要发作了,秦国和晋国人都帮助他们,你将要怎么办呢?"荀息说:"准备去死。"里克说:"没有用啊。"荀息说:"我已经答应先君了,不能够改变承诺。难道想实践诺言又爱惜一身吗?虽然是没有用,又哪里能逃避呢?再说人们要做善事,谁不像我一样?

我自己不想改变诺言,难道能对别人说停止实施他们的诺言吗?"

冬十月,里克在居丧的茅屋里杀死了奚齐。《春秋》记载说:"杀死他国君的儿子。"是因为还没有安葬晋献公。荀息准备自杀,有人对他说:"不如立卓子为国君而辅佐他。"荀息就立公子卓为君,安葬了献公。十一月,里克在朝堂上杀死了公子卓,荀息就自杀了。

君子说:"《诗》所说的'白玉圭上有瑕疵,还可琢磨变干净;要是说话有瑕疵,没有办法能追悔',荀息就是这样啊。"

秦晋韩之战（僖公十五年）

[题解]

这是秦、晋之间爆发的一场大规模的战争。秦军俘获晋惠公归国，秦穆公在内外压力下放他回国。

晋侯之入也①，秦穆姬属贾君焉②，且曰："尽纳群公子③。"晋侯烝于贾君，又不纳群公子，是以穆姬怨之。晋侯许赂中大夫④，既而皆背之⑤。赂秦伯以河外列城五⑥，东尽虢略⑦，南及华山，内及解梁城⑧，既而不与。晋饥，秦输之粟；⑨秦饥，晋闭之籴⑩，故秦伯伐晋。

卜徒父⑪筮之，吉："涉河，侯车败。⑫"诘之。对曰："乃大吉也。三败，必获晋君。其卦遇《蛊》䷑⑬，曰：'千乘三去，三去之余，获其雄狐⑭。'夫狐《蛊》⑮，必其君也。《蛊》之贞，风也；其悔，山也⑯。岁云秋矣⑰，我落其实，而取其材，所以克也。实落材亡，不败，何待？"

三败及韩⑱。晋侯谓庆郑⑲曰："寇深矣，若之何？"对曰："君实深之⑳，可若何？"公曰："不孙㉑！"卜右㉒，庆郑吉，弗使㉓，步扬御戎㉔，家仆徒㉕为右。乘小驷㉖，郑入也。庆郑曰："古者大事㉗，必乘其产㉘。生其水土，而知其人心；安其教训，而服习㉙其道；唯所纳㉚之，无不如志。今乘异产㉛，以从戎事㉜，及惧而变，将与人易。乱气狡愤㉝，阴血㉞周作，张脉偾兴㉟，外强中干㊱。进退不可，周旋不能，君必悔之。"弗听。

[注释]

①晋侯：晋惠公，名夷吾。晋国内乱，夷吾奔秦，后来周襄王与齐、秦两国支持他回国继位。入：回到晋国。②秦穆姬：秦穆公夫人，晋献公之女。属（zhǔ）：嘱托。贾君：晋献公太子申生之妃，对惠公夷吾来说是长嫂。③群公子：晋献公的儿子，惠公的兄弟们。因内乱而流亡在外。④赂：赠送财物。中大夫：指里克、丕郑等执政大臣。⑤既而：不久，后来。背：违背。⑥秦伯：秦穆公。河外：黄河以西、以南。⑦虢略：今河南灵宝。⑧解梁城：晋地，在今山西永济市。⑨"晋饥"二句：僖公十三年（前647年），秦救晋灾。⑩籴（dí）：买粮食。僖公十四年（前646年），晋国拒绝接济秦灾。⑪卜徒父：秦国占卜者，名叫徒父。⑫涉河，侯车败：这两句是筮词。侯车，诸侯所乘之车。徒父认为是晋侯的战车要毁坏掉，所以判断为"吉"。秦穆公怀疑会指自己所乘之车，因此加以诘问。⑬《蛊》䷑：六十四卦之一，卦象为《巽》下《艮》上。古人用阴爻、阳爻组成八卦，称为经卦，每卦三爻；八经卦两两组合，演为六十四卦，每卦六爻，称为别卦。⑭"千乘三去"三句：这三句是占卜所得文辞（即繇辞），与今本《周易》卦爻辞不同。去：同"驱"，"三去"即追赶三次。狐是《艮》的占象。雄狐比喻君主。⑮狐《蛊》：雄狐的变辞。⑯"《蛊》之贞"四句：六十四卦为别卦，每卦由上下两经卦组成，下卦叫内卦，为贞；上卦叫外卦，为悔。《蛊》内卦为《巽》，其象为风；外卦为《艮》，其象为山。这是秦人占卜，所以内卦象征秦，外卦象征晋。⑰岁：时令。云：是助词。⑱韩：韩原，地名，在今山西韩城市西南。⑲庆郑：晋大夫。⑳深之：使之深入。㉑孙：同"逊"，指答语不敬。㉒卜右：占卜选择车右。㉓"庆郑吉"二句：因为庆郑说话无礼，所以不用他。㉔步扬：晋大夫，郤氏，食邑于步，因以为姓。御戎：驾控战车。㉕家仆徒：晋大夫。㉖小驷：郑国进贡的马，名叫小驷。㉗大事：古时祭祀与战事为大事。㉘其产：本国所产。㉙服习：熟习。㉚纳：引导。㉛异产：他国所产。㉜戎事：战事。㉝乱：逆。狡：乖戾。愤：愤怒。㉞阴血：血在体内运行，所

以叫做阴血。㉟张（zhàng）：通"胀"。偾（fèn）：同"坟"，隆起。㊱干：枯竭。

[译文]

　　晋惠公回国继承君位的时候，秦穆姬嘱托他关照贾君，并且说："你要把公子们全部接纳回国。"晋惠公与贾君私通，又不接纳公子们，因此穆姬怨恨他。惠公答应赠送礼物给秦国的中大夫们，后来都违背了承诺。他答应赠给秦穆公黄河以外的五座城市，东边到虢略为止，南边到华山为止，黄河以内到解梁城为止，后来没有给。晋国发生饥荒，秦国输送粮食给他们救灾；秦国发生饥荒，晋国却不肯卖粮。因此，秦穆公派兵讨伐晋国。

　　卜徒父占筮，卦象吉利："渡过黄河，诸侯的车子毁坏。"秦穆公追问他为什么说是吉利的。徒父回答说："这是大吉啊。打败他们三次，一定能擒获晋君。这一卦得到《蛊》䷑，繇辞说：'驱赶千乘之师三次，三次之后，擒获他们的雄狐。'那雄狐，一定是他们的君王。《蛊》的内卦，是风；外卦，是山。时令是在秋天，我们的风吹落他们山上的果实，并取得他们的木材，所以能战胜他们。果实落地，木材丧失，他们不打败仗，还等什么？"

　　晋军败了三次，退到韩地。晋惠公对庆郑说："敌人深入我国了，该怎么办？"庆郑回答说："是君王您使他们深入的，还能怎么办？"惠公说："这话放肆无礼！"用占卜来选择车右人选，庆郑很吉利，惠公不用他。让步扬驾控战车，家仆徒担任车右。用小驷驾车，是郑国进贡来的。庆郑说："古时候每逢战事，一定用本国所产的马驾车，因为它生长在自己的国家，懂得主人的心意，安于主人的调教训练，熟悉本国的道路；随便放在哪里，没有不如意的。如今用外国的马驾车，来从事战斗，等到惊惧而失去常态，就会和人们的意愿相反。它们会乱喷气，乖戾愤怒，周身血液沸腾，血管暴胀凸起，外表强壮而内部枯竭。进也不行，退也不行，旋转也不能，君王您一定会后悔的。"惠公不听。

九月，晋侯逆秦师①，使韩简视师②。复曰："师少于我，斗士③倍我。"公曰："何故?"对曰："出因其资④，入用其宠⑤，饥食其粟，三施⑥而无报，是以来也。今又击之，我怠、秦奋，倍犹未也。"公曰："一夫不可狃⑦，况国乎?"遂使请战，曰："寡人不佞⑧，能合其众而不能离也。君若不还，无所逃命。"秦伯使公孙枝⑨对曰："君之未入，寡人惧之；入而未定列⑩，犹吾忧也。苟列定矣，敢不承命⑪?"韩简退曰："吾幸而得囚⑫。"

壬戌，战于韩原。晋戎马还泞而止⑬。公号⑭庆郑，庆郑曰："愎谏、违卜⑮，固败是求⑯，又何逃焉?"遂去之。梁由靡御韩简，虢射为右，辂⑰秦伯，将止⑱之。郑以救公误之，遂失秦伯。秦获晋侯以归。晋大夫反首拔舍从之⑲。秦伯使辞焉，曰："二三子何其戚⑳也!寡人之从君㉑而西也，亦晋之妖梦是践㉒，岂敢以至㉓?"晋大夫三拜稽首曰："君履后土而戴皇天㉔，皇天后土实闻君之言，群臣敢在下风㉕。"

[注释]

①晋侯逆秦师：指率军迎战。前面的三次战斗不是晋惠公指挥的。逆，迎。②韩简：晋大夫，韩万之孙。视师：察看敌情。③斗士：士气高昂的战士。④出：在外流亡。资：资助。⑤入：回国。用：因为。宠：宠信。⑥施：恩惠。⑦狃（niǔ）：轻侮。⑧不佞：不才。⑨公孙枝：秦大夫，字子桑。⑩定列：巩固君位。⑪承命：奉命，即接受挑战。⑫吾幸而得囚：意思是不战死而能做俘虏就算幸运。⑬还：盘旋。泞：泥。小驷陷在泥中出不来。⑭号：呼号，求救。⑮愎谏：不听劝谏。违卜：违背占卜的指示。⑯固败是求：固求败，自求其败。固，乃。⑰辂（yà）：通"迓"，迎战。⑱止：擒获。⑲反首：将头发弄散下垂。拔舍：拔起军帐。⑳戚：忧。㉑从君：跟随晋君。㉒妖梦：狐突在曲沃，不寐而见太子申生附体在巫者身上，对他说，上帝要惩罚惠公，

让他在韩地战败。践：实现。㉓以：太。至：甚，过分。㉔履：踩。后土：土地。戴：顶。皇天：上天。㉕敢在下风：谨在下面听候吩咐，意思是希望秦穆公遵守诺言。

[译文]

九月，晋惠公迎战秦军，派韩简察看敌情。韩简回报说："秦军人数比我们少，但是勇于请战的士兵是我们的一倍。"惠公问："为什么？"韩简回答说："您当初在外流亡，靠的是他们的资助，回国继位，是因为他们对您的厚爱，受了灾荒，就吃他们的粮食，这样得到三次恩惠却没有回报，所以他们要来攻打我们。现在我们又还击他们，我军懈怠而秦军振奋，勇于请战的士兵比我们多一倍还不止呢。"惠公说："一个人尚且不能轻侮，何况一个国家呢？"于是派韩简请战，说："寡人不才，能够召集我们的军队而不能遣散他们。您如果不肯回去，没有地方逃避命令。"秦穆公派公孙枝回答说："当初您没有回国为君时，寡人为您担心；您回国了而君位没有安定，还是我担心的对象。假如您的君位已经安定了，我哪敢不接受您的命令？"韩简退回来说："我能够被俘囚就算是幸运。"

十四日，秦军、晋军在韩原交战。晋惠公的战马陷在泥泞中盘旋出不来。惠公呼叫庆郑来救。庆郑说："您不听劝谏，违背占卜的指示，本来就是自求失败，又为什么要逃呢？"就走开了。梁由靡为韩简驾驭战车，虢射担任车右，迎战秦穆公，将要擒获他。庆郑招呼他们去救晋惠公，耽误了时间，因此失去了擒获秦穆公的机会。秦军擒获了晋惠公后回国。晋国的大夫们披头散发，拔起军帐，跟在秦军后面。秦穆公派人辞谢，说："您几位为什么这么忧伤呢？寡人跟着你们的君王西行，只是你们晋国的妖梦应验罢了，怎么敢太过分呢？"晋大夫们三拜叩头说："君王您踩着后土顶着皇天，皇天后土都听到了您说的话，我们谨在下面听候吩咐。"

穆姬闻晋侯将至，以太子䓨、弘与女简璧登台而履薪焉①。使以免服衰绖逆②，且告曰："上天降灾，使我两君匪以玉帛相见，而以兴戎。若晋君朝以入，则婢子③夕以死；夕以入，则朝以死。唯君裁④之！"乃舍诸灵台。

大夫请以入。公曰："获晋侯，以厚⑤归也；既而丧归，焉用之？大夫其何有⑥焉？且晋人戚忧以重我⑦，天地以要⑧我。不图晋忧，重其怒也；我食吾言，背天地也。重怒难任⑨，背天不祥，必归晋君。"公子絷⑩曰："不如杀之，无聚慝⑪焉。"子桑曰："归之而质其太子，必得大成⑫。晋未可灭，而杀其君，只以成恶。且史佚⑬有言曰：'无始祸⑭，无怙乱⑮，无重怒。'重怒难任，陵人不祥。"乃许晋平。

晋侯使郤乞告瑕吕饴甥⑯，且召之。子金教之言曰："朝国人而以君命赏。且告之曰：'孤虽归，辱社稷矣，其卜贰圉⑰也。'"众皆哭，晋于是乎作爰田⑱。吕甥曰："君亡之不恤，而群臣是忧，惠⑲之至也，将若君何？"众曰："何为而可？"对曰："征缮以辅孺子⑳。诸侯闻之，丧君有君，群臣辑㉑睦，甲兵益多。好我者劝，恶我者惧，庶有益乎！"众说，晋于是乎作州兵㉒。

[注释]

①太子䓨（yīng）、弘、简璧：穆姬所生。太子即后来的秦康公。②免（wèn）服、衰（cuī）绖（dié）：都是丧服。③婢子：穆姬谦辞。④裁：度量，考虑。⑤厚：指战利品丰厚。⑥何有：同"何得"。⑦戚忧：同义复词，指反首、拔舍。重：打动，感动。⑧要：约束。⑨任：当。⑩公子絷：秦大夫，名子显。⑪聚慝（tè）：使奸人相聚。⑫大成：收获巨大的和解。成，平，和解。⑬史佚：武王太史，名佚。⑭始祸：首祸，挑起祸乱。⑮怙乱：依恃祸乱以求利。怙，恃。⑯郤乞：晋大夫。瑕吕饴甥：即吕孙，字子金。⑰卜贰圉：占卜立太子圉为君。太子为储君，即君之贰。⑱作爰田：制定土地轮休之

法。⑲惠：仁爱。⑳征：征收军赋、田赋。缮：修治武备。孺子：太子圉。㉑辑：和。㉒作州兵：改革兵制。州兵指地方军备。二千五百家为州。

[译文]

秦穆姬听说晋惠公将来，带着太子罃、弘以及女儿简璧登上高台，站在柴草上，派人穿着丧服去迎接秦穆公，而且禀告说："上天降下灾祸，让我们两国的君王不以玉帛相见，而是兵戎相向。如果晋惠公早晨入城，那么婢子我晚上就去死；如果晚上入城，那么我早晨就去死。请君王考虑决定！"秦穆公于是把晋惠公安顿在灵台。

秦国的大夫们请求带晋惠公进城。秦穆公说："擒获晋惠公，是带着丰厚的战利品回国。如果接着就发生丧事，哪里用得着呢？大夫们又能得到什么好处呢？而且晋国人用忧伤来感动我，用天地来约束我。不考虑晋国人的忧伤，就会加重他们的愤怒；我收回自己说过的话，就是违背天地。加重愤怒就难以承当，违背上天就会不吉利。一定要释放晋惠公。"公子絷说："不如杀了他，不要积聚邪恶。"子桑说："把他放回去而让晋国太子做人质，这样就能得到优厚的讲和条件。晋国还不能灭亡却杀死他们的君王，只会造成很坏的结果。而且史佚曾经说过：'不要挑起祸乱，不要依恃祸乱，不要加重愤怒。'加重愤怒难以承担，欺凌别人不吉利。"于是允许晋国讲和。

晋惠公派郤乞把情况通报给瑕吕饴甥，并召他前来。饴甥教郤乞这样说："召集国人到宫前，用君王的名义进行赏赐，并且告诉他们说：'孤虽然回国了，但是给国家带来了耻辱，还是占卜吉日立太子圉为国君吧。'"晋国民众听了都哭了起来。晋国从这时开始制定土地轮休之法。饴甥说："君王不担忧自己流亡国外，却担忧群臣，仁惠到了极致，我们准备怎样对待君王？"大夫们说："怎样做才行呢？"饴甥回答说："征收赋税，修治武备，用以辅佐太子。

诸侯听说我国失去了国君，又有了新君，群臣和睦，武备增多。喜好我国的会勉励我们，讨厌我国的会害怕我们，也许会有益处吧！"众人很高兴。晋国从这时开始改革兵制。

初，晋献公筮嫁伯姬于秦，遇《归妹》☳之《睽》☲①。史苏占之，曰："不吉。其繇曰：'士刲②羊，亦无衁③也；女承筐，亦无贶④也。西邻责言，不可偿也。《归妹》之《睽》，犹无相⑤也。'《震》之《离》，亦《离》之《震》。⑥'为雷为火⑦，为嬴败姬⑧。车说其輹⑨，火焚其旗，不利行师⑩，败于宗丘⑪。《归妹》《睽》孤，寇张之弧。⑫侄其从姑⑬，六年其逋⑭，逃归其国，而弃其家⑮，明年其死于高梁之虚⑯。'"及惠公在秦，曰："先君若从史苏之占，吾不及此夫！"韩简侍，曰："龟，象也；筮，数也。⑰物生而后有象，象而后有滋，滋而后有数。⑱先君之败德，及可数乎？⑲史苏是占，勿从何益？《诗》曰：'下民之孽，匪降自天。僔沓背憎，职竞由人。'⑳"

……

[注释]

①遇《归妹》☳之《睽》☲：卦象由《归妹》（《兑》下《震》上）☳变为《睽》（《兑》下《离》上）☲。即《归妹》上六变成上九（阴爻变成阳爻），就成了《睽》卦。②刲（kuī）：刺，杀。③衁（huāng）：血。④贶（kuàng）：赐，与。⑤相：助。⑥"《震》之《离》"二句：以上几句都是占卜的繇辞。这两句是史苏的解释。因为上述繇辞是根据《震》变为《离》、《离》变为《震》来说的，所以史苏如此解释。⑦为雷为火：《震》为雷，《离》为火。⑧为嬴败姬：秦国姓嬴，晋国姓姬。⑨车说其輹（fù）：《震》为车，《兑》为輹（fù）。说，通"脱"。輹是车厢与车轴相连的部分，又叫伏兔。⑩行师：出兵。⑪宗丘：韩原别名。⑫"《归妹》《睽》孤"二句：归妹为嫁女之意。《睽》有违离之象，所以说是"孤"。《睽》卦上九爻辞："睽

孤,见豕负涂,载鬼一车,先张之弧,后说之弧,匪寇,婚媾。往遇雨则吉。"弧:木弓。⑬侄其从姑:古人姑侄对举。秦穆姬为晋太子圉之姑。⑭逋(bū):逃。太子圉到秦国为质,六年后逃回。⑮弃其家:太子圉逃回晋国时,没带上妻子怀嬴。⑯明年:第二年。高梁:晋邑,今山西临汾县东北。以上各句仍为繇辞。⑰"龟"四句:卜用龟甲,通过灼烧产生裂纹,称为兆象,再根据兆象来推测吉凶。筮用蓍草,通过蓍策之数来预见祸福。⑱"物生而后有象"三句:指万物生长繁衍,生长繁衍之后,万物就有数的多寡。滋:增多。⑲"先君之败德"二句:道德败坏,非数可及(即数不完)。⑳"下民之孽"四句:《诗·小雅·十月之交》的诗句。孽:灾难。僔(zǔn):通"噂",相聚。沓:合。职:同"只",但。竞:皆。由人:因人。

[译文]

起初,晋献公嫁伯姬到秦国,进行占筮,得到《归妹》☷变成《睽》☷的卦象。史苏预测说:"不吉利。繇辞说:'男子杀羊,不见血浆;女子捧筐,无物可放。西邻责备,不可补偿。《归妹》变《睽》,无人相帮。'《震》卦变成《离》卦,也就是《离》卦变成《震》卦。'又是雷,又是火,是姓嬴的打败姓姬的。车子脱落了伏兔,大火烧掉了军旗,不利于出兵打仗,会在宗丘打败仗。《归妹》嫁女,《睽》离单孤,敌人木弓已张舒。侄子跟着姑姑,六年后逃走,逃回自己的国家,而抛弃了妻子,第二年死在高梁的废墟。'"等晋惠公被俘到秦国,说:"先君如果听从了史苏的占卜,我就不会到这个地步!"韩简侍立在旁,说:"龟甲呈现的是形象,筮草展示的是数字。万物产生以后才有形象,有了形象才能滋长,滋长以后才有数字。先君道德败坏,难道是数字可及吗?史苏的这次占卜,即使听从了又有什么好处呢?《诗》说:'百姓遭受灾难,不是从天而降;当面欢合背后恨,都是因为有坏人。'"

……

十月,晋阴饴甥①会秦伯,盟于王城②。秦伯曰:"晋国和乎?"对曰:"不和。小人耻失其君而悼丧其亲,不惮征缮以立圉也,曰:'必报雠,宁事戎狄。'君子爱其君而知其罪,不惮征缮以待秦命,曰:'必报德,有死无二。'以此不和。"秦伯曰:"国谓君何③?"对曰:"小人戚,谓之不免④;君子恕,以为必归。小人曰:'我毒秦⑤,秦岂归君?'君子曰:'我知罪矣,秦必归君。贰⑥而执之,服而舍之,德莫厚焉,刑莫威焉。服者怀德,贰者畏刑,此一役也,秦可以霸。纳而不定⑦,废而不立⑧,以德为怨,秦不其然。'"秦伯曰:"是吾心也。"改馆晋侯⑨,馈七牢⑩焉。

蛾析⑪谓庆郑曰:"盍行乎⑫?"对曰:"陷君于败⑬,败而不死,又使失刑,⑭非人臣也。臣而不臣,行将焉入?"十一月,晋侯归。丁丑,杀庆郑而后入。

是岁,晋又饥,秦伯又饩⑮之粟,曰:"吾怨其君,而矜⑯其民。且吾闻唐叔⑰之封也,箕子⑱曰:'其后必大。'晋其庸可冀乎⑲?姑树德焉,以待能者。"于是秦始征晋河东,置官司焉。

[注释]

①阴饴甥:即吕甥,食采于阴。②王城:秦地,今陕西大荔县东。③国谓君何:指对晋君的前途有什么看法。④免:赦免。⑤毒秦:伤害秦人。⑥贰:指晋君与秦君二心。⑦纳:送回国。定:安定君位。⑧废而不立:废掉君王而不立新君。⑨改馆晋侯:秦国先把晋惠公拘禁在灵台,现在把他安顿在客馆中,加以礼遇。⑩七牢:诸侯相待之礼,牛、羊、豕、米、禾、刍、薪。⑪蛾(yǐ)析:晋大夫。⑫盍:何不。行:逃走。⑬陷君于败:晋惠公向庆郑呼救,不应,又使韩简失去擒获秦穆公的机会。⑭"败而不死"二句:如果逃走,就不会受到惩罚,所以叫失刑。⑮饩(xì):以谷物赠人。⑯矜:怜悯。⑰唐叔:名虞,晋国始封之君,周武王之子。⑱箕子:商纣之庶兄,一说为其叔父。⑲其庸:虚词连用,相当于"岂",难道。冀:希冀,希望。

[译文]

十月,晋吕饴甥会见秦穆公,在王城订立盟约。秦穆公说:

"晋国和睦吗？"饴甥回答说："不和睦。小人因为失去君王而感到羞耻，哀悼死去的亲人，不怕征收赋税、修治武备而立太子圉为新君，说：'一定要报仇，宁可因此侍奉戎狄。'君子爱戴自己的君王，知道他的过错，不怕征收赋税、修治武备而等待秦国的命令，说：'一定要报答秦国的恩德，即使死去也没有二心。'因此不和睦。"秦穆公说："贵国对君王的未来怎么看？"饴甥回答说："小人担忧，认为他不会被赦免。君子宽恕，认为他一定能回来。小人说：'我们伤害了秦国，秦国哪里肯放回君王？'君子说：'我们认识到了过错，秦国一定会放回君王。有二心时就抓住他，服罪了就宽恕他，没有比这更厚重的恩德了，没有比这更威严的刑罚了。服罪的人怀念恩德，有二心的人害怕刑罚。这场战役，秦国可以称霸诸侯了。送君回国而不巩固他的君位，废掉一个国君又不另立新君，把恩德变成仇怨，秦国不会这样做。'"秦穆公说："这正是我的心意啊。"于是把晋惠公安顿在馆舍里，赠给他七牢之礼。

蛾析对庆郑说："为什么不走呢？"庆郑说："我使君王陷于失败的境地，打败了我又没死，再让国家刑罚失去作用，这就不是为人臣子了。做臣子却又不按臣道行事，又能走到哪里去？"十一月，晋惠公回国。二十九日，惠公杀死庆郑，然后进入都城。

这一年，晋国又发生饥荒，秦穆公又赠送给晋国粮食，说："我怨恨他们的国君，却哀怜他们的人民。而且我听说唐叔受封的时候，箕子说：'他的后代必定昌盛。'晋国的未来难道不值得期待吗？我们姑且树立德行，而等待贤能的人出现。"这时候，秦国才开始征收晋国河东地区的赋税，设置官员。

鲁邾升陉之战（僖公二十二年）

[题解]

鲁僖公因为邾国弱小就轻视它，不加防备，结果为邾所败，头盔都被邾人缴获。

邾人以须句故出师①。公卑②邾，不设备③而御之。臧文仲④曰："国无小，不可易⑤也。无备，虽众，不可恃也。《诗》曰：'战战兢兢，如临深渊，如履薄冰。'⑥又曰：'敬之敬之！天惟显思，命不易哉！'⑦先王之明德，犹无不难也，无不惧也⑧，况我小国乎！君其无谓邾小，蜂虿⑨有毒，而况国乎！"弗听。

八月丁未，公及邾师战于升陉⑩，我师败绩。邾人获公胄⑪，县诸鱼门⑫。

[注释]

①邾人以须句故出师：须句（qú），风姓之国，今山东东平县东。僖公二十一年（前639年），邾国灭了须句，鲁国因此攻打邾国，收复须句，让其君复位。②卑：轻视，看不起。③不设备：不加防备。④臧文仲：即臧孙辰，鲁大夫。⑤易（yì）：轻视。⑥"战战兢兢"三句：《诗·小雅·小旻》诗句。⑦"敬之敬之"三句：《诗·周颂·敬之》诗句。显：明。思：语气助词。⑧"犹无不难也"二句："无不难也"承"命不易哉"数句，将"易"解为难易之"易"；"无不惧也"承"如履薄冰"数句。⑨蜂虿（chài）：蜂、蝎之类，

形小而有毒。⑩升陉（xíng）：鲁国地名，今不详何地。⑪胄：头盔。⑫县：通"悬"。鱼门：邾国都城之门。

[译文]

邾国人因为鲁国攻取须句使其复国，因此出兵进攻鲁国。僖公轻视邾国，不加防备就去迎战。臧文仲说："国家没有大小之分，都不能够轻视。不加防备，虽然人数很多，还是不足以依靠的。《诗》说：'战战兢兢，就像面对深渊，就像脚踩薄冰。'又说：'谨慎再谨慎！天意彰明，保全国命不容易！'先王德行光明，尚且不免有困难，没有不戒惧的，何况我们小国呢？君王您不要认为邾国弱小，黄蜂、蝎子形小而有毒，何况一个国家呢？"僖公不听。

八月初八，僖公与邾国军队在升陉交战，我军大败。邾军缴获了僖公的头盔，把它悬挂在鱼门上。

楚宋泓之战（僖公二十二年）

[题解]

楚宋交战，宋襄公抱着陈旧的观念不放，结果错过有利时机，战败受伤。

楚人伐宋以救郑①。宋公将战，大司马②固谏曰："天之弃商久矣③，君将兴之，弗可赦④也已。"弗听。

冬，十一月己巳朔，宋公及楚人战于泓⑤。宋人既成列⑥，楚人未既济⑦。司马曰："彼众我寡，及其未既济也，请击之。"公曰："不可。"既济而未成列，又以告。公曰："未可。"既陈⑧而后击之，宋师败绩。公伤股。门官歼焉⑨。

国人皆咎公。公曰："君子不重伤⑩，不禽二毛⑪。古之为军也，不以阻隘也⑫。寡人虽亡国之余⑬，不鼓⑭不成列。"子鱼⑮曰："君未知战，勍⑯敌之人，隘而不列，天赞我也；阻而鼓之，不亦可乎？犹有惧焉⑰。且今之勍者，皆吾敌也。虽及胡耇⑱，获则取之，何有⑲于二毛？明耻、教战，求杀敌也。伤未及死，如何勿重？若爱⑳重伤，则如勿伤；爱其二毛，则如服㉑焉。三军以利用㉒也，金鼓以声气㉓也。利而用之，阻隘可也；声盛致志㉔，鼓儳㉕可也。"

[注释]

①楚人伐宋以救郑：这年夏天，宋、卫、许、滕等国围攻郑国。楚国乘机伐宋，解救郑国。②大司马：宋国官职，这时由宋庄公之孙公孙固担任。③天之弃商久矣：宋为殷商之后，天下已由周王室掌握，天命不在宋人那里。④赦：宽恕。⑤泓：泓水，今河南柘城西北，已湮。⑥成列：摆开战阵。⑦既济：渡完河。⑧陈：列阵。⑨门官：襄公亲军。歼：全部阵亡。⑩重（chóng）伤：伤害已经受伤的人。⑪禽：同"擒"，俘虏。二毛：头发黑白相间，指老人。⑫不以阻隘：不靠险隘来拦阻敌人。⑬亡国之余：宋为殷商之后，故称。⑭不鼓：不攻击。⑮子鱼：公子鱼，字奚斯，鲁国宗室。⑯勍（qíng）：强。⑰犹有惧焉：意思是利用险阻对付敌人，尚且担心不能取胜。⑱胡、耇（gǒu）：都为长寿之意。⑲何有：何必顾虑。⑳爱：怜惜。㉑服：屈服，投降。㉒以利用：凭借有利条件加以利用。以，因。㉓以声气：利用鼓声振奋士气。㉔致志：使斗志高昂。㉕儳（chán）：不整齐。

[译文]

楚国人攻打宋国，用以解救郑国。宋襄公准备迎战，大司马公孙固劝谏说："上天抛弃我们已经很久了，君王打算让国家中兴，上天恐怕不肯宽恕。"宋襄公不听。

冬十一月初一日，宋襄公与楚军在泓水交战。宋军已经摆开战斗队列，楚军还没有完全渡过泓水。公孙固说："敌众我寡，趁他们还没有全部渡过来，请下令攻击他们。"襄公说："不行。"楚军渡过泓水，还没有排成战斗队列，公孙固又请求下令攻击。襄公说："还不行。"等楚军摆好战阵，宋军才发动攻击，结果宋军大败。襄公伤了大腿，亲军遭到全歼。

宋国人都归咎于襄公。襄公说："君子不伤害已经受伤的人，不擒获头发花白的人。古代用兵，不凭借险隘来拦阻敌人。寡人虽然是亡国的后代，不攻击还没有摆开队列的敌人。"公子鱼说："君王您不懂得作战。强大的敌人，受地形阻隘而不及摆开战斗队列，是上天在帮助我们。敌人受阻而发动攻击，不也是可以的吗？这样还担心不能取胜呢。而且当今的强国,都是我们的敌人。即使是遇到老人,能够俘获就抓回来,对头发花白的人有什么怜惜的?使战士明白什么是耻辱,教导士兵如何作战,是为了杀死敌人。敌人受伤还没有死,为什么不可以再次杀伤他?如果怜悯敌人不再杀伤他们,那还不如一开始就不杀伤他们;如果怜悯敌人中头发花白的人,那还不如向他们屈服。三军是凭借有利条件来作战的,鸣金击鼓是用来鼓励士气的。抓住有利的条件加以运用,在险要的地方攻击敌人是可行的;盛大的金鼓之声能够鼓舞斗志,攻击那些没有排列成战斗队列的人是可以的。"

重耳流亡（僖公二十三年、二十四年）

[题解]

晋公子重耳流亡国外，在不同的诸侯那里，受到不同的对待。后来在秦穆公的护送下，回国为君。这一丰富的经历，有助于他振兴晋国、称霸诸侯，也影响了他对待不同诸侯国采取不同的态度。

九月，晋惠公卒。怀公①立，命无从亡人②，期③，期而不至，无赦。狐突④之子毛及偃从重耳在秦，弗召。冬，怀公执狐突，曰："子来则免。"对曰："子之能仕，父教之忠，古之制也。策名、委质⑤，贰乃辟⑥也。今臣之子，名在重耳，有年数矣。若又召之，教之贰也。父教子贰，何以事君？刑之不滥，君之明也，臣之愿也。淫刑⑦以逞，谁则无罪？臣闻命矣。"乃杀之。

卜偃⑧称疾不出，曰："《周书》有之：'乃大明，服。'⑨己则⑩不明，而杀人以逞，不亦难乎？民不见德，而唯戮是闻，其何后之有⑪？"

……

晋公子重耳之及于难也，晋人伐诸⑫蒲城。蒲城人欲战，重耳不可，曰："保君父之命而享其生禄⑬，于是乎得人。有人而校⑭，罪莫大焉。吾其奔也。"遂奔狄⑮。从者狐偃、赵衰、颠颉、魏武子、司空季子⑯。狄人伐廧咎如⑰，获其二女叔隗、季隗，纳诸公子。公子取季隗，生伯儵⑱、叔刘，以叔隗妻赵衰，生盾。将适齐，谓季隗曰："待我二十五年，不来而后嫁。"对曰："我二十五年矣，又如是而嫁，则就木⑲焉。请待子。"处狄十二年而行。

[注释]

①怀公：太子圉。②亡人：指公子重耳。③期：限定跟随重耳流亡者的回国日期。④狐突：晋大夫，子狐毛与狐偃。⑤策名：开始出仕时，书名于策。委质：献上礼品。质，同"贽"，初次相见的礼品，如卿用羔，大夫用雁，士用雉。⑥辟（bì）：罪。⑦淫刑：滥用刑罚为淫刑。⑧卜偃：即郭偃，晋大夫，掌占卜。⑨"《周书》"句：引文出自《尚书·康诰》。意思是君主大明，臣民乃服。⑩则：如果。⑪何后之有：即"有何后"，不会有后代。⑫诸：之于。⑬保：依靠，依恃。生禄：养生之禄。⑭校（jiào）：对抗。⑮狄：古代北方少数民族。重耳之母为狄人。⑯"从者狐偃"句：五人均为晋国有名望的大夫。狐偃：字子犯，狐突之子，重耳舅父。赵衰（cuī）：字子余。魏武子：魏犨（chōu）。司空季子：姓胥，名臣，字季子，担任司空，食邑于白，所以又叫白季。⑰廧（qiáng）咎（gāo）如：赤狄的一支，隗姓，在今河南安阳一带。⑱儵：音chóu。⑲木：指棺椁。

[译文]

九月，晋惠公去世。晋怀公下令，不准跟随逃亡在外的人。规定了回国期限，到期不回的，不予赦免。狐突的儿子狐毛与狐偃跟随重耳流亡在秦，狐突不肯召他们回国。冬，怀公拘捕了狐突，说："只要你的儿子回来就赦免你。"狐突回答说："儿子能够出仕为官，父亲教导他们要忠诚，这是古代的制度。把名字写在简策上，给主人呈上进见的礼物，如果背叛就是犯罪。如今下臣的儿子，名字写在重耳那里，已经有不少年头了。如果又把他们召回来，是教他们背叛主人啊。父亲教儿子背叛主人，又凭什么来侍奉君王？不滥施刑罚，是君王的贤明，也是臣子的愿望。滥施刑罚来满足欲望，谁能没有罪？下臣听到命令了。"晋怀公于是杀了狐突。

卜偃声称有病不出门，说："《周书》上有这样的话：'君王伟大贤明，臣民才能顺服。'自己如果不贤明，而通过杀人来满足欲望，不也是很难持久吗？人民看不到德行，而只能听到大开杀戒，他怎么会有后代呢？"

……

晋公子重耳遭到祸难时，晋军到蒲城攻打他。蒲城人想要迎战，重耳不同意，说："依靠君父的命令而享受养生的俸禄，因此得到人们的拥护。有人拥护而与君父对抗，没有比这更大的罪行了。我还是走吧。"就逃亡到狄。跟从他的，有狐偃、赵衰、颠颉、魏武子、司空季子。狄人攻打廧咎如，俘获了两个女子：叔隗、季隗，把她们献给重耳。重耳娶了季隗，生下伯儵、叔刘；把叔隗嫁给赵衰，生下赵盾。重耳将到齐国去，对季隗说："等我二十五年，我不来然后嫁人。"季隗回答说："我二十五岁了，再过二十五年出嫁，那时就要进棺材了，请让我等着你。"重耳在狄居留了十二年后离开。

过卫，卫文公不礼①焉。出于五鹿②，乞食于野人③，野人与之块④。公子怒，欲鞭之。子犯曰："天赐也。"稽首受而载之。

及齐，齐桓公妻之，有马二十乘。公子安之。从者以为不可。将行，谋于桑下。蚕妾⑤在其上，以告姜氏⑥。姜氏杀之，而谓公子曰："子有四方之志，其闻之者，吾杀之矣。"公子曰："无之。"姜曰："行也！怀与安⑦，实败⑧名。"公子不可。姜与子犯谋，醉而遣之。醒，以戈逐子犯。

及曹，曹共公闻其骈胁⑨，欲观其裸。浴，薄⑩而观之。僖负羁⑪之妻曰："吾观晋公子之从者，皆足以相国。若以相，夫子⑫必反其国。反其国，必得志于诸侯。得志于诸侯，而诛无礼，曹其首也。子盍蚤自贰焉⑬！"乃馈盘飧、置璧焉⑭。公子受飧反璧。

及宋，宋襄公赠之以马二十乘。

[注释]

①不礼：不加礼遇。②出于五鹿：指从五鹿出来东行。五鹿，卫地，今河南濮阳市南。③野人：乡下人。④块：土块。⑤蚕妾：养蚕的女奴。⑥姜氏：重耳妻，桓公之女。⑦怀：留恋妻室。安：安逸重迁。⑧败：毁坏。⑨骈胁：肋骨紧挨在一起。⑩薄：帷薄，浴帘。⑪僖负羁：曹大夫。⑫夫子：那位，指重耳。⑬盍：何不。蚤：同"早"。⑭飧（sūn）：晚饭。置璧：藏璧于饭中。

[译文]

经过卫国，卫文公对他不加礼遇。从五鹿那里出来往东走，向乡下人讨要食物，乡下人给他土块。重耳发怒，要鞭打他。狐偃说："这是上天赐给我们土地啊。"重耳叩头接受，把土块放在车上。

到了齐国，齐桓公为他娶妻，有马八十匹。重耳满足于在齐国的生活。跟随他的人认为这样不行，准备离开，在桑树下面商量。有个养蚕的女奴在树上听见了，向姜氏报告。姜氏把女奴杀了，对重耳说："您有远大的志向，那个听到的人，我已经杀了。"重耳说："没有这回事。"姜氏说："走吧！留恋妻室和贪图安逸，确实能败坏名声。"重耳不肯走。姜氏与狐偃设计，把重耳灌醉后送走。重耳酒醒后，拿起戈追赶狐偃。

到了曹国，曹共公听说重耳的肋骨紧挨在一起，想看他裸体时的样子。共公趁着重耳洗澡的时候，隔着浴帘偷看。僖负羁的妻子说："我看晋国公子的那些随从，人人都足以辅佐国政。如果用他们辅佐国政，那位公子必定能回国为君。回国为君，必定能称霸诸侯。称霸诸侯，就会惩罚对他无礼的国家，曹国会首当其冲。你何不早点表示与共公不同的态度呢？"僖负羁就赠送重耳一盘食物，把玉璧藏在其中。重耳接受了食物，退回了玉璧。

到了宋国，宋襄公赠给重耳八十匹马。

及郑，郑文公①亦不礼焉。叔詹②谏曰："臣闻天之所启③，人弗及也。晋公子有三焉，天其或者将建诸④，君其礼焉！男女同姓，其生不蕃⑤。晋公子，姬出也，而至于今，一也。离外之患⑥，而天不靖⑦晋国，殆将启之，二也。有三士⑧，足以上人⑨，而从之，三也。晋、郑同侪⑩，其过子弟⑪固将礼焉，况天之所启乎！"弗听。

及楚，楚子⑫飨之，曰："公子若反晋国，则何以报不穀⑬？"对曰："子、女、玉、帛，则君有之；羽、毛、齿、革⑭，则君地生焉。其波⑮及晋国者，君之余也；其⑯何以报君？"曰："虽然，何以报我？"对曰："若以君之灵，得反晋国。晋、楚治兵⑰，遇于中原，其辟君三舍⑱。若不获命⑲，其左执鞭、弭⑳，右属櫜、鞬㉑，以与君周旋。"子玉㉒请杀之。楚子曰："晋公子广而俭㉓，文而有礼㉔。其从者肃而宽㉕，忠而能力㉖。晋侯无亲，外内恶之。吾闻姬姓唐叔之后，其后衰者也，其将由晋公子乎！天将兴之，谁能废之？违天必有大咎。"乃送诸秦。

[注释]

①郑文公：名捷，郑庄公之子，在位四十五年。②叔詹：郑大夫。③启：开启，保佑。④诸："之乎"合音。⑤蕃：繁殖，昌盛。⑥离：同"罹"，遭受。外：指流亡在外。⑦靖：安定。⑧三士：指狐偃、赵衰、贾佗。⑨上人：才能超过他人。⑩同侪（chái）：地位相等。侪，等。⑪其过子弟：经过郑国的晋国子弟。⑫楚子：楚成王，名頵。⑬不穀：不善。君王谦称。⑭羽、毛、齿、革：分别指鸟羽、牦牛、象牙、犀革。⑮波：同"播"，流、散。⑯其：

将。⑰治兵：演练军队。实指两军作战。⑱其：则。辟：同"避"。舍：三十里。古时候军队出行一天为一舍，一天走三十里。⑲不获命：没有获得您的命令。意思是如果楚国不撤退。⑳鞭：马鞭。弭（mǐ）：弓。㉑属（zhǔ）：着。櫜（gāo）：箭囊。鞬（jiàn）：弓袋。㉒子玉：成得臣，楚大夫。㉓广而俭：志向远大而行为节俭。㉔文而有礼：辞令丰赡而合乎礼仪。㉕肃而宽：态度恭敬而为人宽厚。㉖忠而能力：对君忠诚而能效力。

[译文]

到了郑国，郑文公也不加礼遇。叔詹劝谏说："下臣听说上天所保佑的人，别人是比不上的。晋公子重耳有三个有利条件，上天或许要立他为君吧！君王您还是以礼相待的好。男女同姓，所生后代不会昌盛，晋公子重耳是姬姓父母所生，而活到现在，这是一。重耳遭受在外逃亡的祸患，而上天还不使晋国安定下来，恐怕要保佑他了，这是二。有三位才能足以超越别人的贤士跟随着他，这是三。晋国与郑国是同等国家，晋国子弟经过郑国，尚且受到礼遇，何况上天将要保佑的人呢！"郑文公不听。

到了楚国，楚成王设宴招待他，说："公子如果回到晋国为君，那么用什么来报答不穀呢？"重耳回答说："子、女、玉、帛，那是君王所拥有的；鸟羽、兽毛、象牙、犀革，那是君王土地上出产的。那些波及到晋国的，已经是君王剩余的了，我还能用什么来报答君王呢？"楚成王说："虽然这样，您用什么来报答我呢？"重耳回答说："如果能托君王您的福，得以回到晋国，晋国与楚国演练军队，在中原相遇，我将退兵九十里回避您。如果不能得到君王您的命令，那就左手拿着马鞭与长弓，右边佩着箭囊与弓袋，用来与君王您较量一番。"子玉请求杀掉重耳。楚成王说："晋公子重耳志向远大而行为节俭，辞令丰赡而合乎礼仪。他的随从们态度恭敬而为人宽厚，忠心耿耿而能效尽全力。晋惠公没人亲近，国外国内的人都嫌恶他。我听说姬姓中唐叔的后代将会是最后衰败的，大概就由晋公子重耳来振兴晋国吧！上天将要使他崛起，谁能使他衰败呢？违背天意，必定有大祸。"于是把重耳礼送到秦国。

秦伯纳女①五人，怀嬴②与焉。奉匜沃盥③，既而挥之。怒，曰："秦、晋，匹也，何以卑我？"公子惧，降服而囚。

他日，公享之。子犯曰："吾不如衰之文也，请使衰从。"公子赋《河水》④。公赋《六月》⑤。赵衰曰："重耳拜赐！"公子降，拜，稽首，公降一级而辞焉。衰曰："君称所以佐天子者命重耳⑥，重耳敢不拜？"

……

[注释]

①纳女：送女子给重耳。②怀嬴：原为晋太子圉（即晋怀公）在秦为质时的妻子，嫁给重耳后称为辰嬴。③奉：手捧。匜（yí）：洗手洗面用的盛水器。沃：注水。盥：洗。④《河水》：即《诗·小雅·沔水》。有句云："沔彼流水，朝宗于海。""嗟我兄弟，邦人诸友。莫肯念乱，谁无父母？"重耳用来表达对秦的敬意，又委婉地表示希望对方能护送自己回国。⑤《六月》：见于《诗·小雅》。其中有句云："王于出征，以匡王国"，"王于出征，以佐天子"，"共武之服，以定王国"，"文武吉甫，万邦为宪"。秦穆公暗示送重耳归国，而且晋国会兴盛发达，称霸诸侯。⑥君称所以佐天子者命重耳：《六月》一诗，是歌颂辅佐周宣王的功臣尹吉甫的，赵衰所以这样说。

[译文]

秦穆公送给重耳五个女子，怀嬴也在其中。怀嬴捧着匜浇水让重耳盥洗，重耳洗完了挥手让她走开。怀嬴发怒，说："秦国和晋国，是对等的国家，你凭什么看不起我！"重耳害怕，换了衣服囚禁自己。

后来有一天，秦穆公设享礼招待重耳。狐偃说："我不如赵衰那样有文采，请让赵衰跟您去。"在宴会上重耳赋《河水》一诗，秦穆公赋《六月》一诗。赵衰说:"重耳起来拜谢恩赐!"重耳走到阶下,跪拜,叩头。秦穆公走下一级台阶辞谢。赵衰说:"君王您把用来辅佐天子的事来命令重耳,重耳岂敢不拜?"

……

二十四年,春,王正月,秦伯纳之。不书,不告入也。

及河,子犯以璧授①公子,曰:"臣负羁绁从君巡于天下②,臣之罪甚多矣,臣犹知之,而况君乎?请由此亡③。"公子曰:"所不与舅氏同心者,有如白水!"投其璧于河。

济河,围令狐④,入桑泉⑤,取臼衰⑥。二月甲午⑦,晋师军于庐柳⑧。秦伯使公子絷⑨如晋师。师退,军于郇⑩。辛丑,狐偃及秦、晋之大夫盟于郇。壬寅,公子入于晋师。丙午,入于曲沃⑪。丁未,朝于武宫⑫。戊申,使杀怀公于高梁⑬。不书,亦不告也。

吕、郤⑭畏偪,将焚公宫而弑晋侯。寺人披⑮请见。公使让⑯之,且辞⑰焉,曰:"蒲城之役⑱,君命一宿,女即至。其后余从狄君以田渭滨,女为惠公来求杀余,命女三宿,女中宿至。虽有君命,何其速也?夫袪犹在。女其行乎!"对曰:"臣谓⑲君之入也,其知之矣。若犹未也,又将及难。君命无二,古之制也。除君之恶,唯力是视。蒲人、狄人⑳,余何有㉑焉?今君即位,其无蒲、狄乎!齐桓公置㉒射钩,而使管仲相。君若易之,何辱命焉㉓?行者甚众,岂唯刑臣?"公见之,以难告。三月,晋侯潜会秦伯于王城㉔。己丑晦,公宫火。瑕甥、郤芮不获公,乃如河上,秦伯诱而杀之。晋侯逆夫人嬴氏以归。秦伯送卫于晋三千人,实纪纲之仆㉕。

[注释]

①授:还。②负羁绁(xiè):指随侍执役。羁,马络头。绁,马缰绳。

巡于天下：不说流亡四方，是表敬之语。⑬亡：离开。⑭令狐：晋地，今山西临猗县西。⑮桑泉：晋地，今山西临猗县临晋镇东南。⑯白衰（cuī）：晋地，今山西运城解州镇西北。⑰甲午：与以下六个干支纪日，据推算，都相差一个月，并不准确。⑧军：驻扎。庐柳：晋地，今山西临猗县北。⑨公子絷（zhì）：秦穆公之子。⑩郇（xùn）：晋地，今山西运城市解州镇西北。⑪曲沃：晋宗庙所在地，今山西闻西县东北。⑫武宫：曲沃武公之庙，在绛地。晋侯即位，必加朝拜。⑬高梁：晋地，今山西临汾市东北。⑭吕、郤：吕甥和郤芮，晋惠公旧臣。⑮寺人披：名披。寺人即宦官。⑯让：责备。⑰辞：拒绝。⑱蒲城之役：事见前选《士芳筑蒲》一文。⑲谓：以为。⑳蒲人、狄人：重耳先逃到蒲城，再到狄。㉑何有：有什么。㉒置：放到一边。即无所谓。公子纠与公子小白争国，管仲曾射中小白（即后来的齐桓公）的衣带钩。㉓何辱命焉：意思是不需要君王下达命令。辱为敬辞。㉔王城：秦地，今陕西大荔县东。㉕纪纲之仆：管理门户之事的仆役。

[译文]

二十四年春，周历正月，秦穆公把重耳送回国。《春秋》没有记载这件事，是因为晋国没有来通报。

到达黄河，狐偃把玉璧还给重耳，说："下臣背着马笼头、马缰绳跟随您巡行天下，下臣的罪过很多了，我自己尚且知道，何况您呢？请您让我从这里离开吧。"重耳说："如果不和舅父您一条心，有河神为证！"把他的玉璧投入河中。

渡过黄河，包围了令狐，攻入桑泉，占领了白衰。二月甲午，晋国的军队驻扎在庐柳。秦穆公派公子絷到晋军中去陈述利害，晋军退走，驻扎在郇地。辛丑，狐偃与秦、晋两国的大夫在郇地订立盟约。壬寅，重耳到达晋军中。丙午，进入曲沃。丁未，朝拜武公的神庙。戊申，派人在高梁杀死了晋怀公。《春秋》没有记载这件事，也是因为晋国没有来通报。

吕甥、郤芮恐怕受到迫害，准备放火焚烧宫室而杀死晋文公。寺人披请求接见，文公派人责备他，并拒绝见他，说："蒲城那一仗，君王命令你过一个晚上到达，你马上就到了。此后我跟着狄君在渭水边打猎，你为惠公来杀我，惠公命令你过三个晚上到达，你过两晚就到了。即使有君王的命令，为什么那么快呢？我那只被你斩断的衣袖还在，你还是走吧！"寺人披回答说："臣以为君王您这次回国，已经了解情况了。如果还没有，又会遭到祸难。君王的命令要全心全意地执行，这是自古以来的制度。铲除君王所厌恶的人，只看自己力量如何。蒲人、狄人，对我来说又有什么呢？如今君王您即位为君，心中也不会有蒲、狄吧！齐桓公把射钩的事放在一边，而让管仲为相。君王您如果改变这种做法，我哪里需要麻烦君王您来下令呢？走的人会很多，岂止我这个受过刑的臣子？"晋文公接见了他，他把吕甥、郤芮作乱的事报告了文公。三月，晋文公在王城秘密会见秦穆公。三十日，宫室起火，瑕甥、郤芮没能抓到晋文公，于是逃到黄河边上，秦穆公把他们骗去杀了。晋文公迎接夫人嬴氏回国。秦穆公送给晋国卫士三千人，都是守卫门户的干练得力的仆人。

初，晋侯之竖头须①，守藏②者也。其出也，窃藏以逃，尽用以求纳之③。及入，求见。公辞焉以沐④。谓仆人曰："沐则心覆，心覆则图反，⑤宜吾不得见也。居者为社稷之守，行者为羁绁之仆，其亦可也，何必罪居者？国君而雠匹夫，惧者甚众矣。"仆人以告，公遽见之。

狄人归季隗于晋，而请其二子⑥。文公妻赵衰，生原同、屏括、楼婴。赵姬⑦请逆盾与其母，子余辞。姬曰："得宠而忘旧，何以使人？必逆之！"固请，许之。来，以盾为才，固请于公，以为嫡子，而使其三子下之；以叔隗为内子⑧，而己下之。

晋侯赏从亡者，介之推不言禄⑨，禄亦弗及。推曰："献公之子九人，唯君在矣。惠、怀无亲，外内弃之。天未绝晋，必将有主。主晋祀者,非君而谁?天实置之,而二三子以为己力,不亦诬⑩乎?窃人之财,犹谓之盗,况贪天之功以为己力乎?下义其罪⑪,上赏其奸;上下相蒙⑫,难与处矣。"其母曰:"盍亦求之?以死,谁怼⑬?"对曰:"尤而效之,罪又甚焉。且出怨言,不食其食。"其母曰:"亦使知之,若何?"对曰:"言,身之文也。身将隐,焉用文之?是求显也。"其母曰:"能如是乎?与女⑭偕隐。"遂隐而死。晋侯求之不获。以上绵为之田,曰:"以志吾过,且旌⑮善人。"

[注释]

①竖头须:近侍小臣。竖,未成年的左右臣仆。②守藏(zàng):保管财物。③尽用以求纳之:财物全部花费在设法使晋文公回国上。④辞焉以沐:以沐辞之。⑤"沐则心覆"二句:这两句是说,洗头则心颠倒,心颠倒则思虑与平时相反。⑥请其二子:请求把季隗所生的伯儵、叔刘留于狄。⑦赵姬:晋文公之女。⑧内子:正妻。⑨介之推:姓介,名推。"之"为助词。禄:禄位。⑩诬:欺骗。⑪义其罪:以其罪为义,认为其罪合乎义。⑫蒙:欺蒙。⑬怼(duì):怨。⑭女:同"汝",你。⑮旌:表扬。

[译文]

起初,晋文公有个叫头须的小臣,是专门保管财物的。晋文公逃亡后,头须偷了保管的财物逃走,全部花费在设法使文公回国上。等文公回国为君,头须请求文公接见。文公以洗头为借口,推辞不见。头须对仆人说:"洗头时心是颠倒的,心颠倒了,考虑问题就与平常相反,难怪我见不到他了。留在国内的人是国家的守卫者,跟随逃亡的人是牵着马笼头马缰绳的仆人,这也都是可以的,何必怪罪留在国内的人?作为国君而仇视普通人,心中害怕的人就多了。"仆人把这话告诉文公,文公急忙接见头须。

狄人把季隗送到晋国,而请求留下她的两个儿子。晋文公把女儿嫁给赵衰,生下原同、屏括、楼婴。赵姬请求迎回赵盾和他的母亲，赵衰推辞不干。赵姬说："得了新宠而忘记旧好，以后还怎么使用别人？一定要接他们回来。"坚决请求，赵衰准许了。叔隗母子到晋国后，赵姬认为赵盾有才干，坚决向晋文公请求，让赵盾为嫡子，而让自己的三个儿子居于赵盾之下；让叔隗做正妻，而自己居于她之下。

晋文公赏赐跟随他逃亡的人，介之推不求禄位，禄位也没有轮到他。介之推说："献公有九个儿子，只有君王在世。惠公、怀公没有亲近的人，国内国外的人都抛弃他们。上天不绝晋国，必定会有新主。主持晋国祭祀的人，不是君王又是谁？这实在是上天立他为君，而这几个人以为是自己的力量，不也是欺骗吗？偷了别人的财物，尚且称之为盗，何况贪天之功作为自己的功劳呢？下面的人把这种罪过当做合乎道义，上面的人对这欺骗行为加以赏赐；上下互相欺蒙，这就难以和他们相处了！"介之推的母亲说："你何不也去求赏？不求而死，还能怨谁？"介之推回答说："明知是错而去效法，罪就更大了。而且我口出怨言，不能再食他的俸禄了。"他母亲说："也让他知道一下，怎么样？"介之推回答说："言语，是身体的纹饰。身体将要隐藏，怎还用得着纹饰？这样做就是去求显露了。"他母亲说："你能这样做吗？我和你一起隐居。"于是隐居而死。晋文公寻找他们，没找到，就把绵上的田作为他的封田，说："用来记录我的过错，而且表彰好人。"

富辰谏王伐郑(僖公二十四年)

[题解]

富辰是周襄王时富有远见的大臣。他审时度势,用周公封建诸侯的本意,来劝谏襄王不要率领狄人攻打郑国。襄王不听,结果狄人作难,迫使襄王避居郑地。

郑之入滑也①,滑人听命。师还,又即②卫。郑公子士、泄堵俞弥帅师伐滑③。王使伯服、游孙伯如郑请滑④。郑伯怨惠王之入而不与厉公爵也⑤,又怨襄王之与卫滑⑥也,故不听王命,而执二子。王怒,将以狄伐郑⑦。

富辰⑧谏曰:"不可。臣闻之:大上⑨以德抚民,其次亲亲,以相及⑩也。昔周公吊二叔之不咸⑪,故封建亲戚以蕃屏周⑫。管、蔡、郕、霍、鲁、卫、毛、聃、郜、雍、曹、滕、毕、原、酆、郇⑬,文之昭也⑭。邘、晋、应、韩⑮,武之穆也⑯。凡、蒋、邢、茅、胙、祭⑰,周公之胤⑱也。召穆公思周德之不类⑲,故纠合宗族于成周而作诗,曰:'常棣之华,鄂不韡韡。凡今之人,莫如兄弟。'⑳其四章曰:'兄弟阋于墙㉑,外御其侮。'如是,则兄弟虽有小忿,不废懿亲㉒。

"今天子不忍小忿以弃郑亲,其若之何?庸勋㉓、亲亲、昵近、尊贤,德之大者也。即㉔聋、从昧、与顽、用嚚㉕,奸之大者也。弃德崇奸,祸之大者也。郑有平、惠之勋㉖,又有厉、宣之亲㉗,弃嬖宠而用三良㉘,于诸姬㉙为近,四德具矣。耳不听五声之和为聋,目不别五色之章为昧,心不则德义之经为顽,口不道忠信之言为嚚。狄皆则之,四奸具矣。周之有懿德也,犹曰'莫如兄弟',故封建之。其怀柔天下也,犹惧有外侮;捍御侮者,莫如亲亲,故以亲屏周。召穆公亦云。今周德既衰,于是乎又渝㉚周、召,以从诸奸,无乃不可乎?民未忘祸,王又兴之,其若文、武何?"

王弗听,使颓叔、桃子㉛出狄师。

[注释]

①郑之入滑也:郑国攻入滑国在僖公二十年(前640年)。滑,姬姓之国,都费,又称费滑,故城在今河南偃师缑氏镇。②即:亲附。③公子士:郑文公之子。泄堵俞弥:泄堵寇,郑大夫。④王:周襄王。伯服、游孙伯:周大夫。请滑:以滑为请,请求不要攻打滑国。⑤"郑伯怨惠王"句:据庄公二十一年《传》,周惠王赐给虢公爵,而只给郑厉公(文公之父)鞶鉴,厉公因此不满。⑥卫滑:袒护滑国。⑦以狄伐郑:率领狄人攻打郑国。⑧富辰:周大夫。⑨大(tài)上:即"太上",最上。⑩以相及:由亲及疏,由近及远。⑪吊:伤。二叔:管叔、蔡叔。咸:终。⑫封建:分封土地建立国家。蕃:藩篱。屏:屏障。⑬"管、蔡"句:以上十六家,均为周文王之子的封国。管:管叔鲜封国,今河南郑州市。蔡:蔡叔度封国,今河南上蔡县。郕(chéng):叔武封国,今河南范县。霍:叔处封国,今山西霍州市西南。鲁:周公旦封国,今山东曲阜。卫:康叔封国,今河南淇县。毛:叔郑封国,今陕西扶风。聃:季载封国,今湖北荆门市东南。郜(gào):文王第十二子封国,今山东成武县东南。雍:文王第十三子所封之国,今河南沁阳市东北。曹:曹叔振铎封国,今山东定陶。滕:错叔绣封国,今山东滕州市。毕:毕公高封国,今陕西咸阳市西北。原:文王第十六子封国,今河南济源市西北。酆:文王子封

国,今陕西户县东。郇:文王子封国,今山西临猗县西南。⑭文之昭也:文王为后稷十四世孙,为穆,故其子为昭。⑮邘(yú):武王次子封国,今河南沁阳市西北。应(yīng):武王第四子封国,今河南鲁山县东。韩:武王子封国,今河北固安县东,后改封今陕西韩城。⑯武之穆也:武之武王之子,文王之孙,故称武王之穆。⑰凡:周公次子封国,今河南辉县西南。蒋:周公第三子封国,今河南固始县内。邢:周公第四子封国,今河北邢台。茅:周公庶子封国,今山东金乡县西北。胙:周公庶子封国,今河南延津县北。祭(zhài):周公第七子封国,今河南郑州市东北。⑱胤:后代。⑲召(shào)穆公:名虎,召康公之后,周王卿士。不类:不善。⑳"常棣之华"四句:《诗·小雅·常棣》诗句。常棣:即甘棠。华:同"花"。鄂:即"萼",花托。不:同"跗",花蒂。韡(wěi)韡:形容光明。㉑阋(xì)于墙:争讼于墙内,指内部不和。㉒懿亲:宗亲。㉓庸勋:酬谢有功劳的人。㉔即:靠近。㉕嚚(yín):愚蠢而凶恶的人。㉖郑有平、惠之勋:平王东迁,主要依靠晋国和郑国;惠王出奔,郑国予以接纳。㉗厉、宣之亲:郑始封之祖桓公友,为周厉王之子,宣王同母弟。㉘三良:叔詹、堵叔、师叔。㉙诸姬:众多姬姓之国。㉚渝:变。㉛颓叔、桃子:周大夫。

[译文]

　　郑国军队攻入滑国,滑国人表示服从命令。郑国军队撤回后,滑国又亲附卫国。郑公子士、泄堵俞弥率领军队攻打滑国。周襄王派伯服、游孙伯到郑国,请求不要攻打滑国。郑文公怨恨当年周惠王回到成周时不肯赏赐郑厉公酒爵,又怨恨周襄王偏袒卫、滑两国,所以不服从周襄王的命令,而逮捕了伯服与游孙伯。周襄王发怒,准备率领狄人攻打郑国。

　　富辰劝谏说:"这样不行。下臣听说:最上等的人用德行来安抚民众,次一等的亲近亲属,由近及远。从前周公感伤管叔、蔡叔不得善终,因此给亲戚分封土地、建立诸侯,用来拱卫周室。管、蔡、郕、霍、鲁、卫、毛、聃、郜、雍、曹、滕、毕、原、酆、郇,是文王的儿子。邘、晋、应、韩,是武王的儿子。凡、蒋、邢、茅、胙、祭，是周公的后裔。召穆公忧虑周德不善，因此集合宗族到成周，而作诗说：'棠棣花儿开成片，花萼花蒂多娇艳。如今世上多少人，不如兄弟亲又亲。'它的第四章说：'兄弟在家争又吵，同心御侮不曾少。'这样说来，那么兄弟之间虽然有小的不满，不会因此废弃良好的亲戚关系。

"如今天子您不能忍受小怨而废弃郑国这门亲戚，又能把它怎么样？酬劳有功勋的人，亲爱亲戚，接近近臣，尊敬贤人，这是德行中的大德。靠近耳聋的人，跟从昏昧的人，赞成顽劣的人，使用奸恶的人，这是邪恶中的大恶。抛弃德行，崇尚邪恶，这是祸患中的大祸。郑国有辅佐平王、接纳惠王的功勋，又有厉王、宣王的亲属关系，舍弃宠臣而任用三良，在姬姓诸国中最亲近，四种德行都具备了。耳朵听不到五音相和是耳聋，眼睛无法分辨五色文彩是昏昧，心中不能效法德义的准则是顽劣，口中不说忠信的话是奸恶。狄人都效法这些，四种邪恶全具备了。周室具有美好的德行时，尚且说'有谁能比兄弟更亲近'，所以分封土地，建立诸侯。周室安抚天下时，尚且担心有外来的侵犯；抵御外来侵犯的办法，没有比得上亲爱亲戚更好的了，所以用亲戚来作为周室的屏障。召穆公也是这样说的。如今周室的德行已经衰败，在这时候又改变周公、召公的做法，以跟从各种邪恶，恐怕不可以吧！百姓还没忘记祸乱，君王又重新把它挑起来，将怎样对待文王、武王呢？"

周襄王不听，派遣颓叔、桃子带领狄军出征。

夏，狄伐郑，取栎①。王德②狄人，将以其女为后。富辰谏曰："不可。臣闻之曰：'报者倦矣，施者未厌③。'狄固贪惏④，王又启之。女德无极，妇怨无终，狄必为患。"王又弗听。

初，甘昭公⑤有宠于惠后，惠后将立之，未及而卒。昭公奔齐，王复之，又通于隗氏⑥。王替⑦隗氏。颓叔、桃子曰："我实使狄,狄其怨我。"遂奉大叔⑧以狄师攻王。王御士⑨将御之,王曰:"先后⑩其谓我何?宁使诸侯图之。"王遂出,及坎欿⑪,国人纳之。秋,颓叔、桃子奉大叔以狄师伐周,大败周师,获周公忌父、原伯、毛伯、富辰⑫。王出适郑,处于汜⑬。大叔以隗氏居于温⑭。

……

冬,王使来告难,曰:"不穀不德,得罪于母弟之宠子带,鄙在郑地汜,敢告叔父⑮。"臧文仲对曰:"天子蒙尘于外,敢不奔问官守⑯?"王使简师父⑰告于晋,使左鄢父告于秦。天子无出,书曰"天王出居于郑",辟母弟之难也。天子凶服、降名,礼也。

[注释]

①栎(yuè):郑邑,今河南禹州市。②德:感谢。③厌:满足。④惏:同"婪",贪。⑤甘昭公:王子带,封于甘(今河南洛阳市南),谥昭。周惠王子、襄王弟。⑥隗氏:襄王所立狄后。⑦替:废。⑧大叔:王子带。"狄师"二字,涉下文而衍。⑨御士:周王侍卫之士。⑩先后:指惠后。⑪坎欿(dǎn):周地,今河南巩义市东南。⑫忌父、原伯、毛伯、富辰:四人都是襄王大臣。⑬汜:郑地,今河南襄城县东。⑭温:今河南温县西南。⑮叔父:天子称同姓诸侯为伯父或叔父。⑯奔问官守:问候左右。官守,周王群臣。⑰简师父:与下句左鄢父都是周大夫。

[译文]

夏,狄人攻打郑国,占领了栎地。周襄王感谢狄人,想立狄君的女儿为王后。富辰劝谏道:"这样不行。下臣听说:'报答的人已经厌倦了,被施予的人还没有满足。'狄人本性是贪婪的,君王您又开启了这种本性。女子的德行没有尽头,妇人的怨恨没有终了,狄人一定会成为祸患。"周襄王又不听。

起初,王子带得到惠后的宠爱,惠后准备立他为太子,还没实施就去世了。王子带逃亡到齐国，周襄王让他回国，他又和王后隗氏私通。周襄王废黜了隗氏。颓叔、桃子说："是我们使狄人攻打郑国的，狄人一定会怨恨我们。"于是侍奉王子带，进攻周襄王。襄王的侍卫们准备抵抗，襄王说："先王后该怎么说我呢？宁可让诸侯们来想办法。"襄王于是离开都城，到达坎欿，都城里的人又把他接回去。秋，颓叔、桃子侍奉王子带，带领狄人进攻成周，把周军打得大败，俘获周公忌父、原伯、毛伯、富辰。周襄王离开成周到郑国，居住在氾地。王子带和隗氏住在温地。

……

冬，周襄王的使者来报告发生的祸难，说："不穀缺乏德行，得罪了母亲所宠爱的弟弟王子带，如今僻居在郑国的氾地，谨敢以此报告叔父。"臧文仲回答说："天子在外边蒙受尘土，我们岂敢不赶紧去问候左右。"周襄王派简师父到晋国报告，派左鄢父到秦国报告。天子没有离开国家的说法，《春秋》记载"天王出居于郑"，是说他避让同母弟弟所造成的祸乱。天子穿凶服，降低称谓等级，这是合于礼的。

晋侯勤王（僖公二十五年）

[题解]

晋文公登上君位之后，帮助周襄王稳固王位，向称霸诸侯迈进了重要的一步。

秦伯师于河上①，将纳王②。狐偃言于晋侯③曰："求诸侯莫如勤王④。诸侯信之，且大义也。继文⑤之业，而信宣于诸侯，今为可矣。"

使卜偃卜之，曰："吉。遇黄帝战于阪泉之兆⑥。"公曰："吾不堪⑦也。"对曰："周礼未改，今之王，古之帝也。⑧"公曰："筮之⑨！"筮之，遇《大有》☰之《睽》☰⑩，曰："吉。遇'公用享于天子'⑪之卦。战克⑫而王飨，吉孰大焉？且是卦也，天为泽以当日⑬，天子降心以逆公⑭，不亦可乎？《大有》去《睽》而复⑮，亦其所也。"

晋侯辞秦师而下。三月甲辰，次于阳樊⑯，右师围温⑰，左师逆王。夏四月丁巳，王入于王城。取大叔于温，杀之于隰城⑱。

戊午，晋侯朝王。王飨醴⑲，命之宥⑳。请隧㉑，弗许，曰："王章㉒也。未有代德㉓，而有二王㉔，亦叔父之所恶也。"与之阳樊、温、原、欑茅之田㉕。晋于是始启㉖南阳。

阳樊不服，围之。苍葛呼曰："德以柔中国，刑以威四夷，宜吾㉗不敢服也。此谁非王之亲姻，其㉘俘之也？"乃出其民㉙。

……

冬，晋侯围原，命三日之粮。原不降，命去之㉚。谍㉛出，曰："原将降矣。"军吏曰："请待之。"公曰："信，国之宝也，民之所庇也。得原失信，何以庇之？所亡滋多。"退一舍而原降。迁原伯贯于冀㉜。赵衰为原大夫，狐溱㉝为温大夫。

……

晋侯问原守于寺人勃鞮㉞，对曰："昔赵衰以壶飧从，径㉟，馁而弗食。"故使处原。

[注释]

①秦伯：秦穆公。师：驻扎。②王：周襄王。③晋侯：晋文公。④勤王：勤于王事。本文指护送周襄王归国。⑤文：晋文侯，名仇，帮助周平王东迁，因而受平王锡命，《尚书》中的《文侯之命》，即因此而作。⑥遇黄帝战于阪泉之兆：黄帝与炎帝战于阪泉之野，获得胜利，所以说是"吉"。⑦不堪：担当不起。晋文公以为用黄帝指自己，所以说不敢当。⑧"周礼未改"三句：卜偃指出，周礼没有改变，天子还是周王，所以黄帝指周襄王。⑨筮之：卜用龟甲，筮用蓍草。⑩"遇《大有》"句：卦象由《大有》（《乾》下《离》上）变为《睽》（《兑》下《离》上），即爻九三变为六三。⑪公用享于天子：是《大有·九三》爻辞。⑫克：胜。⑬天为泽以当日：《乾》象天，《兑》象泽，《离》象火象日。由《大有》变为《睽》，即下卦由《乾》变为《兑》，所以说是"天为泽"。上卦为《离》不变，所以说"当日"。⑭天子降心以逆公：《乾》为天在上，《离》为火在下，所以说天子降心以迎公。逆，迎。⑮"《大有》"句：《大有》变成《睽》是转卦，转卦还是要回到原卦。⑯阳樊：又单称樊、阳，今河南济源市西南。⑰温：地名，今河南温县西南。⑱隰城：地名，今河南武陟县西南。⑲醴（lǐ）：甜酒。⑳宥（yòu）：同"侑"，相互酬酢。㉑隧：隧道。天子葬礼，用地下墓道运进棺木。诸侯下葬时，墓道露

出地面。㉒王章：周王朝的典章制度。㉓代德：替代周室而有天下之德。㉔而有二王：晋文公如能用隧，如同二王并立。㉕原：地名，今河南济源市北有原乡。欑（cuán）茅：地名，今河南修武县北。㉖启：开辟。㉗吾：代指阳樊之民。㉘其：乃。㉙出其民：让阳樊民众迁出而仅取其地。㉚去之：撤围。到了三天，粮食已吃完。㉛谍：谍报人员。㉜原伯贯：周在原地的大夫，名伯贯。翼：地名，今山西河津市一带。㉝狐溱：晋大夫，狐毛之子。㉞寺人勃鞮：即寺人披。㉟径：小路。

[译文]

秦穆公把军队驻扎在黄河边上，准备送周襄王回去。狐偃对晋文公说："要想得到诸侯的拥护，没有比勤于王事更好的了。诸侯会信任您，而且合乎大义。继承文侯的功业而信用播扬于诸侯，现在可以做了。"

晋文公让卜偃占卜，说："吉利。占得黄帝在阪泉作战的预兆。"晋文公说："这我可担当不起啊。"卜偃回答说："周朝的礼制没有改变。如今的王，就是古代的帝。"晋文公说："占筮！"占筮，得到《大有》䷍变成《睽》䷥的卦象，说："吉利。遇上'公受到天子设享礼招待'的卦。作战胜利，然后周王设享礼招待您，还有比这更大的吉利吗？再说这一卦，天变成泽以承受太阳的照耀，象征天子将屈尊来迎接您，不也是很好吗？《大有》变成《睽》，再回复本卦，象征天子也就会回到他的处所。"

晋文公辞谢秦军，顺黄河而下。三月十九日，晋军驻扎在阳樊，右翼部队包围温地，用左翼部队迎接周襄王。夏四月初三日，襄王进入王城。从温邑抓来太叔王子带，把他杀死在隰城。

初四日，晋文公朝见周襄王。襄王用甜酒招待他，并命令他向自己敬酒。晋文公请求死后下葬时能用隧道，襄王不同意，说："这是天子所用的典章。还没有人具有取代周室的德行而有两个天子，这也是叔父所憎恶的。"赐给他阳樊、温、原、欑茅的田地。

晋国从这时起开辟南阳的疆土。

　　阳樊人不服晋国，晋军包围了阳樊。苍葛大声喊道："德行是用来安抚中原国家的，刑罚是用来威慑四夷的，我们不敢顺服你们是有道理的。这里的人哪个不是周天子的亲戚，难道能俘虏他们吗？"晋军就放百姓出城。

　　……

　　冬，晋文公包围了原地，命令携带三天的粮食。原人不肯投降，晋文公下令撤围离开。谍报人员从城里出来，说："原人准备投降了。"军吏说："请等待一下。"晋文公说："信用，是国家的宝贝，是百姓所赖以庇护的。得到了原，失去了信用，将用什么来庇护百姓呢？失去的就更多了。"军队退后了三十里而原人投降。晋文公把原伯贯迁移到冀地。任命赵衰为原大夫，狐溱为温大夫。

　　……

　　晋文公向寺人披咨询驻守原地的大夫人选。寺人披回答说："往昔赵衰用壶带着食物跟随您，从小路走散了，再饿也不吃。"所以晋文公就任命赵衰为原大夫。

展喜犒齐师（僖公二十六年）

[题解]

展喜用周公、太公之盟，说服齐孝公退兵，展示了高超的外交技巧与辞令艺术。

夏，齐孝公①伐我北鄙。卫人伐齐，洮之盟故也。②

公使展喜犒师③，使受命于展禽④。齐侯未入竟⑤，展喜从之⑥，曰："寡君闻君亲举玉趾，将辱于敝邑，使下臣犒执事。"齐侯曰："鲁人恐乎？"对曰："小人恐矣，君子则否。"齐侯曰："室如县罄⑦，野无青草，何恃而不恐？"对曰："恃先王之命。昔周公、大公股肱周室⑧，夹辅⑨成王。成王劳之，而赐之盟，曰：'世世子孙无相害也！'载在盟府⑩，大师⑪职之。桓公是以纠合诸侯而谋其不协⑫，弥缝其阙而匡救其灾⑬，昭旧职也。及君即位，诸侯之望曰：'其率桓之功⑭！'我敝邑用不敢保聚⑮，曰：'岂其嗣世⑯九年，而弃命⑰废职？其若先君何？君必不然。'恃此以不恐。"齐侯乃还。

[注释]

①齐孝公：名昭，桓公之子。②"卫人伐齐"二句：僖公二十五年（前635年），鲁国、卫国、莒国在洮地结盟，卫国有互救的义务。③展喜：鲁大

夫,名喜,字乙,展为氏。犒师:以酒食犒劳军队。④受命:请教。展禽:鲁大夫,名获,字禽,食邑于柳下,其妻私谥以惠,故又称柳下惠。⑤竟:同"境"。⑥从之:出境跟随齐侯。此时齐侯虽未入境,而齐军已入。⑦县:同"悬"。罄:同"磬"。磬中高四周底,内部空洞。齐侯暗示鲁国内部空虚,百姓疲弱。⑧周公:姬旦,鲁国祖先。大(tài)公:姜太公,名尚,齐国祖先。股肱周室:为周室左膀右臂,即辅佐周室之意。⑨夹辅:周公、大公两人共同辅佐成王,故称夹辅。⑩载:盟约。盟府:收藏盟约的机构。⑪大(tài)师:即太史,主管盟约的官员。⑫不协:不和。⑬弥缝:弥合。阙:隙,裂痕。匡救:救助。⑭其:表期望之词。率:遵循。功:功业,事业。⑮用:因此。保聚:保城聚众。⑯嗣世:继位。⑰弃命:背命。

[译文]

夏,齐孝公攻打我国北部边境。卫国人攻打齐国,是履行洮地盟约的缘故。

僖公派遣展喜去犒劳齐军,令他向展禽请教。齐孝公还没进入鲁境,展喜迎上去跟着齐孝公,说:"寡君听说君王您亲自前来,将要屈尊驾临我国,派下臣前来犒劳您的左右。"齐孝公说:"鲁国人害怕吗?"展喜回答说:"小人害怕了,君子则不害怕。"齐孝公说:"你们家中空虚,像悬罄一样,原野中青草都不生长,凭仗着什么而不害怕?"展喜回答说:"凭仗着先王的命令。从前周公、太公辅佐周室,在左右协助成王。成王慰劳他们,赐给他们盟约,说:'世世代代的子孙,不要互相侵害。'盟约存放在盟府,由太史掌管。齐桓公因此而集合天下的诸侯,解决他们之间的纠纷,补救诸侯之间的裂缝而救助他们的灾难,这都是显扬齐国从前辅佐周室的职守啊。等到君王您即位,诸侯们都盼望说:'他能继承桓公的功业。'我敝邑因此不敢保城聚众,说:'难道他继位九年,就丢弃王命、废弃职责?他怎么对待先君?君王一定不会这样。'凭仗着这些,所以不害怕。"齐孝公于是撤兵回国。

晋文公教民（僖公二十七年）

[题解]

晋文公教化百姓，使他们懂得什么是义、信、礼，然后使用他们，一战而称霸诸侯。

晋侯始入①而教其民，二年，欲用之。子犯曰："民未知义，未安其居。"于是乎出定襄王②，入务利民，民怀生③矣。将用之。子犯曰："民未知信，未宣④其用。"于是乎伐原以示之信⑤。民易资⑥者，不求丰⑦焉，明征其辞⑧。公曰："可矣乎？"子犯曰："民未知礼，未生其共⑨。"于是乎大蒐⑩以示之礼，作执秩⑪以正其官。民听不惑，而后用之。出谷戍⑫，释宋围⑬，一战而霸⑭，文之教也。

[注释]

①晋侯始入：晋公子重耳于僖公二十四年（前636年）回国为君，是为晋文公。②出定襄王：事参《晋侯勤王》一文。③怀生：安生。④宣：明。⑤于是乎伐原以示之信：伐原一事，参《晋侯勤王》一文。⑥易资：交易货物。资，财货。⑦求丰：谋求厚利。⑧明征其辞：指明码标价，讲守信用。⑨共：同"恭"，恭敬。⑩大蒐：检阅军队。⑪作执秩：设置管理官爵秩禄的官职。⑫出谷戍：使楚国戍谷的军队撤离。⑬释宋围：解除楚军对宋国的围困。⑭一战而霸：指与楚国的城濮之战。

[译文]

　　晋文公一回国，就教化民众，过了两年，想使用他们。狐偃说："百姓还不知道道义，还没有安居乐业。"晋文公就出去安定周襄王的王位，回国后致力于便利百姓的事，百姓就安于他们的生计了。晋文公准备使用他们。狐偃说："百姓还不知道信用，还不明白信用的作用。"晋文公便攻打原地，向百姓展示什么是信用。百姓做买卖不谋取厚利，把话说在明处。晋文公问："可以用他们了吗？"狐偃说："百姓还不知道礼仪，还没有产生恭敬之心。"晋文公便检阅军队，向百姓展示什么是礼仪，设置执秩官，让官员职责分明。等到百姓听到事情后能明辨是非，然后使用他们。赶走楚国在谷地的驻军，解除楚军对宋国的包围，一仗打下来就称霸诸侯，这都是晋文公教化的结果。

晋文公称霸诸侯（僖公二十八年）

[题解]

晋文公即位不久，发动了一连串的战争，收服了周围诸侯国，并与南方强大的楚国在城濮进行大战。晋国大胜，受封为诸侯之长，统领诸侯，国势达到极盛。

二十八年，春，晋侯将伐曹，假道①于卫。卫人弗许。还，自南河济②，侵曹、伐卫。正月戊申，取五鹿③。二月，晋郤縠④卒。原轸⑤将中军，胥臣⑥佐下军，上德⑦也。

晋侯、齐侯盟于敛盂⑧。卫侯⑨请盟，晋人弗许。卫侯欲与⑩楚，国人不欲，故出其君，以说⑪于晋。卫侯出居于襄牛⑫。

公子买⑬戍卫，楚人救卫，不克。公惧于晋，杀子丛以说焉。谓楚人曰："不卒戍⑭也。"

晋侯围曹，门⑮焉，多死。曹人尸诸城上，晋侯患之。听舆人⑯之谋曰："称舍⑰于墓。"师迁焉。曹人凶惧⑱，为其所得者，棺而出之。因其凶也而攻之。三月丙午，入曹，数⑲之以其不用僖负羁，而乘轩者三百人也，且曰献状⑳。令无入僖负羁㉑之宫而免其族，报施也。魏犨、颠颉怒㉒，曰："劳之不图㉓，报于何有㉔？"爇㉕僖负羁氏。魏犨伤于胸。公欲杀之，而爱其材。使问,且视之。病,将杀之。魏犨束胸见使者,曰:"以君之灵,不有宁也㉖!"距跃㉗三百,曲踊㉘三百。乃舍之。杀颠颉以徇㉙于师,立舟之侨以为戎右。

[注释]

①假道:借道。曹国在卫国东面,所以需要借道。②济:渡河。③五鹿:卫地,今河南濮阳市南,即当年重耳流亡时,野人馈以土块的地方。晋军攻取这里,以应吉兆。④郤(xì)縠(hú):晋中军帅。⑤原轸:先轸。原为食邑。晋人多以食邑为氏。⑥胥臣:即司空季子,又叫白季。⑦上德:即尚德,崇尚有德行的人。先轸原为下军佐,现在提拔为中军主帅,是崇尚他的德行。⑧敛盂:卫地,今河南濮阳市东南。⑨卫侯:卫成公。⑩与:从,亲近。⑪说:同"悦"。⑫襄牛:卫地,今河南范县。⑬公子买:鲁公子,字子丛。卫与楚为婚姻之国,鲁国欲亲附楚国,因此派兵戍卫。⑭不卒戍:戍守未满期。⑮门:攻打城门。⑯舆人:众人。⑰舍:宿营。⑱凶惧:恐惧。凶,惧。曹人担心累及祖坟,所以担心。⑲数:责,陈述其罪。⑳献状:曹共公曾窥视重耳裸体。参《重耳流亡》一文。㉑僖负羁:曹大夫,曾在晋文公流亡到曹国时馈飨赠璧。㉒魏犨、颠颉怒:二人曾从重耳流亡,而官职卑下,所以发怒。魏犨为车右。㉓劳之不图:不图劳,不考虑功劳。㉔报于何有:即"何有于报",有什么报答的呢。㉕爇(ruò):烧。㉖不有宁也:反问句,意思是岂能不宁。㉗距跃:朝上跳。㉘曲踊:朝前跳。㉙徇:示众。

[译文]

二十八年春,晋文公准备攻打曹国,向卫国借路,卫国人不答应。晋军回师,从南河渡过黄河,侵袭曹国,攻打卫国。正月初九,占领五鹿。二月,晋郤縠去世。让先轸统帅中军,胥臣辅佐下军,这样安排是崇尚先轸的德行。

晋文公、齐昭公在敛盂结盟。卫成公请求参加盟会,晋人不同意。卫成公想亲附楚国,国内臣民不愿意,因此把卫成公赶走,用来取悦晋国。卫成公离开国都居住在襄牛。

公子买驻守卫国,楚国人援救卫国,没有获胜。僖公害怕晋国,就杀了公子买来取悦晋国。对楚国谎称:"公子买驻守卫国没有满期。"

晋文公率军包围曹国,攻打城门,战死的人很多。曹国人把晋军尸体陈列在城上,晋文公对此很不安。他听从众人的计谋,声称:"将在曹国的墓地上安营。"军队转移。曹国人很惊恐,把他们所得到的晋军尸体装入棺中,送出城外。晋军趁着他们惊慌的机会攻城。三月初八,晋军攻入曹国。晋文公责备曹共公不重用僖负羁,而乘车的却有三百人,并且说曹共公当年窥视自己的裸体。下令晋军不得进入僖负羁的家,并赦免他的族人,这是为了报答他当年的恩惠。魏犨、颠颉发怒说:"我们的功劳他不考虑封赏,有什么报答的呢!"放火烧了僖负羁的家。魏犨在纵火时胸部受伤。晋文公想杀死他,而又爱惜他的才干。派人去慰问,并且察看他的伤势。如果伤势严重,就要杀掉他。魏犨捆紧了胸部出来见使者,说:"托国君的福,我这不是很好吗?"向上跳了很多次,向前跳了很多次。晋文公于是饶恕了他,把颠颉杀了在军中示众,立舟之侨为车右。

宋人使门尹般如晋师告急①。公曰:"宋人告急,舍之则绝②,告楚不许③。我欲战矣,齐、秦未可④,若之何?"先轸曰:"使宋舍我而赂齐、秦,藉之告楚。我执曹君,而分曹、卫之田以赐宋人。楚爱曹、卫,必不许也。喜赂、怒顽,能无战乎?"公说,执曹伯,分曹、卫之田以畀⑤宋人。

楚子入居于申⑥,使申叔⑦去谷,使子玉⑧去宋,曰:"无从晋师!晋侯在外十九年⑨矣,而果得晋国。险阻艰难,备尝之矣;民之情伪,尽知之矣。天假之年,而除其害,天之所置,其可废乎?《军志》⑩曰:'允当则归⑪。'又曰:'知难而退。'又曰:'有德不可敌。'此三志者,晋之谓矣。"子玉使伯棼⑫请战,曰:"非敢必有功也,愿以间执谗慝之口⑬。"王怒,少与之师,唯西广、东宫与若敖之六卒实从之⑭。

[注释]

①"宋人使门尹般"句:僖公二十七年(前633年),楚成王及诸侯围宋,宋公孙固已到晋国告急。楚围未解,故再次派人告急。门尹般:宋大夫,名般,担任门尹之职。②舍之则绝:舍弃宋人,则宋人断绝来往。舍,舍弃。③告楚不许:请楚军撤围,不会答应。告,请。④可:认可,同意。⑤畀:给。⑥申:楚地,今河南南阳。⑦申叔:申公叔侯,僖公二十六年(前634年)驻守申地。⑧子玉:即成得臣,楚国令尹,率军伐宋者。⑨晋侯在外十九年:重耳以僖公五年出奔,二十四年回国为君,中历十九年。⑩《军志》:古兵书。⑪允当则归:适可而止。⑫伯棼:楚大夫斗椒之字,又字子越,斗伯比之孙。⑬间执:堵塞。谗慝:邪恶之人。去年芳贾曾批评子玉,认为他领兵超过三百辆战车就会失败。⑭西广(guǎng):楚军右军。东宫:太子手下军队。若敖:子玉与楚武王的祖父,这里指宗族亲军。楚王无谥者皆称敖。敖即"豪",宗族之长。六卒:三十乘为一卒。

[译文]

宋人派门尹般到晋军那里报告情况紧急。晋文公说:"宋人报告情况危急,不去救他们就会和他们断绝关系,如果请楚国撤围,楚国一定不会同意。我们要想与楚国交战,齐国、秦国又不答应,该怎么办?"先轸说:"让宋国撇开我们而去给齐国、秦国送礼,凭借这两国去请求楚国撤围。我们把曹共公抓起来,把曹国、卫国的田地拿来送给宋人。楚国爱护曹国、卫国,一定不会答应齐、秦两国的请求。他们喜爱宋国的礼物,恼恨楚国的顽固,能不参战吗?"晋文公听了很高兴,便抓住了曹共公,把曹国、卫国的田地分给宋人。

楚成王退回国内,停留在申地,令申叔撤离谷地,令子玉撤离宋国,说:"不要追逐晋国军队!晋文公在国外有十九个年头了,最终得到了晋国。他险阻艰难,全尝遍了;民情的真伪,都了解了。上天赐给他年寿，而除去那些害他的人。上天所安置的人，难道可以废除吗？《军志》上说：'适可而止。'又说：'知难而退。'又说：'有德行的人是不可匹敌的。'这三条记载，都适合于晋国。"子玉派伯棼请战，说："不敢说一定能有功劳，只想以此堵住奸邪之人的嘴巴。"楚成王发怒，只给他小部分军队，只有右军、东宫部队和宗族亲军的一百八十辆兵车跟随他。

子玉使宛春①告于晋师曰："请复卫侯而封曹②，臣亦释宋之围。"子犯曰："子玉无礼哉！君取一，臣取二，③不可失矣④。"先轸曰："子与⑤之！定人⑥之谓礼，楚一言而定三国⑦，我一言而亡之。我则无礼，何以战乎？不许楚言，是弃宋也；救而弃之，谓诸侯何？楚有三施⑧，我有三怨，怨雠已多，将何以战？不如私许复曹、卫以携⑨之，执宛春以怒楚，既战而后图之。"公说。乃拘宛春于卫，且私许复曹、卫，曹、卫告绝于楚。

子玉怒，从晋师。晋师退。军吏曰："以君辟⑩臣，辱也；且楚师老⑪矣，何故退？"子犯曰："师直为壮，曲为老，岂在久乎？⑫微楚之惠不及此，退三舍辟之，所以报也。⑬背惠食言，以亢其雠⑭，我曲楚直，其众素饱⑮，不可谓老。我退而楚还，我将何求？若其不还，君退臣犯，曲在彼矣。"退三舍。楚众欲止，子玉不可。

夏，四月戊辰，晋侯、宋公、齐国归父、崔夭、秦小子慭次于城濮⑯。楚师背酅⑰而舍，晋侯患之。听舆人之诵曰："原田每每⑱，舍其旧而新是谋⑲。"公疑焉。子犯曰："战也！战而捷，必得诸侯。若其不捷，表里山河⑳，必无害也。"公曰："若楚惠何？"栾贞子㉑曰："汉阳诸姬，楚实尽之。㉒思小惠而忘大耻，不如战也。"晋侯梦与楚子搏，楚子伏己而盬㉓其脑，是以惧。子犯曰:"吉。我得天,楚伏其罪,吾且柔之矣。"

[注释]

①宛春:楚大夫。②复卫侯而封曹:让卫侯回国,恢复曹国原有的疆界。③"君取一"二句:晋文公为君,只要求解宋之围;子玉为臣,却要求复卫侯而封曹。④不可失矣:指不能失去作战的时机。⑤与:许。⑥定人:使人安定。⑦楚一言而定三国:解宋之围,复卫侯之位,还曹国之地,所以说一言而定三国。⑧三施:对三国都有恩惠。⑨携:离间。⑩辟:同"避"。⑪老:衰疲。⑫"师直为壮"三句:意思是军队是否衰疲,在于出师是否有理,而不在于出师时间的长短。⑬"微楚之惠"三句:晋文公当年流亡到楚国时,受到礼遇,因此许诺两军交战时退避三舍,以示回报。参《重耳流亡》一文。⑭亢:捍蔽,庇护。其雠:指宋国。⑮素饱:一直士气饱满。素,素来。⑯宋公:宋成公,名王臣。国归父、崔夭:齐大夫。小子憗(yìn):秦穆公子。城濮:卫地,今河南范县南。⑰鄑(xǐ):卫地,今河南范县南,是险要的丘陵地带。⑱原田:休耕地。每每:形容草长得茂盛。⑲舍其旧而新是谋:土地轮休,用休耕地里长的草作为绿肥,施于耕地上。⑳表里山河:指晋国外河内山,作为屏障。㉑栾贞子:栾枝,下军统帅。㉒"汉阳诸姬"二句:这两句意思是,在汉水之北的姬姓诸国,都被楚国吞并了。㉓盬(gǔ):吸。

[译文]

子玉派宛春到晋军中通报说:"请你们恢复卫成公的君位,恢复曹国原有的疆界,下臣也解除对宋国的包围。"子犯说:"子玉太无礼了!我们君王只要求达到解除宋围这一项,他作为臣子却要求达到两项,机不可失啊。"先轸说:"你答应他!安定别人叫做礼。楚国一句话而使三个国家得到安定,我们一句话就使他们灭亡。我们如果无礼,凭什么来作战呢?不答应楚国,是抛弃宋国;救了宋国再抛弃它,怎么向诸侯们交代?楚国对三国有恩,我们却结下三处怨仇,怨仇已经很多了,将凭什么作战呢?不如私下里答应恢复曹、卫二国,来离间与楚国的关系;把宛春拘留起来,用以激怒楚国,等打起来再想办法。"晋文公很高兴。于是把宛春拘禁在卫国,并且私下里答应恢复曹、卫二国。曹、卫两国就宣布与楚国绝交。

子玉发怒,追逐晋军。晋军后撤。军吏说:"作为国君而避让臣子,这是耻辱。而且楚军已经衰疲了,为什么要后退?"子犯说:"军队作战,理直的士气高涨,理屈的士气衰疲,哪里在于在外作战时间的长久呢?如果没有楚国的恩惠我们到不了今天,后退九十里避让他们,就是在报答他们。背弃恩惠违背诺言,以此庇护他们的仇敌,是我们理屈,楚国理直。他们的士气一直很饱满,不可以说是衰疲。我们后退而楚军撤回,我们还要求什么?如果他们不撤回,那么君王后退而臣子进逼,理屈的就是他们了。"晋军后退了九十里。楚国将士想停下来,子玉不同意。

夏四月初一日,晋文公、宋成公、齐国归父、崔夭、秦小子慭率军驻扎在城濮。楚军背靠山陵险阻扎营,晋文公很担心。他听到众人在诵诗说:"休耕田里草油油,不耕旧田种新田。"文公心里很迟疑。子犯说:"打吧!战而得胜,一定会得到诸侯的拥护。如果没能取胜,我国外有大河,内有高山,一定没有什么危害。"文公说:"对楚国昔日的恩惠怎么办?"栾贞子说:"汉水以北的姬姓诸国,楚国把它们都吞并掉了。想着小的恩惠而忘记同姓被灭的大耻辱,不如出战。"文公做梦,在梦中与楚成王搏斗,楚成王伏在自己身上吮吸他的脑浆,因此感到害怕。子犯说:"吉利啊。我们仰面得天,楚国俯身服罪,我们将要驯服他们了。"

子玉使斗勃①请战,曰:"请与君之士戏,君冯轼而观之②,得臣与寓目焉。"晋侯使栾枝对曰:"寡君闻命矣。楚君之惠,未之敢忘,是以在此③。为④大夫退,其⑤敢当君乎?既不获命矣,敢烦大夫,谓二三子:'戒⑥尔车乘,敬尔君事,诘朝⑦将见。'"

晋车七百乘,韅、靷、鞅、靽⑧。晋侯登有莘之虚⑨以观师,曰："少长有礼，其可用也。"遂伐其木，以益其兵。

己巳，晋师陈于莘北⑩，胥臣以下军之佐当陈、蔡。子玉以若敖之六卒将中军，曰："今日必无晋矣。"子西⑪将左，子上将右。胥臣蒙马以虎皮，先犯陈、蔡。陈、蔡奔，楚右师溃。狐毛设二旆⑫而退之。栾枝使舆曳柴而伪遁，楚师⑬驰之，原轸、郤溱以中军公族横击之⑭。狐毛、狐偃以上军夹攻子西，楚左师溃。楚师败绩。子玉收其卒而止，故不败。

晋师三日馆、谷⑮，及癸酉而还。甲午，至于衡雍⑯，作王宫于践土。

[注释]

①斗勃：楚大夫，字子上。②冯：同"凭"。轼：车前横木。③是以在此：退避三舍到这里。④为：同"谓"，以为。⑤其：岂。⑥戒：准备。⑦诘朝：明天早晨。⑧鞅（xiǎn）：系于驾车之马腹腋下的革带。靷（yǐn）：驾车之马中间两匹（即服马）胸前的游环。鞅：系于驾车之马颈上的革带。绊（pàn）：同"绊"，系马足之绳。⑨有莘（shēn）之虚：有莘国的废址，今山东曹县西北。⑩莘北：即城濮。⑪子西：斗宜升，楚司马。⑫设二旆（pèi）：将前军分为二军。旆，晋军前军称旆。旆原意为有旒（飘带）之旗。⑬楚师：楚左军。⑭郤溱：晋中军副帅。公族：中军中的公室成员。⑮馆：舍，驻扎，宿营。谷：吃楚军所积之粮。⑯衡雍：郑地，今河南原阳县西南。

[译文]

子玉派斗勃请战，说："我请求与君王的将士们进行一次角力游戏，君王您靠在车前横木观看，得臣陪同您一起观看。"晋文公派栾枝回答说："寡君听到您的命令了。楚君的恩惠不敢忘记，所以我们退到这里。我们以为大夫您退兵了，大夫怎么敢抵挡国君呢？既然不能得到你们的允许，冒昧地烦请大夫告诉诸位：'准备好你们的战车，忠于你们的君事，明天早晨将要见面。'"

晋国战车七百辆，鞅、靷、鞅、绊，装备齐全。晋文公登上古莘国的废墟观看军容，说："长幼排列合于礼，可以用了。"于是砍伐树木，用以增加武器。

初二日，晋国军队在莘北摆开阵势，胥臣作为下军辅佐抵挡陈、蔡的军队。子玉用若敖的一百八十辆战车统率中军，说："今天一定没有晋国了。"子西率领左军，子上率领右军。胥臣把马蒙上虎皮，率先攻击陈、蔡的军队。陈、蔡军队逃跑，楚右军溃败。狐毛把前军分成二军，击退溃兵。栾枝用战车拖着柴草而假装逃走，楚军急忙追击。先轸、郤溱带领中军中的公室子弟兵拦腰袭击。狐毛、狐偃带领上军夹攻子西，楚左军溃散。楚军大败。子玉及早收兵，他的直属部队得以不败。

晋军休整了三天，吃楚军留下的粮食，到初六日班师。二十七日，到达衡雍，为天子在践土建造了一座行宫。

乡①役之三月，郑伯如楚致其师②。为楚师既败而惧，使子人九行成于晋③。晋栾枝入盟郑伯。五月丙午，晋侯及郑伯盟于衡雍。

丁未，献楚俘于王：驷介④百乘，徒兵⑤千。郑伯傅王，用平礼也。⑥己酉，王享醴，命晋侯宥。王命尹氏及王子虎、内史叔兴父策命晋侯为侯伯⑦，赐之大辂之服、戎辂之服⑧，彤⑨弓一、彤矢百，玈⑩弓矢千，秬鬯一卣⑪，虎贲⑫三百人，曰："王谓叔父：敬服王命，以绥四国，纠逖王慝⑬。"晋侯三辞，从命，曰："重耳敢再拜稽首，奉扬天子之丕显休命⑭。"受策以出。出入三觐⑮。

卫侯闻楚师败，惧，出奔楚，遂适陈，使元咺奉叔武以受盟⑯。癸亥，王子虎盟诸侯于王庭⑰，要⑱言曰："皆奖⑲王室，无相害也！有渝⑳此盟，明神殛㉑之，俾队其师㉒，无克祚㉓国，及而玄孙，无有老幼。"君子谓是盟也信，谓晋于是役也，能以德攻。

[注释]

①乡（xiàng）：不久之前。②郑伯：郑文公。致其师：出兵相助。③子人九：姓子人，名九。行成：求和。④驷介：披甲的驷马。⑤徒兵：步兵。⑥"郑伯傅王"二句：行献俘礼时，郑文公为周襄王相，如同当年晋文侯向周平王献俘时，郑武公为相。武公为平王卿士。⑦尹氏、王子虎：襄王卿士。内史：官名，掌颁发策命，佐太宰管理爵禄。侯伯：诸侯之长。⑧大辂之服：天子之车及相应器物。辂或作"路"。大辂，天子之车。戎辂：或作"戎路"，天子战车。⑨彤：红。⑩旅（lú）：即"玈"，黑。⑪秬（jù）：黑黍。鬯（chàng）：用黑黍酿造并与香草合煮的酒，芬芳条畅，故称鬯。卣（yóu）：一种酒器。⑫虎贲：又作"虎奔"，勇士。⑬纠逖：又作"纠剔"，纠治。慝：恶，指恶人。⑭丕：大。显：明。休：美。⑮三觐：三次朝见。⑯元咺：卫大夫。叔武：卫成公的弟弟。⑰王子虎盟诸侯于王庭：诸侯指鲁公、齐侯、宋公、蔡侯、郑伯、卫子、莒子，蒙经文省略。王庭，王宫。⑱要：约。⑲奖：助。⑳渝：变。㉑殛（jí）：诛。㉒俾：使。队：同"坠"，失。㉓祚：享。

[译文]

这次战役的前三个月，郑文公到楚国出兵助楚，因为楚军战败而惧怕，派子人九到晋国求和。晋栾枝到郑国与郑文公订立盟约。五月初九日，晋文公与郑文公在衡雍结盟。

初十日，晋文公把楚国俘虏献给周襄王：驷马披甲的战车一百辆，步兵一千人。郑文公相礼，用的周平王对待晋文侯的礼节。十二日，周襄王设享礼，用甜酒招待晋文公，命晋文公向自己敬酒。周襄王命令尹氏及王子虎、内史叔兴父发布策命，任命晋文公为诸侯之长，赐给他大辂车、戎辂车及相应的服装仪仗，红色的弓一把，红色的箭一百支，黑色的弓、箭一千支，黑黍加香草酿制的酒一卣，勇士三百人，说："天子对叔父说：'恭敬地服从天子的命令，以安抚四方诸侯，纠治周室的坏人。'"晋文公辞谢三次，才接受了命令，说："重耳谨再拜叩头，接受和发扬天子伟大光明美好的命令。"接受策书后离开。前后三次觐见天子。

卫成公听到楚军失败的消息，心中害怕，逃到楚国，又去陈国，派元咺侍奉叔武去接受盟约。癸亥，王子虎在王庭与诸侯设盟，约定说："大伙儿全都辅佐王室，不要互相伤害。有违背这盟誓的，神灵就诛杀他，使他军队毁败，不能享有国家，直到你的玄孙，不管老幼都是如此。"君子说这次结盟是守信用的，认为晋国在这次战役中能够用道德来进攻敌人。

初，楚子玉自为琼弁、玉缨①，未之服也。先战②，梦河神谓己曰："畀余！余赐女孟诸之麋③。"弗致也。大心与子西使荣黄谏④，弗听。荣季曰："死而⑤利国，犹或为之，况琼玉乎？是粪土也。而可以济师，将何爱焉？"弗听。出，告二子曰："非神败令尹，令尹其不勤民，实自败也。"既败，王使谓之曰："大夫若入，其若申、息之老何⑥？"子西、孙伯⑦曰："得臣将死，二臣止之曰：'君其将⑧以为戮。'"及连谷⑨而死。

晋侯闻之而后喜可知也，曰："莫余毒⑩也已。蔿吕臣⑪实为令尹，奉己而已，不在民矣。"

[注释]

①琼弁：镶玉之马冠。玉缨：饰玉的马鞅。②先战：作战之前。③孟诸：即孟猪、望诸，宋国大泽。麋：同"湄"，岸。④大心：子玉之子。荣黄：名黄，字季。⑤而：假如。⑥其若申、息之老何：申、息之子弟皆从子玉出战而死。⑦孙伯：即大心。⑧其将：将。二字同义。⑨连谷：楚地。⑩莫余毒：莫毒余。莫，没有人。毒，害。⑪蔿吕臣：楚大夫。

[译文]

起初，楚子玉自己制作了镶饰有琼玉的马冠、马鞅，还没有使用。作战以前，他梦见河神对自己说："给我吧！我赐给你孟诸岸边土地。"子玉不肯送。大心与子西让荣黄劝谏子玉，子玉不听。

荣黄说："死了如果对国家有利，尚且还要去做，何况是琼玉呢？不过是粪土而已。如果可以使军队成功，有什么吝惜的？"子玉不听。荣黄出来，告诉二人说："不是神让令尹失败，令尹他不以百姓的事情为重，实在是自取其败啊。"打了败仗后，楚成王派人对子玉说："大夫您如果回国，对申、息的父老怎么交代？"子西、大心说："得臣准备自杀，是臣等二人阻止他，说：'君王打算杀死你。'"到了连谷，子玉就自杀了。

晋文公听说后喜形于色，说："没有人害我了。芳吕臣做令尹，自守而已，不会为人民考虑的。"

或诉元咺于卫侯曰："立叔武矣。"其子角从公，公使杀之。咺不废命，奉夷叔①以入守。

六月，晋人复卫侯。宁武子与卫人盟于宛濮曰②："天祸卫国，君臣不协，以及此忧也。今天诱其衷③，使皆降心以相从也。不有居者，谁守社稷？不有行者，谁捍牧圉④？不协之故，用昭乞盟于尔大神以诱天衷⑤。自今日以往，既盟之后，行者无保其力⑥，居者无惧其罪。有渝此盟，以相及⑦也。明神先君，是纠是殛⑧。"国人闻此盟也，而后不贰。

卫侯先期⑨入，宁子先，长牂⑩守门，以为使也，与之乘而入。公子歂犬、华仲前驱，叔孙将沐，闻君至，喜，捉⑪发走出，前驱射而杀之。公知其无罪也，枕之股而哭之。歂犬走出，公使杀之。元咺出奔晋。

[注释]

①夷叔：叔武，谥夷。②宁武子：卫大夫，名俞。宛（yuǎn）濮：今河南长垣县南。③天诱其衷：习语，天意在我之意。诱，启。衷，内心。④捍：保卫。牧：养牛。圉：养马。⑤天衷：天心。⑥保：恃。力：功劳。⑦及：及于祸患。⑧是纠是殛："纠是殛是"的倒装。⑨先期：在约定日期之前。⑩长

牂（zāng）：卫大夫。⑪捉：握。

[译文]

有人在卫成公面前造元咺的谣说："立叔武为君了。"元咺的儿子角跟随卫成公在外，卫成公派人把他杀了。元咺没有因此不听卫成公的命令，仍然侍奉叔武回国摄政。

六月，晋国人恢复了卫成公的君位。宁武子与卫国大夫们在宛濮订立盟约，说："上天降祸卫国，君臣不和，所以才遭受这样的忧患。如今天意保佑我国，让大家抛弃成见而相处。没有留在都城的人，谁来守卫社稷？没有跟随君王出行的人，谁来保卫那些牧养牛马的人？由于不和，因此在大神之前明白地请求宣誓，以求天意保佑。从今天以后，既然已经订立盟约，在外的不要仗恃自己有功，留在都城的不用害怕自己有罪。有违背这次盟约的，祸害就降临到他头上。神灵和先君在上，加以惩罚和诛杀。"都城内的人听到了这个盟约，不再有猜忌之心。

卫成公在约定的日期之前进城。宁武子先他回城，长牂看守城门，以为他是国君的使者，和他同乘一辆车进城。公子歂犬、华仲作为前驱，叔武正要洗头，听说君王回来了，心中高兴，握着头发跑出来迎接，前驱却把他射杀了。卫成公知道叔武没有罪，枕着他的大腿而哭。歂犬跑了出去，卫成公派人把他杀了。元咺逃到晋国。

城濮之战，晋中军风于泽，亡大旆之左旃①。祁瞒奸命②，司马③杀之，以徇于诸侯，使茅茷代之。师还。壬午，济河。舟之侨先归，士会摄右④。秋，七月丙申，振旅⑤，恺⑥以入于晋，献俘、授馘⑦、饮至⑧、大赏，征会讨贰。杀舟之侨以徇于国，民于是大服。君子谓："文公其⑨能刑矣，三罪⑩而民服。《诗》云：'惠此中国，以绥四方'⑪，不失赏、刑之谓也。"

[注释]

①大旆之左旃:前军之左旃。旃,赤色无文彩之旗。②奸命:违犯军令。③司马:掌军法的官职。④士会:字季,谥武子,食邑于随,故又称随武子。成伯武之子。摄右:代理车右之职。⑤振旅:整顿军队。⑥恺:同"凯",奏凯歌。⑦馘(guó):割取左耳。⑧饮至:国君出行,还告宗庙,合饮于宗庙,叫饮至。⑨其:为。⑩三罪:指颠颉、祁瞒、舟之侨。⑪"惠此中国"二句:《诗·大雅·民劳》诗句。

[译文]

城濮之战,晋国的中军在沼泽里遇到大风,丢失了前军的旃旗。祁瞒犯了军令,司马把他杀了,并通报诸侯,派茅筏代替他。军队班师。六月十六日,渡过黄河。舟之侨先行回国,士会代理车右。秋七月某日,整顿队伍,高唱凯歌,进入晋国。在太庙献上俘虏及杀死敌人割下的左耳,置酒庆贺,犒赏将士,征召诸侯会盟,攻打三心二意的国家。杀死舟之侨以通报全国,人民因此大为顺服。君子说:"晋文公善于使用刑罚,杀了三个罪人而百姓顺服。《诗》说:'施惠于这些中原国家,用来安抚四方诸侯。'说的就是保持赏赐与刑罚的公正。"

冬,会于温①,讨不服也。

卫侯与元咺讼,宁武子为辅,鍼庄子为坐②,士荣③为大士。卫侯不胜。杀士荣,刖④鍼庄子,谓宁俞忠而免之。执卫侯,归之于京师,寘诸深室⑤。宁子职纳橐饘焉⑥。元咺归于卫,立公子瑕。

是会也⑦,晋侯召王,以诸侯见,且使王狩。仲尼曰:"以臣召君,不可以训⑧。故书曰'天王狩于河阳',言非其地也,且明德⑨也。"

……

晋侯有疾，曹伯之竖侯獳货筮史⑩，使曰以曹为解⑪："齐桓公为会而封异姓，今君为会而灭同姓。曹叔振铎，文之昭也，先君唐叔，武之穆也。且合诸侯而灭兄弟，非礼也；与卫偕命⑫，而不与偕复，非信也；同罪异罚，非刑也。礼以行义，信以守礼，刑以正邪。舍此三者，君将若之何？"公说，复曹伯，遂会诸侯于许。

晋侯作三行⑬以御狄。荀林父将中行，屠击将右行，先蔑将左行。

[注释]

①会于温：参加会盟的有鲁公、晋侯、宋公、蔡侯、郑伯、陈子、莒子、邾子、秦人，蒙经文省略。②坐：代理人。国君不参加诉讼，故代替之。③士荣：治狱官。④刖：砍去双脚。⑤深室：囚室。⑥职纳橐（tuó）饘（zhān）：负责送衣食。职，职守，负责。纳，送。橐，衣囊。饘，稠粥。⑦是会也：指温之会。⑧训：法则。⑨明德：明晋文公勤王之德。⑩曹伯：曹共公。竖：左右小臣。獳：音nòu。货：贿赂。筮史：晋掌卜筮之官。⑪使曰以曹为解：意思是让筮史用灭曹一事来说解。⑫偕：俱。命：晋文公私许复曹、卫二国。⑬行（háng）：晋国军事编制单位，比军略小。晋国此前有三军，现在又编有三行，军力强盛。

[译文]

冬，诸侯们在温地相会，商议讨伐不顺服的国家。

卫成公与元咺争讼，宁武子辅助卫成公，鍼庄子做卫成公的代理人，士荣为狱官。卫成公没有取胜。晋国杀了士荣，砍了鍼庄子的脚，认为宁武子忠心而予以赦免。晋国把卫成公逮了起来，押往京师，关在囚室里。宁武子负责给卫成公供应衣食。元咺回到卫国，立公子瑕为君。

这次会盟，晋文公召请周襄王前来，带领诸侯朝见襄王，并且让襄王出猎。孔子说："作为臣子而召请君王，不能作为法则。所以《春秋》记载说：'天王在河阳打猎。'是说那里不是天子的地方了，并且表明晋文公的德行。"

……

晋文公生病，曹共公身边的小臣侯獳贿赂晋国掌卜筮的官员，叫他用灭曹来解释病因："齐桓公主持会盟而封异姓诸侯，如今君王主持会盟而灭同姓诸侯。曹叔振铎，是文王的儿子；先君唐叔，是武王的儿子。而且会合诸侯而灭兄弟之国，这不合于礼。曹国与卫国同样得到复国的许诺，却不与卫国一起复国，这是不守信用的；罪相同而惩罚不同，这是不符合刑罚的。礼仪用来推行道义，信用用来保持礼仪，刑罚用来纠正邪恶。舍弃了这三者，君王将怎么办呢？"晋文公很高兴，恢复曹共公的君位，就在许国与诸侯会盟。

晋文公设立三行用来抵御狄人。荀林父统率中行，屠击统率右行，先蔑统率左行。

烛之武退秦师（僖公三十年）

[题解]

郑国在晋国东边，曾对流亡中的晋公子重耳未加礼遇，后又助楚攻晋，因而招来晋国、秦国的围攻，面临亡国之灾。烛之武临危受命，游说秦穆公，晓之以理，动之以情，诱之以利，终使秦军结盟而去，晋国因此退兵，郑国转危为安。

九月甲午，晋侯、秦伯围郑，以其无礼于晋，且贰于楚也。晋军函陵，秦军氾南。①

佚之狐言于郑伯曰②："国危矣！若使烛之武③见秦君，师必退。"公从之。辞曰："臣之壮也，犹不如人；今老矣，无能为也已。"公曰："吾不能早用子，今急而求子，是寡人之过也。然郑亡，子亦有不利焉。"许之。夜，缒④而出。见秦伯曰："秦、晋围郑，郑既知亡矣。若亡郑而有益于君，敢以烦执事⑤。越国以鄙远⑥，君知其难也，焉用亡郑以陪⑦邻？邻之厚，君之薄也。若舍郑以为东道主⑧，行李⑨之往来，共其乏困⑩，君亦无所害。且君尝为晋君赐⑪矣，许君焦、瑕，朝济而夕设版焉⑫，君之所知也。夫晋，何厌之有？既东封郑⑬，又欲肆其西封。不阙⑭秦，焉取之？阙秦以利晋，唯君图之。"秦伯说，与郑人盟，使杞子、逢孙、扬孙戍之⑮,乃还。

　　子犯⑯请击之。公曰:"不可。微夫人⑰之力不及此。因人之力而敝之⑱,不仁;失其所与⑲,不知;以乱易整⑳,不武。吾其还也。"亦去之。

[注释]

①"晋军函陵"二句:函陵在今河南新郑,氾南在今河南中牟,两地相距很近。②佚之狐:郑大夫。郑伯:郑文公。③烛之武:郑大夫。④缒:用绳缚住身子,垂而出城。⑤执事:办事人员。⑥越国以鄙远:秦在晋国西边,要越过晋国才能占领郑国土地。鄙远,以远地为边鄙。⑦陪:增益。⑧郑以为东道主:郑在秦国通往东方的道路上,故为东道主。⑨行李:使臣。⑩共:同"供"。乏困:指使臣用度之不足。⑪赐:恩惠。⑫济:渡河。设版:筑城(以防秦)。⑬东封郑:东向郑国开拓封疆。⑭阙:损害。⑮杞子、逢孙、扬孙:秦大夫。⑯子犯:狐偃,晋文公舅父。⑰夫人:此人。指秦穆公。⑱因:依靠,凭借。敝:败。⑲所与:同盟之国,指秦。⑳乱:攻击。整:和好。

[译文]

　　九月初十,晋文公、秦穆公率军围攻郑国,因为郑国曾对晋文公无礼,而且助楚攻晋。晋军驻扎在函陵,秦军驻扎在氾南。

　　佚之狐对郑文公说:"国家危险了!如果使烛之武去见秦君,军队必定退走。"晋文公听从了他的建议。烛之武推辞说:"臣壮年的时候,尚且不如别人;现在老了,不能有什么作为了。"晋文公说:"我没能及早任用您,现在情势危急来求您,这是寡人的过错。然而郑国灭亡了,您也有不利啊。"烛之武答应了。夜里,用绳子从城墙上吊下来,去求见秦穆公,说:"秦国、晋国围攻郑国,郑国已经知道要亡国了。如果灭掉郑国而对您有利,那也就烦劳您的左右了。越过晋国,把远方的土地作为边鄙,君王知道这是很困难的。哪里用得着灭掉郑国,给自己的邻国增加土地呢?邻国实力的增强,就是君王您实力的削弱啊。如果放弃郑国,把郑国作为向东道路上的主人,使臣的往来,供应他缺少的一切,君王您也没有什么害处。而且君王您曾对晋君有大恩惠,他许诺给您焦、瑕二地,早晨渡河回国,晚上就筑城防备您,这是君王您所知道的。晋国有什么满足的吗?既已东向郑国开拓领土,又想向西扩张。不损害秦国,到哪里去取得土地呢?损害秦国以有利于晋国,请君王三思。"秦穆公很高兴,与郑人结盟,派杞子、逢孙、扬孙在郑国戍守,就撤兵回国了。

子犯请求进攻秦军。晋文公说:"不可以。没有这个人的力量,我们到不了今天。依靠别人的力量反而去打败他,这是不仁;失去同盟之国,这是不智;用攻击代替和好,这是不武。我们还是回去吧。"也撤军回国了。

秦晋殽之战（僖公三十二年、三十三年）

[题解]

秦国崛起于西方，向东扩张势力，与晋国发生冲突。双方在殽山展开战斗，晋军大胜。

冬，晋文公卒。庚辰，将殡于曲沃①。出绛②，柩③有声如牛。卜偃④使大夫拜，曰："君命大事⑤：将有西师过轶⑥我，击之，必大捷焉。"

杞子⑦自郑使告于秦曰："郑人使我掌其北门之管⑧，若潜师以来，国可得也。"穆公访诸蹇叔⑨。蹇叔曰："劳师以袭远，非所闻也。师劳力竭，远主⑩备之，无乃不可乎？师之所为，郑必知之，勤而无所⑪，必有悖心⑫。且行千里，其谁不知？"公辞⑬焉。召孟明、西乞、白乙⑭，使出师于东门之外。蹇叔哭之曰："孟子⑮！吾见师之出而不见其入也！"公使谓之曰："尔何知！中寿⑯，尔墓之木拱⑰矣。"蹇叔之子与师⑱，哭而送之曰："晋人御师必于殽⑲，殽有二陵⑳焉。其南陵，夏后皋㉑之墓也；其北陵，文王之所辟风雨也。必死是间，余收尔骨焉！"秦师遂东。

……

[注释]

①曲沃：曲沃为晋祖庙所在地，所以晋文公也下葬于此。②绛：晋都，今山西翼城县东南。③柩：装有尸体的棺材。④卜偃：即郭偃，晋大夫，掌占卜。⑤大事：指兵事。⑥过轶：经过，越过边境。秦国攻打郑国，必须经过晋国。⑦杞子：秦国将领，当时戍守在郑国。⑧管：钥匙。⑨蹇（jiǎn）叔：秦国上大夫，当时年事已高。⑩远主：指郑国。⑪无所：无用武之地。⑫悖心：士卒有背离之心。⑬辞：不接受建议。⑭孟明：姓百里，字孟明，名视。西乞：名术。白乙：名丙。三人都是秦军将领。⑮孟子：对孟明的礼称。⑯中寿：中等寿命，大约60至80岁之间。⑰拱：两手合抱。⑱与师：参加出征。与，参与。⑲殽（xiáo）：同"崤"，山名，今河南洛宁县西北，西接陕县，东接渑池县，地势险要。⑳二陵：南陵与北陵，即西崤山与东崤山。㉑夏后皋：夏桀祖父。后，王。

[译文]

冬，晋文公去世。十二月初十日，准备把灵柩送到曲沃停放。离开绛城，灵柩中发出像牛叫似的声音。卜偃叫大夫们下拜，说："国君发布军事命令：不久会有西方的军队越过我国边境，痛击他们，一定获得大胜。"

杞子从郑国派人报告秦穆公，说："郑国人让我掌管北门的钥匙，如果派兵悄悄地来，郑国是可以得到的。"秦穆公向蹇叔请教。蹇叔说："让军队劳顿而偷袭远方的国家，我没有听说过。军队疲惫，力量耗尽，远方的主人做了防备，恐怕不可以吧？我军的行动，郑国必然知道，辛苦而无用武之地，一定会有背离之心。再说军行千里，谁会不知道呢？"秦穆公没有接受他的意见。召见孟明、西乞、白乙，派他们在东门外率兵出发。蹇叔哭着送行，说："孟子，我看到军队出去但看不到他们回国了。"秦穆公派人对蹇叔说："你知道什么？如果活到中寿就死，你墓上的树也已有合抱粗了。"蹇叔的儿子参与出征，蹇叔哭着送他，说："晋国人必定会在殽山抵御我们的军队，殽山有两座山陵。那南边的山陵，是夏帝皋的坟墓；那北边的山陵，是文王躲避风雨的地方。你一定会死在这两座山陵之间，我就在那里收你的尸骨吧。"秦国军队就向东进发。

……

三十三年，春，秦师过周北门①，左右免胄而下，超乘②者三百乘。王孙满③尚幼，观之，言于王曰："秦师轻而无礼④，必败。轻则寡谋，无礼则脱⑤。入险而脱，又不能谋，能无败乎？"

及滑，郑商人弦高将市于周⑥，遇之，以乘韦先⑦，牛十二犒师，曰："寡君闻吾子将步师出于敝邑⑧，敢犒从者⑨。不腆⑩敝邑，为从者之淹，居则具一日之积，⑪行则备一夕之卫。"且使遽告于郑。

郑穆公使视客馆⑫，则束载、厉兵、秣马矣⑬。使皇武子辞焉⑭，曰："吾子淹久于敝邑，唯是脯资、饩牵竭矣⑮，为⑯吾子之将行也，郑之有原圃⑰，犹秦之有具囿⑱也，吾子取其麋鹿，以闲敝邑，若何？"杞子奔齐，逢孙、扬孙奔宋。孟明曰："郑有备矣，不可冀⑲也。攻之不克，围之不继⑳，吾其还也。"灭滑而还。

……

[注释]

①周北门：周都洛邑的北门。②超乘：下车后又跳跃上车，意在展示轻捷有力。③王孙满：襄王之孙，名满。④轻：轻佻，不庄重。无礼：诸侯之兵过天子之都，当卷甲束兵，下车步行。⑤脱：脱略，疏略。⑥市于周：到周经商。⑦以乘（shèng）韦先：先送四张熟牛皮为礼。韦，熟牛皮。⑧步师：行军。出于敝邑：经过敝邑。⑨敢：表敬之辞。从者：等于说"左右"。⑩腆（tiǎn）：丰厚。⑪"为从者之淹"二句：淹，久。居：居留。积：日常用品。⑫郑穆公：名兰，文公子。客馆：秦国派驻在郑国的三个将领杞子、逢孙、扬孙所住的地方，郑以客礼待之。⑬束载：捆束什物。厉兵：磨砺兵器。秣马：

喂饱马匹。表明三人已准备作为内应行动。⑭皇武子：郑大夫。辞：致辞。⑮脯资、饩（xì）牵：指食品。脯，干肉。资，粮。饩，杀好的牲畜。牵，活着的牲畜。⑯为：如。⑰原圃：郑国苑囿，在今河南中牟县西北。⑱具囿：秦国苑囿，在今陕西凤翔县。⑲冀：图，希冀。⑳不继：指无后继之师。

[译文]

三十三年春，秦国军队经过周都城北门，车左、车右都脱去头盔下车，随即跳跃登车的有三百辆兵车的战士。王孙满年龄还小，观看秦军，对周襄王说："秦军轻佻而且无礼，一定会失败。轻佻就会缺少计谋，无礼就会疏于戒备。进入险地却疏于戒备，又不能认真谋划，能不失败吗？"

秦军到达滑国，郑国的商人弦高准备到周都城做买卖，遇到了秦军。弦高先送上四张熟牛皮为礼，再送上十二头牛犒劳秦军，说："寡君听说您要行军经过敝国，谨以此慰劳您的左右。敝国虽然不富裕，为了您的左右驻留这里，住下就准备一天的供应，离开就准备一夜的保卫。"并且派人飞报郑国。

郑穆公派人去探看客馆，杞子等人已经捆好什物，磨好武器，喂饱马匹了。郑穆公派皇武子去客馆致辞，说："各位在敝国停留已经很久了，粮食牲口都用完了。如果各位将要离开，郑国有原圃，就如同秦国有具囿一样，各位可以去猎取麋鹿，让敝国能有空闲，怎么样？"杞子就逃往齐国，逢孙、扬孙逃到宋国。孟明说："郑国有防备了，不能指望了。攻打它不能获胜，包围它又没有后援，我们还是回去吧。"灭亡了滑国后班师。

……

晋原轸曰："秦违蹇叔，而以贪勤民①，天奉②我也。奉不可失，敌不可纵③。纵敌，患生；违天，不祥。必伐秦师！"栾枝曰："未报秦施，而伐其师，其为死君乎？"先轸曰："秦不哀吾丧,而伐吾同姓④,秦则无礼,何施之为⑤?吾闻之:'一日纵敌,数世之患也。'谋及子孙,可谓死君乎?"遂发命,遽兴姜戎⑥。子墨衰绖⑦,梁弘御戎⑧,莱驹为右。

夏,四月辛巳,败秦师于殽,获百里孟明视、西乞术、白乙丙以归。遂墨以葬文公,晋于是始墨。⑨

文嬴⑩请三帅,曰:"彼实构⑪吾二君,寡君若得而食之,不厌⑫,君何辱讨焉?使归就戮于秦,以逞寡君之志,若何?"公许之。先轸朝,问秦囚。公曰:"夫人请之,吾舍之矣。"先轸怒曰:"武夫力而拘诸原⑬,妇人暂而免诸国⑭,堕⑮军实而长寇雠,亡无日矣!"不顾而唾⑯。公使阳处父⑰追之,及诸河,则在舟中矣。释左骖,以公命赠孟明。孟明稽首曰:"君之惠,不以累臣衅鼓⑱,使归就戮于秦,寡君之以为戮,死且不朽。若从君惠而免之,三年将拜君赐。⑲"

秦伯素服郊次⑳,乡㉑师而哭曰:"孤违蹇叔,以辱二三子,孤之罪也。"不替㉒孟明,曰:"孤之过也,大夫何罪?且吾不以一眚㉓掩大德。"

[注释]

①以贪勤民:因为贪心而使百姓劳累。②奉:与。③纵:放。④同姓:晋、郑、滑均为姬姓之国。⑤何施之为:何施之有。为,有。⑥姜戎:戎的一支,居晋南境。⑦子墨衰(cuī)绖(dié):晋襄公把丧服染成黑色。子,晋文公未葬,故襄公称子。丧服本为白色。⑧御戎:驾驭战车。梁弘与莱驹均晋大夫。⑨"遂墨以葬文公"二句:晋军趁秦军经过殽山时突然发动攻击,因此获胜。从这时起,晋国丧服常用黑色。⑩文嬴:秦穆公之女,晋文公夫人,襄公嫡母。⑪构:离间。⑫厌:不足。⑬原:战场。⑭暂:同"渐",诈。免:释放。⑮堕(huī):同"毁"。⑯唾:吐痰。⑰阳处父:晋大夫。阳处父想以此骗他们上岸。⑱累:囚系。衅:以血祭祀。⑲"若从君惠而免之"二句:委婉说法,意思是要前来复仇。⑳素服:凶服。郊次:宿于郊外。次,

舍。㉑乡：向。㉒替：废。㉓眚（shěng）：过失。本意指眼睛生翳（白斑）。

[译文]

晋先轸说："秦国不听蹇叔的话，因为贪心使人民劳苦，这是上天给我们的机会。良机不可错过，敌人不能轻易放走。放走敌人，就会产生祸患，违反天意，会导致不吉利。一定要进攻秦军！"栾枝说："还没报答秦国的恩惠，而攻击他们的军队，难道是为了死去的先君吗？"先轸说："秦国不为我们的丧事感到哀伤，却攻打我们的同姓国，秦国已经很无礼了，还讲什么恩惠？我听说：'一天放走了敌人，几代人都有祸患。'为子孙后代考虑，可以说是为了死去的国君吧？"于是发布命令，紧急动员姜戎的军队。晋襄公把丧服染成黑色，派梁弘驾驭战车，莱驹为车右。

夏四月十三日，在殽山打败秦军，擒获了百里孟明视、西乞术、白乙丙而回军。于是就穿着黑色丧服安葬晋文公。晋国从此开始使用黑色丧服。

文嬴请求释放秦国的三位主帅，说："是他们在离间我们两国的君王，寡君如能得到他们，吃了他们都嫌不解恨，何必劳动您去讨伐他们呢？让他们回到秦国受死，用来满足寡君的愿望，怎么样？"晋襄公同意了。先轸朝见，询问秦国囚徒的情况。晋襄公说："母亲为他们请求，我把他们放了。"先轸发怒，说："战士们费尽力气把他们从战场上捉住，女人几句话就把他们从国内放走了。毁伤战果而增长敌人的力量，晋国很快要灭亡了！"当着襄公的面吐唾沫。晋襄公就派阳处父去追，追到黄河边上，三人已经上了船。阳处父解下战车左边的骖马，以晋襄公的名义赠送给孟明。孟明在船上叩头说："蒙君王的恩惠，不用被囚之臣来祭鼓，而让我们回到秦国去接受刑戮，寡君如果杀了我们，死而不朽。如果依从君王的恩惠而赦免我们，三年后我们会来拜谢君王的恩赐。"

秦穆公穿着素服驻扎郊外，对着败回的军队哭着说："我不听蹇叔的话，使诸位受辱，这是我的罪过。"没有撤换孟明，说："这是我的过错，大夫有什么罪？而且我不会因为一件小错而掩盖大德。"

秦晋彭衙之战（文公元年、二年）

[题解]

秦晋殽之战后，秦国仍以孟明为帅，兴兵向晋国报仇，结果仍然战败。

殽之役，晋人既归秦帅，秦大夫及左右皆言于秦伯曰："是败也，孟明之罪也，必杀之。"秦伯曰："是孤之罪也。周芮良夫①之诗曰：'大风有隧②，贪人败类③。听言④则对，诵言⑤如醉。匪用其良，覆俾我悖⑥。'是贪故也，孤之谓矣。孤实贪以祸夫子⑦，夫子何罪？"复使为政。

二年，春，秦孟明视帅师伐晋，以报殽之役。二月，晋侯⑧御之，先且居将中军，赵衰佐之。王官无地御戎，狐鞫居为右。⑨甲子，及秦师战于彭衙⑩，秦师败绩。晋人谓秦"拜赐之师"⑪。

战于殽也，晋梁弘御戎⑫，莱驹为右。战之明日，晋襄公缚秦囚，使莱驹以戈斩之。囚呼，莱驹失戈，狼瞫⑬取戈以斩囚，禽之以从公乘⑭。遂以为右。箕之役⑮，先轸黜之，而立续简伯。狼瞫怒。其友曰："盍死之？"瞫曰："吾未获死所。"其友曰："吾与女为难⑯。"瞫曰："《周志》有之：'勇则害上，不登于明堂。'⑰死而不义，非勇也。共用⑱之谓勇。吾以勇求右，无勇而

142 左传

黜,亦其所也。谓⑲上不我知,黜而宜,乃知我矣。子姑待之。"及彭衙,既陈,以其属驰秦师,死焉。晋师从之,大败秦师。

君子谓:"狼瞫于是乎君子。《诗》曰:'君子如怒,乱庶遄沮。'⑳又曰:'王赫斯怒,爰整其旅。'㉑怒不作乱,而以从师,可谓君子矣。"

秦伯犹用孟明。孟明增修国政,重施于民。赵成子㉒言于诸大夫曰:"秦师又至,将必辟㉓之。惧而增德,不可当也。《诗》曰:'毋念尔祖,聿修厥德。'㉔孟明念之矣。念德不怠,其㉕可敌乎?"

[注释]

①芮良夫:周厉王卿士。诗见今《诗·大雅·桑柔》。②有隧:形容迅疾。③类:良善。④听言:顺耳之言。⑤诵言:规谏之言。⑥覆:反。俾:使。⑦夫子:指孟明。子是古代男子美称,"夫子"犹言那人,用于表敬。⑧晋侯:晋襄公。⑨"先且居将中军"四句:先且居、赵衰、王官无地、狐鞫(jū)居:均晋大夫。先且居为晋军主帅,先轸之子。赵衰为晋中军副帅。王官为地名,可能是无地的食邑,以地为姓。狐鞫居字简伯,食邑于续,又称续简伯。⑩彭衙:秦地,今陕西白水县东北四十里彭衙堡。⑪晋人谓秦"拜赐之师":殽之战,孟明被释放回国前,向阳处父说"三年将拜君赐",晋国人以此嘲笑秦军。⑫御戎:为晋襄公驾战车。⑬狼瞫(shěn):晋国武士。⑭之:莱驹。从:追。⑮箕之役:僖公三十三年(前627年),晋与狄在箕地作战,晋胜。⑯为难(nàn):发难,指杀死先轸。⑰"《周志》"二句:引文今见《逸周书·大匡》。则:如,假设连词。明堂:祖庙。⑱共(gōng)用:死于国用。⑲谓:以为。⑳"君子如怒"二句:诗句见《诗·小雅·巧言》。遄(chuán):疾。沮(jǔ):止。㉑"王赫斯怒"二句:诗句见《诗·大雅·皇矣》。赫斯:赫然,发怒的样子。爰:于是。旅:军队。㉒赵成子:赵衰。㉓辟:同"避"。㉔"毋念尔祖"二句:诗句见《诗·大雅·文王》。毋、聿:发语词,无义。厥:其。㉕其:岂。

[译文]

秦晋在殽地的战役,晋国人放回了秦军的三位主帅,秦国的大夫和左右侍臣都对秦穆公说:"这场失败,是孟明的罪过,一定要杀了他。"穆公说:"是孤的罪过啊。周朝芮良夫的诗句说:'大风迅疾一切摧,贪婪之人良善退。顺耳之言喜颜对,规谏之言听如醉。不用良善是我过,反使我悖谬昏愦。'是贪婪的缘故,说的就是孤啊。孤的确由于贪婪使孟明受到祸害,孟明有什么罪?"仍然让孟明主持国政。

二年春,秦孟明视率领军队攻打晋国,以报复殽山一役的失败。二月,晋襄公率军抵御秦军。先且居为中军主帅,赵衰辅佐他。王官无地驾驭战车,狐鞫居担任车右。二月七日,与秦军在彭衙交战。秦军大败。晋国人称秦军为"拜谢恩赐的军队"。

在殽山作战的时候,晋梁弘为晋襄公驾驭战车,莱驹担任车右。作战的第二天,晋襄公捆绑秦国的俘虏,命令莱驹用戈斩首。俘虏大喊大叫,莱驹失手没握住戈,狼瞫捡起戈斩了俘虏,抓住莱驹追上襄公的战车。晋襄公就让他做车右。箕地战役,先轸罢免了狼瞫,而立续简伯为车右。狼瞫很愤怒。他的朋友说:"为什么不为此而死?"狼瞫说:"我没有找到适合去死的场所。"他的朋友说:"我陪你一起发难。"狼瞫说:"《周志》上有这样的话:'勇敢的人如果杀害尊上,死后不能进入明堂配享。'死而不合乎道义,不是勇敢。为国家而死叫做勇敢。我因为勇敢求得车右的岗位,因为不够勇敢而被免职,也是适得其所。如果以为上级不了解我,但罢免得恰当,也就是了解我了。你姑且等着吧。"到彭衙之战时,等军队已经摆好战阵,狼瞫就率领他的部下冲进秦军,战死在里面。晋国军队跟着发起攻击,把秦军打得大败。

君子说:"狼瞫这样做可称得上是君子。《诗》说:'君子如果发怒,祸乱很快制止。'又说:'文王赫然发怒,整顿队伍出征。'

发怒而不作乱,反而从军作战,可以说是君子了。"

  秦穆公仍然任用孟明。孟明进一步修明政事,给百姓以优厚的恩惠。赵衰对各位大夫说:"秦国军队如再来,一定要避开它。由于戒惧而更加修明德行,这样的人是不可以抵挡的。《诗》说:'感念你的祖先,修明你的德行。'孟明想到这个道理了。想到德行而努力不懈,难道可以抵挡吗?"

秦霸西戎（文公三年）

[题解]

秦穆公讨伐晋国，终于获胜，称霸西戎。秦国君臣上下齐心，受到后人称赞。

秦伯伐晋，济河焚舟①，取王官及郊②，晋人不出。遂自茅津③济，封殽尸④而还。遂霸西戎⑤，用孟明也。

君子是以知秦穆之为君也，举人之周⑥也，与人之壹⑦也；孟明之臣也，其不解⑧也，能惧思⑨也；子桑⑩之忠也，其知人也，能举善也。《诗》曰："于以采蘩？于沼、于沚。于以用之？公侯之事。"⑪秦穆有焉。"夙夜匪解，以事一人。"⑫孟明有焉。"诒厥孙谋，以燕翼子。"⑬子桑有焉。

[注释]

①济河焚舟：渡河焚舟，表示决心。济，渡。②王官：晋地，今山东闻喜县西。郊：近郊。③茅津：晋地，今山平陆县茅津渡。④封殽尸：收聚殽之战中秦军骸骨而葬之。⑤西戎：古代西北少数民族的总称。司马迁《史纪·秦本纪》称秦在西方"益国十二，开地千里，遂霸西戎"。⑥周：周到，不偏废。⑦壹：无二心。⑧解：同"懈"。⑨惧思：惧而思，增修其德。⑩子桑：公孙枝的字。⑪"于以采蘩"四句：诗句见《诗·召南·采蘩》。沼：水池。沚：小洲。⑫"夙夜匪解"二句：诗句见《诗·大雅·烝民》。夙：晨。

⑬"诒厥孙谋"二句：诗句见《诗·大雅·文王有声》。诒：给。燕：安。翼：成。

[译文]

秦穆公攻打晋国，渡过黄河后烧毁渡船，占领了王官，到达晋都郊外。晋人不敢出战。秦军就从茅津渡河，收聚殽山战役秦军骸骨下葬，然后回国。秦穆公于是称霸西戎，这是任用孟明的结果。

君子由此知道，秦穆公作为国君，选拔人才考虑周到，信任别人，就一心一意；孟明作为臣子，努力不懈，能够有所戒惧，认真思考；子桑忠诚，他了解别人，能够推举贤良。《诗》说："采集白蒿在何方？在水池里，在小洲上。在哪里用到它？公侯祭祀的典礼上。"秦穆公就是这样的。"早晚努力不松懈，用来侍奉一个人。"孟明就是这样的。"留给后代好计谋，保安助成其子孙。"子桑就是这样的。

赵盾执政（文公六年）

[题解]

赵盾统率晋军，执掌国政，制定各项法规，为晋国的持续强盛奠定基础。

六年，春，晋蒐于夷①，舍②二军。使狐射姑③将中军，赵盾佐之④。阳处父至自温⑤，改蒐于董⑥，易中军⑦。阳子，成季⑧之属也，故党⑨于赵氏，且谓赵盾能，曰："使能，国之利也。"是以上之⑩。

宣子于是乎始为国政，制事典⑪，正法⑫罪，辟狱刑⑬，董逋逃⑭，由质要⑮，治旧洿⑯，本秩礼⑰，续常职⑱，出滞淹⑲。既成，以授大傅阳子与大师贾佗⑳，使行诸晋国，以为常法。

[注释]

①蒐：阅兵。夷：采地之名。②舍：裁减。僖公三十一年（前629年），晋国有五军，各有帅佐。现在恢复上、中、下三军之制。③狐射姑：狐偃之子。④赵盾：赵衰之子。佐之：为中军佐，即副帅。⑤阳处父：晋太傅。温：阳处父采邑。⑥董：晋地，在今山西万荣县，一说在今闻喜县。⑦易中军：调换中军主帅。即以赵衰为主帅，狐射姑为副帅。⑧成季：赵衰字季，谥成，故称。⑨党：偏袒。⑩上之：使居上位（主帅之位）。⑪事典：章程、条例。⑫法：刑罚。⑬辟（bì）：明。狱刑：诉讼之法。⑭董：督促。逋（bū）：逃。⑮由：用。质要：契约账册。⑯洿（wū）：污秽。⑰本：使……有本（恢复

正常)。⑱续常职:恢复已废之官。⑲滞淹:指未获作用的贤能之人。⑳大傅、大师:晋之卿位。贾佗:晋文公旧臣。

[译文]

六年春,晋国在夷地阅兵,裁减掉二军。任命狐射姑为中军主帅,赵盾辅佐他。阳处父从温地来,改在董地阅兵,调换了中军主帅。阳处父原是赵衰的部下,所以偏袒赵氏,而且认为赵盾很有才能,说:"任用有才能的人,是国家的利益所在。"所以提拔赵盾为中军主帅。

赵盾从这时候开始执掌国政,制定章程条例,修订刑法律令,清理诉讼案件,督促追捕逃犯,使用契约账册,清除陈旧污秽,使品秩等级有序,重建废除的官职,举荐居于下位的贤人。政令法规制成后,交给太傅阳处父和太师贾佗,请他们在晋国推行,作为经常施行的法令。

秦殉三良（文公六年）

[题解]

秦穆公去世，用三位勇士殉葬，民众对此非常痛惜。《左传》因此有大段议论，用先王成法来说明这种极其残忍的人殉制度的不合理。

秦伯①任好卒，以子车氏之三子奄息、仲行、鍼虎为殉，皆秦之良②也。国人哀之，为之赋《黄鸟》③。

君子曰："秦穆之不为盟主也宜哉！死而弃民④。先王违世⑤，犹诒⑥之法，而况夺之⑦善人乎？《诗》云：'人之云亡，邦国殄瘁。'⑧无善人之谓。若之何夺之？古之王者知命之不长，是以并建圣哲⑨，树之风声⑩，分之采物⑪，著之话言⑫，为之律度⑬，陈之艺极⑭，引之表仪⑮，予之法制⑯，告之训典⑰，教之防利⑱，委之常秩⑲，道之礼则⑳，使毋失其土宜㉑，众隶㉒赖之，而后即命㉓。圣王同之。今纵㉔无法以遗后嗣，而又收其良以死，难以在上矣。"君子是以知秦之不复东征也。

[注释]

①秦伯：秦穆公，名任好。②良：贤良之臣。③《黄鸟》：为《诗·秦风》中的一篇，表达了秦人对三良殉葬的哀惋。全诗如次："交交黄鸟，止于棘。谁从穆公？子车奄息。维此奄息，百夫之特。临其穴，惴惴其栗。彼苍者天，歼我良人。如可赎兮，人百其身！交交黄鸟，止于桑。谁从穆公？子车仲

行。维此仲行,百夫之防。临其穴,惴惴其栗。彼苍者天,歼我良人。如可赎兮,人百其身!交交黄鸟,止于楚。谁从穆公?子车鍼虎。维此鍼虎,百夫之御。临其穴,惴惴其栗。彼苍者天,歼我良人。如可赎兮,人百其身!"④弃民:死后用勇士陪葬,等于放弃自己的人民。⑤违世:离世。⑥诒:遗(wèi),留给。⑦之:其。⑧"人之云亡"二句:诗句见《诗·大雅·瞻卬》。疹、瘁:病。⑨并:遍。圣哲:泛指贤能。⑩风声:风化声教。⑪采物:采邑与器物。⑫著:著之竹帛。话言:善言。⑬为:制定。律度:法度。⑭陈:公开。艺极:准则。艺,准。极,中。⑮引:导引。表仪:仪表,法度。立木示人叫做表。⑯予:给予。法制:法律、制度。⑰训典:先王之书。⑱防利:防止利欲,知足不贪。⑲委:任。常秩:官司之常职。秩,官。⑳道:同"导",教导。礼则:礼仪法则。㉑土宜:因地制宜之意。㉒众隶:民众。㉓即命:去世。即,就。命,终。㉔纵:纵使。

[译文]

秦穆公任好去世,用子车氏的三个儿子奄息、仲行、鍼虎殉葬,他们都是秦国的贤良之臣。秦国民众哀悼他们,为他们赋《黄鸟》一诗。

君子说:"秦穆公没有做到盟主,是应该的啊!他死了,还要抛弃自己的子民。先王去世的时候,尚且给后世留下法则,而何况夺去民众心目中的贤人呢?《诗》说:'贤能的人去世,国家受到伤害。'这是说没有贤能的人。怎么竟要夺走他们呢?古代的帝王知道寿命是有限度的,所以广泛任用贤能的人,为他们树立风化声教,分给他们采邑器物,记录他们的良善之言,为他们制定法度,对他们公开准则,用礼仪法则引导他们,给予法律、制度让他们遵守、使用,告诉他们祖先的遗训,教导他们防止利欲,委任他们一定的官职,训导他们合于礼仪,让他们不要失去因地制宜的原则,民众信赖他们,然后才离开世上。圣人与先王在这点上都是相同的。现在纵使没有法则留给后代,而又收取他们中的贤良殉葬而死,这就很难以处在上位了。"君子因此知道秦国不能够再向东征伐了。

晋立灵公（文公六年、七年）

[题解]

晋国内部在立君问题上发生争执，并因此与秦国发生战争。最终没能择善而从，立了晋灵公。

八月乙亥，晋襄公卒。灵公①少，晋人以难故②，欲立长君③。赵孟④曰："立公子雍⑤。好善而长，先君⑥爱之，且近于秦⑦。秦，旧好也。置善则固，事长则顺，立爱则孝，结旧则安。为难故，故欲立长君。有此四德⑧者，难必抒⑨矣。"贾季⑩曰："不如立公子乐⑪。辰嬴⑫嬖于二君，立其子，民必安之。"赵孟曰："辰嬴贱，班在九人⑬，其子何震⑭之有？且为二君嬖，淫也。为先君子，不能求大，而出在小国⑮，辟⑯也。母淫子辟，无威；陈小而远，无援，将何安焉？杜祁以君故，让偪姞而上之⑰；以狄故，让季隗而己次之，⑱故班在四。先君是以爱其子，而仕诸秦，为亚卿焉。秦大而近，足以为援；母义子爱，足以威民。立之，不亦可乎？"使先蔑、士会如秦逆公子雍⑲。贾季亦使召公子乐于陈，赵孟使杀诸郫⑳。

贾季怨阳子之易其班㉑也，而知其无援于晋也，九月，贾季使续鞫居㉒杀阳处父。书曰"晋杀其大夫"，侵官㉓也。

......

[注释]

①灵公:名夷皋,襄公太子,当时尚在襁褓中。②晋人以难故:连续几年,与秦、狄、楚战争不断。③欲立长君:欲废太子,而立年长者为君。④赵孟:赵盾。自赵盾以后,赵氏世称孟。⑤公子雍:晋文公之子,襄公之弟。母为杜祁。⑥先君:晋文公。⑦近于秦:与秦国关系亲近。公子雍曾仕秦为亚卿。⑧四德:指固、顺、孝、安四者。⑨抒:同"纾",缓。⑩贾季:狐射姑。⑪公子乐:公子雍之弟。⑫辰嬴:秦穆公女。原为晋怀公之妻,称怀嬴;后嫁文公,谥辰,故称辰嬴。子公子乐。⑬班在九人:在文公妃妾中,位次第九。班,位次。⑭震:威。⑮出在小国:公子乐曾出居陈国。⑯辟:同"僻"。⑰偪(bī)姞(jí):襄公之母。上之:使居上位。偪姞位次原在公子雍母杜祁之下。⑱"以狄故"二句:季隗为文公在狄时所娶,所以杜祁让她位次在己之上。⑲先蔑:士伯,晋大夫。士会:随季,晋大夫。逆:迎。⑳郪:郪邵,晋邑,今河南济源县西。㉑易其班:改变他的位次。事见《赵盾执政》一文。㉒续鞫居:狐鞫居,即下文之续简伯。㉓侵官:指阳处父侵夺了贾季的官职。

[译文]

八月十四日,晋襄公去世。灵公年幼,晋国人因为连年有难,想立年长的公子为君。赵盾说:"立公子雍。他乐于为善而又年长,先君文公喜爱他,而且他与秦国关系亲近。秦国,是老朋友了。安排善良的人地位就能稳固,侍奉年长的人事情就会顺利,立先君所爱的人就合于孝道,结交老朋友国家就会安定。因为国家有难,所以要立年长的人为国君。有这四项德行,国家的祸难一定会得到缓解的。"贾季说:"不如立公子乐。辰嬴受到两个君王的宠爱,立她的儿子,百姓一定会安定。"赵孟说:"辰嬴地位低贱,位次排在第九,她的儿子有什么威望?并且她为两个国君所宠爱,这是淫荡。作为先君的儿子,不能够求得大国庇护而出居小国,这是鄙陋。母亲淫荡而儿子鄙陋,就没有威望;陈国弱小而且离得远,不能提供援助,怎么能安定呢?杜祁因为国君的缘故,让位给偪姞而使她位居上位;因为狄人的缘故,让位季隗而自己位居其下,所以排名第四。先君因此而喜爱她的儿子,让他出仕秦国,担任亚卿的职位。秦国强大而且离我们很近,足以为援;母亲讲究道义而儿子得到先君喜爱,足以威临百姓。立他为君,不也是可以吗?"派先蔑、士会去秦国迎接公子雍。贾季也派人到陈国召回公子乐,赵孟派人在郫地把他杀了。

贾季怨恨阳处父改变他在军中的位次,而且知道他在晋国没有人援助,九月,贾季派续鞠居杀死了阳处父。《春秋》记载"晋国杀死他们的大夫",是因为阳处父侵夺了贾季的官位。

……

十一月丙寅,晋杀续简伯。贾季奔狄。宣子使臾骈送其帑①。夷之蒐②,贾季戮③臾骈,臾骈之人欲尽杀贾氏以报焉。臾骈曰:"不可。吾闻《前志》有之曰:'敌惠敌怨,不在后嗣,忠之道也。'④夫子礼于贾季,我以其宠报私怨,无乃不可乎?介⑤人之宠,非勇也。损怨益仇,非知也。以私害公,非忠也。释⑥此三者,何以事夫子?"尽具其帑与其器用财贿,亲帅扞⑦之,送致诸竟⑧。

……

秦康公⑨送公子雍于晋,曰:"文公之入也无卫,故有吕、郤之难。⑩"乃多与之徒卫⑪。

穆嬴⑫日抱太子以啼于朝,曰:"先君何罪?其嗣亦何罪?舍適嗣⑬不立而外求君,将焉寘此⑭?"出朝,则抱以适赵氏,顿首于宣子⑮曰:"先君奉此子也而属⑯诸子曰:'此子也才,吾受子之赐;不才,吾唯子之怨⑰。'今君虽终,言犹在耳,而弃之,若何?"宣子与诸大夫皆患⑱穆嬴,且畏偪⑲,乃背先蔑⑳而立灵公，以御秦师。箕郑居守㉑。赵盾将中军，先克㉒佐之；荀林父佐上军㉓；先蔑将下军㉔，先都佐之㉕。步招御戎，戎津为右。及堇阴㉖。宣子曰："我若受秦㉗，秦则宾也；不受，寇也。既不受矣，而复缓师㉘，秦将生心㉙。先人有夺人之心㉚，军之善谋也。逐寇如追逃，军之善政也。"训卒，利兵，秣马，蓐食㉛，潜师夜起。戊子，败秦师于令狐㉜，至于刳首㉝。

己丑，先蔑奔秦，士会从之。

[注释]

①帑（nú）：同"孥"，妻子。②蒐：阅兵。③戮：侮辱。④"敌惠敌怨"三句：意思是说，对人的恩惠或仇恨，都不应及于后代。敌：对。⑤介：因。⑥释：舍。⑦扞：卫。⑧竟：同"境"。⑨秦康公：秦穆公太子罃。母穆姬为晋献公之女，文公、惠公异母姊。⑩"文公之入也无卫"二句：晋文公重耳回国为君，吕甥、郤芮欲焚公宫而杀之。事见《重耳流亡》一文。⑪徒卫：步兵充当侍卫者。徒指步兵。⑫穆嬴：晋襄公夫人，太子夷皋（即灵公）母。⑬適嗣：適子。⑭寘：同"置"。此：指太子。⑮宣子：赵盾谥号。⑯属（zhǔ）：托付。⑰唯子之怨：唯子是怨。⑱患：害怕。⑲偪：逼迫。⑳先蔑：前往秦国迎立公子雍的正使。㉑箕郑：晋大夫，上军主帅。居守：留守。㉒先克：晋大夫，先且居之子。㉓荀林父佐上军：荀林父为上军副帅，主帅箕郑留守，因此荀林父一人统率上军。㉔先蔑将下军：先蔑已回国，所以作为下军主帅出战。㉕先都：晋大夫。㉖堇（jǐn）阴：晋地，今山西临猗县东。㉗受秦：接受秦国派兵护送的公子雍。㉘缓师：军队行动迟缓。㉙生心：指秦人会生武力强纳公子雍之心。㉚"先人有夺"句：意指如果先秦军采取行动，就会动摇其军心。㉛蓐（rù）食：饱餐。蓐，厚。㉜令狐：晋地，参《重耳流亡》一文。㉝刳（kū）首：晋地，今山西临猗县西。

[译文]

十一月丙寅，晋国处死了续鞫居。贾季逃亡到狄。宣子派臾骈送去贾季的妻子。当初在夷地阅兵时，贾季曾经侮辱臾骈，臾骈手下的人想把贾家的人杀光了来报仇。臾骈说："不可以。我听说

《前志》上有这样的话:'对人有恩惠,对人有仇怨,都不要报在他后代身上。'这合乎为忠之道。赵盾对贾季以礼相待,我因为受到他的宠信而报复私人的仇怨,这恐怕不可以吧?因为别人的宠信而报私怨,这算不上勇敢。发泄怨气而增加仇恨,这算不上明智。因为私事妨害公务,这算不上忠诚。丢弃了这三条,拿什么去侍奉他老人家呢?"因此集中了贾季所有的家眷以及器用财货,亲自带人保卫,送到边境上。

……

秦康公护送公子雍到晋国,说:"文公回国的时候没派卫士,所以有吕甥、郤芮发动的祸乱。"于是就多派了步兵作为侍卫。

穆嬴天天抱着太子夷皋在朝堂上啼哭,说:"先君有什么罪啊?他的继承人有什么罪啊?抛弃嫡子不立而到外国去寻找国君,准备怎么安置这个孩子?"出了朝堂,就抱着太子到赵盾家里去,向赵盾叩头,说:"先君捧着这个孩子而嘱托您说:'这个孩子如果成才,我就是受了您的恩赐;如果不成才,我就唯您是怨。'现如今国君虽然去世了,他的话好像还在耳朵边上,而您却抛弃这个孩子,怎么着?"赵盾和大夫们都惧怕穆嬴,而且害怕她的威逼,于是就背弃了先蔑而立灵公,派兵抵御秦军。箕郑留守国都。赵盾统率中军,先克辅佐他;荀林父指挥上军;先蔑统率下军,先都辅佐他。步招驾御兵车,戎津担任车右。军队到达堇阴。赵盾说:"我们如果接受秦国护送公子雍前来,秦军就是我们的客人;如果不接受,秦军就是我们的仇敌。既然决定不接受了,而又行动缓慢,秦军一定会起别的念头。先敌行动,就会动摇敌人的决心,这是作战的好计谋。驱逐敌人就像追赶逃亡,这是作战的好方案。"于是教导士兵,磨快武器,喂饱战马,饱餐战饭,在夜里悄悄行军。四月初一日,在令狐打败秦军,一直追击到刳首。

四月初二日,先蔑逃亡到秦国,士会跟着他。

郤缺说赵盾(文公七年、八年)

[题解]

晋国大夫郤缺劝赵盾推行六府三事,修德行礼,从而使诸侯归附,巩固霸权,受到赵盾的认可。

晋郤缺言于赵宣子曰①:"日卫不睦②,故取其地③。今已睦矣,可以归之。叛而不讨,何以示威?服而不柔④,何以示怀⑤?非⑥威非怀,何以示德?无德,何以主盟?子为正卿,以主诸侯⑦,而不务德,将若之何?《夏书》曰:'戒之用休,董之用威,劝之以《九歌》,勿使坏。'⑧九功之德皆可歌也,谓之《九歌》。六府、三事,谓之九功。水、火、金、木、土、谷,谓之六府;正德、利用、厚生⑨,谓之三事。义而行之⑩,谓之德、礼。无礼不乐⑪,所由叛也。若吾子之德,莫可歌也,其谁来⑫之?盍使睦者歌吾子⑬乎?"宣子说之。

八年春,晋侯使解扬归匡、戚之田于卫⑭,且复致公壻池之封⑮,自申至于虎牢之竟⑯。

[注释]

①郤缺:晋大夫。赵宣子:赵盾。②日:往日,从前。不睦:不睦于晋,即不服从晋国。③故取其地:文公元年(前626年),晋国占领了卫国的戚

邑。④柔：怀柔。⑤怀：恩、惠。⑥非：不。⑦以主诸侯：晋为诸侯霸主，赵盾则执掌晋国国政，所以说他"主诸侯"。⑧"戒之用休"四句：引文见《尚书·大禹谟》。戒：同"诫"。用：以。休：美、喜、庆。董：督。威：声威。《九歌》：夏后启之歌。⑨正德：端正德行。利用：利于使用。厚生：使百姓生活富足。⑩行之：推行六府三事。⑪无礼：无德无礼。不乐（yuè）：无可歌唱者。⑫来：归附。⑬吾子：敬称。⑭晋侯：晋灵公。解（xiè）扬：字子虎，晋大夫。匡：卫地，今河南长垣县西南。戚：卫邑，今河南濮阳市北。⑮复致公壻池之封：重新致送公壻池所定疆界。公壻池，晋大夫。封，疆界。⑯申：郑地，今河南巩义东、荥阳西。虎牢：郑地，今河南荥阳汜水镇西。

[译文]

晋郤缺对赵宣子说："过去卫国不顺服我们，所以我们占取了它的土地。如今卫国已经顺服了，可以把土地还给它了。背叛而不加讨伐，怎么能显示声威？顺服而不加怀柔，怎么能显示关怀？不显示威严又不显示关怀，怎么能显示德行？没有德行，怎么能主持盟会？您作为正卿，主持诸侯大事，却不致力于德行，打算怎么办？《夏书》上说：'用美言训诫他，用威严督管他，用《九歌》引导他，不要让他学坏。'有关九功的德行都可以歌唱，叫做《九歌》。六府、三事，叫做九功。水、火、金、木、土、谷，叫做六府。端正德行、利于使用、使百姓富足，叫做三事。合于道义而推行它们，叫做德、礼。没有礼就没有能歌颂的，背叛就从这里产生。如果您的德行，没有可以歌颂的，有谁来归服呢？为什么不让顺服的人来歌颂您呢？"宣子听了很高兴。

八年春，晋灵公派遣解扬把匡地、戚地的土田归还给卫国，而且重新致送公壻池划定的疆界，从申地直到虎牢的边境。

季文子逐莒仆（文公十八年）

[题解]

季文子用三代举贤去恶的事例，劝谏宣公赶走莒仆。从中可见春秋时代对上古史事的认知与传习。

莒纪公①生太子仆，又生季佗②，爱季佗而黜仆，且多行无礼于国。仆因③国人以弑纪公，以其宝玉来奔，纳诸宣公。公命与之邑，曰："今日必授！"季文子使司寇出诸竟④，曰："今日必达！"公问其故。季文子使大史克⑤对曰：

"先大夫臧文仲⑥教行父事君之礼，行父奉以周旋⑦，弗敢失队⑧，曰：'见有礼于其君者，事之，如孝子之养父母也；见无礼于其君者，诛之，如鹰鹯⑨之逐鸟雀也。'先君周公制《周礼》曰：'则以观德，德以处事，事以度功，功以食民。'⑩作《誓命》曰：'毁则为贼，掩贼为藏。窃贿为盗，盗器为奸。主藏之名，赖奸之用，为大凶德，有常，无赦。在《九刑》不忘。'⑪行父还观⑫莒仆，莫可则⑬也。孝敬、忠信为吉德，盗贼、藏奸为凶德。夫莒仆，则其孝敬，则弑君父矣；则其忠信，则窃宝玉矣。其人，则盗贼也；其器，则奸兆⑭也。保而利之，则主藏也。以训则昏⑮，民无则焉。不度⑯于善，而皆在于凶德，是以去之。

"昔高阳氏有才子八人⑰：苍舒、隤敳、梼戭、大临、尨降、庭坚、仲容、叔达⑱，齐、圣、广、渊、明、允、笃、诚⑲，天下之民谓之八恺⑳。高辛氏㉑有才子八人：伯奋、仲堪、叔献、季仲、伯虎、仲熊、叔豹、季狸，忠、肃、共、懿、宣、慈、惠、和㉒，天下之民谓之八元㉓。此十六族也㉔，世济㉕其美，不陨㉖其名。以至于尧，尧不能举㉗。舜臣尧，举八恺，使主后土㉘，以揆㉙百事，莫不时序㉚，地平天成㉛。举八元，使布五教于四方，父义、母慈、兄友、弟共㉜、子孝，内平外成㉝。

"昔帝鸿氏㉞有不才子，掩义隐贼，好行凶德；丑类恶物㉟，顽、嚚、不友㊱，是与比周㊲，天下之民谓之浑敦㊳。少皞氏㊴有不才子，毁信废忠，崇饰恶言；靖谮庸回㊵，服谗蒐慝㊶，以诬盛德，天下之民谓之穷奇㊷。颛顼氏有不才子，不可教训，不知话言㊸；告之则顽，舍之则嚚，傲很㊹明德，以乱天常，天下之民谓之梼杌㊺。此三族也，世济其凶，增其恶名，以至于尧，尧不能去。缙云氏㊻有不才子，贪于饮食，冒㊼于货贿，侵欲㊽崇侈，不可盈厌㊾，聚敛积实㊿，不知纪极㈠，不分孤寡，不恤穷匮，天下之民以比三凶，谓之饕餮㈡。舜臣尧，宾㈢于四门，流四凶族，浑敦、穷奇、梼杌、饕餮，投诸四裔㈣，以御螭魅㈤。是以尧崩而天下如一，同心戴舜，以为天子，以其举十六相、去四凶也。故《虞书》数舜之功，曰'慎徽五典，五典克从'㈥，无违教也。曰'纳于百揆㈦，百揆时序'，无废事也。曰'宾于四门，四门穆穆㈧'，无凶人也。舜有大功二十㈨而为天子，今行父虽未获一吉人㈩，去一凶矣。于舜之功，二十之一也，庶几免于戾㈪乎！"

[注释]

①莒纪公：名庶其。纪为邑名，以邑为号。②季佗：即莒渠丘公。③因：

凭借。④季文子：季孙行父，鲁卿。竟：同“境”。⑤大史克：鲁国史官，又简称“史克”，《国语》称之为“里革”。⑥臧文仲：即臧孙辰，谥文仲。⑦周旋：应对。⑧队：同“坠”。背离。⑨鹯（zhān）：一种猛禽。⑩“先君周公制《周礼》曰”四句：《周礼》：周公旦所著书名或篇名，已佚，当与今本《周礼》不同。则：法。处：处理。度：衡量。食（sì）：养。⑪“毁则为贼”十句：《誓命》：周公旦所著篇名，今佚。毁：毁坏法度。掩：藏。贿：财货。奸：盗。主：守。赖：利。用：器用。凶德：恶德。常：常刑。《九刑》：刑书名。⑫还（xuán）观：遍观，细察。⑬则：取法，仿效。⑭奸兆：偷盗之物。兆，同“佻”，偷。⑮训：训导（百姓）。昏：迷惑。⑯度：在。⑰高阳氏：帝颛顼。高阳为其号。才子：贤能的后代。⑱“苍舒”句：隤：音 tuí。敳：音 ái。梼：音 dǎo。戭：音 yǎn。尨：音 máng。⑲“齐、圣、广”句：以上叙八人之德。齐：中，举措有度。圣：通，通达众务。广：宽，度量宽宏。渊：深，思虑深远。明：达，明了事理。允：信，言行如一。笃：厚，忠厚谨慎。诚：实，秉性纯直。⑳恺：和。㉑高辛氏：帝喾。高辛为号。㉒“忠、肃”句：以上叙八元之德。忠：忠诚无隐。肃：敬，敏达敬业。共：恭，持身恭谨。懿：美，品行淳美。宣：遍，思虑周到。慈：心地慈爱。惠：仁爱，好善乐施。和：和平不争。㉓元：善。㉔此十六族也：十六人因功赐氏，故有十六族。㉕济：继承。㉖陨：坠，失。㉗举：任用。㉘后土：地官。其中禹为司空，平水土，属于地官。㉙揆：度，谋划。㉚时序：承顺。时，同“是”。㉛地平天成：天地和谐。㉜共：同“恭”。㉝内平外成：家庭内外和睦。㉞帝鸿氏：黄帝。㉟丑类恶物：与恶人同类。丑，类。物，人。㊱顽、嚚（yín）：僖公二十四年《传》：“心不则德义之经为顽，口不道忠信之言曰嚚。”不友：不友爱兄弟的人。㊲是：指浑敦。比周：亲近。㊳浑敦：又作“混沌”，不开通。㊴少皞氏：黄帝子，名挚，字青阳，又号金天氏。“皞”又作“昊”或“皓”。㊵靖谮：安于谗谮之言。庸回：信用邪恶。庸，用。回，邪。㊶服：行。蒐：隐。慝：恶。㊷穷奇：恶兽名。㊸话言：善言。㊹傲很：轻视不从。傲，同“嫯”，轻侮。㊺梼（táo）杌（wù）：恶兽名。㊻缙云氏：姜氏。炎帝后裔，黄帝时任缙云之官，因以名氏。㊼冒：贪。㊽侵欲：纵欲。㊾盈、厌：都是满足之义。㊿积实：所聚财货。(51)纪、极：都是限度之义。

㊾饕(táo)餮(tiè):恶兽名。㊿宾:同"摈",打开。㊾投:弃。裔:边。
㊾螭(chī)魅(mèi):山林中害人的怪物。螭,同"魑"。㊾"慎徽五典"
二句:引文见《尚书·舜典》。慎:顺。徽:和。五典:即五常。克:能。
从:遵从。㊼纳:入。百揆:百事。㊽穆穆:庄敬的样子。㊾大功二十:举十
六相而去四凶。㊿吉人:善人。㉑庋:罪。

[译文]

莒纪公生太子仆,又生季佗,他喜爱季佗,而罢黜了太子仆,同时在国内做了许多不合于礼的事情。太子仆依靠国人的帮助杀死了纪公,带着他的宝玉逃来鲁国,把宝玉献给宣公。宣公命令给他一座城邑,说:"今天一定要给他!"季文子派司寇把太子仆驱逐出境,说:"今天一定要送到境外!"宣公问他原因,季文子派太史克回答说:

"先大夫臧文仲教导我侍奉君主的礼仪准则,行父奉行他的教导而应对施行,不敢丢失。先大夫说:'见到对他的君主有礼的人,侍奉他,就像孝子赡养父母一样;见到对他的君主无礼的人,杀死他,就像鹰鹯追逐鸟雀一样。'先君周公制定《周礼》,说:'根据礼仪法则来观察德行,根据德行好坏来处理事情,根据事情的是非来衡量功劳,根据功劳的大小来食养民众。'又制作《誓命》,说:'毁弃礼仪法则就是贼,隐匿贼人就是藏,偷窃财物就是盗,偷盗宝器就是奸。有藏贼的名声,利用奸人的宝器,是很大的凶德,国家有常刑,不得赦免,记载在《九刑》中,不能忘记。'行父仔细观察莒仆,没有可以取法的。孝敬、忠信是吉德,盗贼、藏奸是凶德。这个莒仆,取法他的孝敬吧,那么他杀死了君父;取法他的忠信吧,那么他偷窃了宝玉。他这个人,就是盗贼;他的宝器,就是赃证。如果保护他而使用他的宝玉,那就是窝赃。以此来训导百姓,百姓就会迷惑,无所取法了。这些都算不上好事,而都属于凶德,所以才把他赶走。

"从前高阳氏有贤能的子孙八人:苍舒、��敳、梼戡、大临、龙降、庭坚、仲容、叔达,他们中正、通达、宽宏、深远、明理、允信、厚笃、诚实,天下的百姓称他们为'八恺'。高辛氏有贤能的子孙八人:伯奋、仲堪、叔献、季仲、伯虎、仲熊、叔豹、季狸,他们忠诚、勤敬、恭谨、淳美、周密、慈爱、仁惠、和蔼,天下的百姓称他们为'八元'。这十六个家族,世世代代继承他们的美德,没有丧失祖先美好的声誉,一直到尧的时代,而尧没能举拔任用他们。舜做了尧的臣子后,举拔八恺,让他们担任主管土地的官职,以处理各种事务,没有不安排妥当的,天地和谐,平安无事。举拔八元,让他们在天下宣扬五种教化:父亲有道义,母亲慈爱,哥哥友爱,弟弟恭敬,儿子孝顺,内外和谐,平安无事。

"从前帝鸿氏有个不成材的儿子,掩蔽道义,包庇盗贼,喜欢做属于凶德的那类事,把坏蛋引为同道,与不讲道德、不讲忠信、不友爱兄弟的人混在一起,天下的百姓称之为'浑敦'。少皞氏有个不成材的儿子,毁坏信用,废弃忠诚,虚伪矫饰,花言巧语,安于逸言,任用奸恶,造谣中伤,掩盖罪恶,以诬陷盛德的人,天下的百姓称之为'穷奇'。颛顼氏有个不成材的儿子,不接受教训,不知道好话,教导他,他愚顽不化;放弃他,他又凶恶欺诈。蔑视明德,悖乱上天的常道,天下的百姓称之为'梼杌'。这三个家族,世世代代继承先人的凶恶,增加他们的坏名声,一直到尧的时代,尧没能驱除他们。缙云氏有个不成材的儿子,喜欢吃喝,贪图财物,放纵私欲,崇尚奢侈,欲壑难填,聚敛财物,不知道何时为止,不分给孤寡的人,不周济穷困的人,天下的百姓把他和三凶相比,称之为'饕餮'。舜做了尧的臣子后,打开四面的城门,流放这四个凶族:浑敦、穷奇、梼杌、饕餮,把他们赶到边远之地,让他们去抵御魑魅。因此,尧去世了而天下就像一个人一样,同心拥戴舜,让他做天子,因为他举拔了十六相,去掉了四凶。所以《虞书》上列举舜的功劳,说'谨慎地发扬五典,五典就能服从他',是说没有不正确的教导。说'投身于各种事务中,各种事物都顺当',是说没有荒废的事务。说'开辟四面的城门,从门中进来的人都恭敬肃穆',是说没有凶恶顽劣之徒。舜有大功二十件而做了天子,如今行父虽然没有得到一个好人,却赶走了一个凶恶的人。和舜的功劳相比,有二十分之一了,差不多可以免于罪过了吧!"

晋灵公不君（宣公二年）

[题解]

晋灵公无道，欲诛杀赵盾，赵盾被迫逃亡。灵公被弑，赵盾复职，稳定了政局。史官秉笔直书，受到孔子的赞扬。

晋灵公不君①：厚敛②以雕墙；从台上弹人，而观其辟③丸也；宰夫胹熊蹯不熟④，杀之，寘诸畚⑤，使妇人载⑥以过朝。赵盾、士季⑦见其手，问其故，而患之。将谏，士季曰："谏而不入，则莫之继也。会请先，不入，则子继之。"三进，及溜⑧，而后视之，曰："吾知所过矣，将改之。"稽首而对曰："人谁无过，过而能改，善莫大焉！《诗》曰：'靡不有初，鲜克有终。'⑨夫⑩如是，则能补过者鲜矣。君能有终，则社稷之固⑪也，岂惟群臣赖之。又曰：'衮职有阙，惟仲山甫补之'⑫，能补过也。君能补过，衮不废矣。"

犹不改。宣子骤⑬谏，公患之，使鉏麑贼之⑭。晨往，寝门辟⑮矣，盛服⑯将朝。尚早，坐而假寐。麑退，叹而言曰："不忘恭敬，民之主也。贼民之主，不忠；弃君之命，不信。有一于此，不如死也。"触槐而死。

秋，九月，晋侯饮赵盾酒，伏甲⑰，将攻之。其右提弥明知之⑱，趋登⑲，曰："臣侍君宴，过三爵，非礼也。"遂扶以下。公嗾夫獒焉⑳，明搏而杀之。盾曰："弃人用犬，虽猛何为㉑！"斗且出㉒。提弥明死之。

初，宣子田于首山㉓，舍于翳桑㉔，见灵辄㉕饿，问其病。曰："不食三日矣。"食之，舍㉖其半。问之。曰："宦㉗三年矣，未知母之存否，今近焉，请以遗㉘之。"使尽之，而为之箪㉙食与肉，寘诸橐㉚以与之。既而与为公介㉛，倒戟以御公徒而免之。问何故。对曰："翳桑之饿人也。"问其名居，不告而退。遂自亡㉜也。

乙丑，赵穿攻灵公于桃园㉝。宣子未出山而复㉞。大史书曰"赵盾弑其君"，以示于朝。宣子曰："不然。"对曰："子为正卿，亡不越竟㉟，反不讨贼㊱，非子而谁？"宣子曰："乌呼㊲！《诗》曰：'我之怀矣，自诒伊戚。'㊳其我之谓矣。"孔子曰："董狐，古之良史也，书法不隐㊴。赵宣子，古之良大夫也，为法受恶㊵。惜也，越竟乃免。"

宣子使赵穿逆公子黑臀㊶于周而立之。壬申，朝于武宫㊷。

[注释]

①晋灵公：晋襄公太子夷皋。不君：不合于为君之道。②厚敛：加重赋税。敛，赋。③辟：同"避"。④宰夫：掌国君饮食的官员。胹：煮。熊蹯（fán）：熊掌。⑤畚（běn）：一种盛物器具。⑥载：一作"戴"，背。⑦士季：晋大夫，名会。⑧溜：同"霤"，檐下滴水处。⑨"靡不有初"二句：诗句见《诗·大雅·荡》。靡：无。鲜：少。⑩夫：发语词。⑪固：保障。⑫"衮职有阙"二句：诗句见《诗·大雅·烝民》。衮：天子之服。职：适。仲山甫：周宣王时卿士樊侯，又叫樊仲甫，辅佐宣王中兴的贤臣，《烝民》诗即为赞美他而作。补：补衣，比喻匡救过失。⑬骤：屡次。⑭鉏（chú）麑（ní）：晋勇士。贼：杀。⑮辟：开。⑯盛服：穿戴整齐。⑰甲：甲士。⑱右：车右。提弥明：人名。⑲趋登：快步登阶上堂。⑳嗾（sǒu）：唤狗。獒：猛犬。㉑何

为:何用。㉒斗且出:一边与埋伏的甲士搏斗,一边往外走。㉓首山:首阳山,又名雷首山,今山西永济县东南。㉔舍:住宿。翳桑:地名。㉕灵辄:人名。㉖舍:留下。㉗宦:给人家做仆隶。㉘遗(wèi):馈,给。㉙箪(dān):圆竹筐,盛食物用。㉚橐(tuó):口袋。㉛介:甲士。㉜自亡:指赵盾出奔。㉝赵穿攻灵公于桃园:赵穿在桃园杀死了晋灵公,《传》文蒙经文而省。赵穿,赵盾族弟。㉞山:靠近晋国边境的山,或说是温山。复:复位。㉟竟:同"境"。㊱贼:凶手,指赵穿。㊲乌呼:同"呜呼",感叹语。㊳"我之怀矣"二句:逸《诗》诗句,《诗·邶风·雄雉》有"我之怀矣,自诒伊阻"句,与此一字之差,或以为即是此诗。怀:怀恋。诒:给。戚:忧伤。㊴书法不隐:坚持史官记事的原则,不加隐讳。㊵受恶:担当恶名。㊶公子黑臀:灵公少子,后来的晋成公。母为周室之女。㊷武宫:曲沃武公之庙。

[译文]

晋灵公不遵守为君之道:征收重税,用以雕饰宫墙;从高台上用弹弓射人,而观看人们躲避弹丸;厨师煮熊掌不烂,就把厨师杀了,装在畚箕里,派宫女抬出去,经过朝堂。赵盾、士季看到畚箕里露出的手,询问其中的缘故,感到忧虑。准备进谏时,士季说:"如果我们一起去劝谏而君王听不进去,就没有人能继续劝谏了。我请求先去,君王如果听不进去,那么你再接着劝谏。"士季向前进了三次,一直到了滴水檐下,晋灵公才张眼看他,说:"我知道所犯的过错了,打算改正。"士季叩头回答说:"谁没有过错?有了过错而能够改正,没有比这更好的了!《诗》上说:'凡事无不有个开始,很少有人坚持到底。'如果这样,能够纠正过错的人就很少了。君王您能够坚持下来,那么我们的国家就有保障了,哪里只是我们做臣子的有所依赖呢?《诗》上又说:'天子的衣服有了破损,只有仲山甫能够缝补。'这是说周天子有过即纠。君王您能够纠正过错,您的衣服就不致废弃了。"

晋灵公仍然不改。赵盾屡次劝谏,晋灵公厌恶他,派钼麑去暗杀他。钼麑清晨前往,寝门已经打开,赵盾穿好朝服准备上朝。时间还早,坐在那里闭目养神。钼麑退了出来,感叹地说:"在家不忘恭敬,真是百姓的好主人。暗杀百姓的好主人,是不忠;背弃君王的命令,是不信。有了两件中的一件,不如去死的好。"就撞到槐树上而死。

秋九月,晋灵公请赵盾饮酒,埋伏好了甲士,准备杀死赵盾。赵盾的车右提弥明知道了这件事,快步登堂,说:"臣子侍奉君王宴饮,喝酒超过三爵,就不合于礼仪了。"于是就搀扶着赵盾走下堂。晋灵公唤出猛犬攻击赵盾,提弥明和犬搏斗,杀死了它。赵盾说:"不用人而用狗,虽然凶猛,又有什么用!"一边与甲士打斗,一边退了出来。提弥明战死了。

起初,赵盾在首阳山打猎,在翳桑这个地方休息,见到灵辄饿坏了,问他有什么病。灵辄回答说:"我已经有三天没吃东西了。"赵盾给他东西吃,他吃时留下了一半。赵盾问他原因。他说:"我在外给人做仆隶已经三年了,不知道母亲还在不在世,现在离家很近了,请让我把这些食品孝敬给母亲。"赵盾让他把食物吃完,另外给他准备了一篮子的饭和肉,放在口袋里交给他。不久灵辄做了晋灵公的侍卫,这时就把戟掉转方向,抵御灵公的甲士,使赵盾得免于难。赵盾问他为什么,他回答说:"我就是翳桑那个挨饿的人。"问他姓名居址,他不回答就退走了。赵盾就自己逃亡了。

九月二十六日,赵穿在桃园杀死了晋灵公。赵盾这时还没逃出晋国的山界,就回来复职。太史记载说"赵盾杀死他的君王",拿到朝廷上公示。赵盾说:"不是这样的。"太史回答说:"您是正卿,逃亡没有越过国境,回来没有讨伐凶手,不是您杀君又是谁呢?"赵盾说:"啊呀!《诗》上说:'由于我多所怀恋,反给自己带来了如此忧伤。'说的就是我啊!"孔子说:"董狐,是古代的好史官,坚持记事的原则,不加隐讳。赵盾,是古代的好大夫,因为史官的记事原则而蒙受恶名。可惜啊,他如果走出了国境,就可以免去担当恶名了。"

赵盾派赵穿到周朝迎回公子黑臀,而立他为国君。十月三日,公子臀到武宫去朝祭。

楚庄王问鼎（宣公三年）

[题解]

楚庄王为"春秋五霸"之一，他依恃国力强盛，观兵周疆，问鼎轻重，表露出夺取天下的野心。周室衰微，于此可见一斑。

楚子伐陆浑之戎①，遂至于雒②，观兵于周疆③。定王使王孙满劳④楚子。楚子问鼎之大小、轻重焉⑤。对曰："在德不在鼎⑥。昔夏之方有德也，远方图物⑦，贡金九牧⑧，铸鼎象物⑨，百物⑩而为之备，使民知神、奸⑪。故民入川泽、山林，不逢不若⑫。螭魅罔两⑬，莫能逢⑭之。用⑮能协于上下，以承天休⑯。桀有昏德⑰，鼎迁于商，载祀六百⑱。商纣暴虐，鼎迁于周。德之休明⑲，虽小，重也。⑳其奸回昏乱㉑，虽大，轻也。天祚㉒明德，有所底止㉓。成王定鼎于郏鄏㉔，卜世三十㉕，卜年七百，天所命也。周德虽衰，天命未改。鼎之轻重，未可问也。"

[注释]

①楚子：楚庄王。陆浑之戎：戎的一支，允姓，本居瓜州，后迁伊川（今河南嵩县一带）。②雒："洛"的古字，指洛水，源于陕西洛南冢岭山，东流入黄河。③观兵：陈兵示威。周疆：周王室边界内。④劳：慰劳，慰问。⑤鼎：九鼎。相传禹收九州之金，铸为九鼎，为国家权力的象征。楚子问鼎，

显示了要夺取天下的雄心。⑥在德不在鼎：意思是，鼎之大小轻重在于君王之德，不在于鼎之本身。⑦远方图物：画远方各种物象。图，画。⑧贡金九牧：使九州之长进贡金。贡，进贡。牧，长。⑨铸鼎象物：以九州贡金铸鼎，并铸上所画的物象。⑩百物：万物。⑪神：神怪。奸：恶物。⑫不若：不顺之物。若，顺。⑬螭魅罔两：古人想象的各种怪物。螭，今又作"魑"。罔两，今又作"魍魉"、"魍魉"。⑭逢：遇。⑮用：因。⑯休：赐。⑰昏德：昏乱之德。⑱载、祀：年岁。⑲之：若。休：美。明：光明。⑳"虽小"二句：意思是君王如有美德，鼎虽小而重不可迁。㉑其：若，表假设。奸回：奸邪。㉒祚：福。㉓有所厎（zhǐ）止：有一定之数。厎，定，至。㉔郏（jiá）鄏（rǔ）：周王朝的王城，今洛阳。㉕卜世三十：周朝前后三十六世，七百年。

[译文]

楚庄王攻打陆浑之戎，于是到达洛水边，在周室的边界内陈列军队，以示声威。周定王派王孙满去慰问楚庄王。楚庄王向他打听鼎的大小与轻重。王孙满说："这决定于君主的道德，而不在于鼎的本身。从前夏朝正当有盛德的时候，把远方的各种物象画成图像，让九州之长进贡金，铸成大鼎，把各种物象铸在上面，各种事物都齐备了，让百姓知道神怪与恶物。因此百姓进入川泽山林，就不会碰上有危险的东西。螭魅魍魉，都不会碰上。所以能上下和睦，以领受上天的赐福。夏桀德行昏乱，鼎迁到商朝，年岁有六百。商纣王残暴苛虐，鼎迁到周朝。德行如果美好光明，鼎虽小，分量很重；如果奸邪昏乱，鼎虽大，分量很轻。上天赐福给有光明德行的君王，有它一定的限度。成王把鼎安顿在郏鄏，占卜的预言说可传三十代，享七百年，这是天意所决定的。周朝的德行虽然衰弱，天命并没有改变。鼎的轻重，还是不可以询问的。"

申叔时说楚庄王
（宣公九年、十年、十一年）

[题解]

陈国君臣荒淫无耻，因此发生内乱。楚庄王灭陈，申叔时劝其复陈，以合于礼义，使诸侯信服。

陈灵公与孔宁、仪行父通于夏姬①，皆衷其衵服②，以戏于朝。泄冶③谏曰："公卿宣淫，民无效④焉，且闻不令⑤。君其纳之⑥！"公曰："吾能改矣。"公告二子。二子请杀之，公弗禁，遂杀泄冶。

孔子曰："《诗》云：'民之多辟，无自立辟。'⑦其泄冶之谓乎！"

……

陈灵公与孔宁、仪行父饮酒于夏氏。公谓行父曰："征舒似女。"对曰："亦似君。"征舒病之。公出，自其厩射而杀之。二子奔楚。

……

冬，楚子为陈夏氏乱故⑧，伐陈。谓陈人："无动！将讨于少西氏⑨。"遂入陈，杀夏征舒，辕诸栗门⑩。因县陈⑪。陈侯⑫在晋。

申叔时[13]使于齐,反,复命而退。王使让之,曰:"夏征舒为不道,弑其君,寡人以诸侯讨而戮之,诸侯、县公[14]皆庆寡人,女独不庆寡人,何故?"对曰:"犹可辞乎?"王曰:"可哉!"曰:"夏征舒弑其君,其罪大矣;讨而戮之,君之义也。抑[15]人亦有言曰:'牵牛以蹊[16]人之田,而夺之牛。牵牛以蹊者,信有罪矣;而夺之牛,罚已重矣。'诸侯之从也,曰讨有罪也。今县陈,贪其富也。以讨召诸侯,而以贪归之,无乃不可乎?"王曰:"善哉!吾未之闻也。反之,可乎?"对曰:"可哉!吾侪[17]小人所谓'取诸其怀而与之'也。"乃复封陈[18]。乡取一人焉以归,谓之夏州。[19]故书曰"楚子入陈。纳公孙宁、仪行父于陈",书有礼也[20]。

[注释]

①陈灵公:公元前613年至公元前599年在位。孔宁:公孙宁,陈大夫。仪行父:陈大夫。二人为陈国卿相。通:私通。夏姬:陈大夫御叔之妻,郑穆公之女,夏征舒之母。夏为食邑。②衷:贴身穿。衵(nì)服:内衣。③泄冶:陈大夫。④无效:无所效法。⑤闻(wèn):名声。令:善。⑥纳之:衵服。⑦"民之多辟"二句:《诗·大雅·板》诗句。意思是百姓多邪僻,国家危险,不要自立法度以自危。前一"辟"字作"邪僻"解,后一"辟"字作"法"解。⑧楚子:楚庄王。陈夏氏乱:指宣公十年(前599年)夏征舒杀陈灵公。⑨少西氏:指夏征舒。其祖字子夏,名少西,因此用"少西氏"指代征舒。⑩辕(huán):将人车裂,一种酷刑。栗门:陈都城门。⑪县陈:把陈国作为楚国的一个县。⑫陈侯:陈成公,灵公太子午。⑬申叔时:楚大夫,贤人。⑭县公:县大夫。公为县大夫之通称。⑮抑:不过。表轻度转折。⑯蹊:径。⑰吾侪:我辈。⑱复封陈:指迎立灵公子太午为成公。⑲"乡取一人焉以归"二句:指从楚国所俘虏的陈国百姓中,每乡取一人,在楚地别立夏州,表彰武功。⑳书有礼也:楚庄王讨乱存国,与孔子"兴灭国,继绝世"的主张相合,所以说"有礼"。

[译文]

陈灵公与孔宁、仪行父都和夏姬私通,三人把夏姬的内衣贴身穿着,在朝廷上互相戏谑。洩冶劝谏说:"君王与卿相宣扬淫乱,百姓就无所效法了,而且名声很不好。君王您还是把它收藏起来吧!"陈灵公说:"我会改正的。"灵公把这事告诉了孔宁与仪行父,二人请求杀死洩冶,灵公没有阻止,于是杀死了洩冶。

孔子说:"《诗》说:'百姓多行邪僻,不要自立法度。'恐怕说的就是洩冶吧。"

……

陈灵公与孔宁、仪行父在夏家喝酒。灵公对仪行父说:"征舒长得像你。"仪行父回答说:"也像君王。"夏征舒对此感到很愤怒。灵公从夏家走出来时,夏征舒从家中的马厩里用箭射死了他。孔宁、仪行父逃到楚国。

……

冬,楚庄王因为陈国夏氏作乱的缘故,攻打陈国。对陈国人说:"不要惊慌!我们将要讨伐少西氏。"于是进入陈国,杀了夏征舒,在栗门那里把他车裂了。因此就把陈国作为楚国的一个县。当时陈成公在晋国。

申叔时出使齐国,回到楚国,向楚庄王复命后就退了出来。楚庄王派人责备他说:"夏征舒行不合臣道之事,杀死了他的国君,寡人率领诸侯讨伐他,把他杀了,诸侯和县公们都向寡人庆贺,唯独你不庆贺寡人,是什么缘故?"申叔时回答说:"还能说几句吗?"庄王说:"可以。"申叔时说:"夏征舒杀死他的国君,他的罪很大了;讨伐他而杀死他,这是君王应当做的事。不过人们也有这么一句话,说:'牵着牛践踏别人的田,就把他的牛夺过来。牵牛践踏别人田地的人,确实是有罪的;但把他的牛夺过来,处罚也就太重了。'诸侯跟随君王您,说是为了讨伐有罪的人。如今把陈国作为自己的县，实际上是贪图它的财富。用讨伐的名义号召诸侯，而以贪图财富作为结束，恐怕不可以吧？"楚庄王说："说得好啊！我没听到过这样的道理。还给他，可以吗？"申叔时回答说："可以啊！这就是我辈小人所说的'从人家怀里取出来又还给人家'啊。"楚庄王于是重新封立陈国。从每一乡带了一个人回到楚国，称为夏州。因此《春秋》记载说"楚庄王进入陈国，送公孙宁、仪行父回陈国"，这是书写，是表明楚庄王做得合乎礼。

晋楚邲之战（宣公十二年）

[题解]

晋国与楚国为争夺对郑国的控制，再次发生战争。晋军内部不和，统帅未加防备，遭到惨败。

十二年，春，楚子围郑①，旬②有七日。郑人卜行成③，不吉；卜临于大宫④，且巷出车⑤，吉。国人大临，守陴⑥者皆哭。楚子退师。郑人修城。进复围之，三月，克之。入自皇门⑦，至于逵路⑧。郑伯肉袒牵羊以逆⑨，曰："孤不天⑩，不能事君，使君怀怒以及敝邑，孤之罪也，敢不唯命是听？其⑪俘诸江南，以实海滨，亦唯命；其翦⑫以赐诸侯，使臣妾之⑬，亦唯命。若惠顾前好⑭，徼福于厉、宣、桓、武⑮，不泯⑯其社稷，使改事君，夷⑰于九县，君之惠也，孤之愿也，非所敢望也。敢布腹心⑱，君实图之。"左右曰："不可许也，得国无赦。"王曰："其君能下人，必能信用其民矣，庸可几乎⑲？"退三十里而许之平。潘尪⑳入盟，子良㉑出质。

[注释]

①楚子围郑：郑国处在晋、楚两个强国之间，依违不定，楚庄王因此兴师讨伐。②旬：十天。③卜行成：占卜是否向楚求和。④临：哭。大宫：太祖

之庙。⑤巷出车：陈车于巷，表示虽困不降。⑥陴：城上女墙。⑦皇门：郑都城门。⑧逵路：大路。⑨郑伯：郑襄公。逆：迎。⑩不天：敬奉天意。⑪其：如果。⑫翦：翦灭，灭亡郑国。⑬使臣妾之：使郑国人作为诸侯之臣妾。男为臣，女为妾。⑭前好：楚、郑世有盟好。⑮徼福：求福。厉、宣、桓、武：分别指周厉王、周宣王、郑桓公、郑武公。郑桓公为周厉王之子，郑之所自出。⑯泯：灭。⑰夷：等同。⑱敢布腹心：谨向您表白肺腑之言。⑲庸：岂，难道。几：通"冀"，觊觎。⑳潘尫（wāng）：楚大夫。㉑子良：郑伯之弟。

[译文]

　　十二年春，楚庄王率军包围了郑国。过了十七天，郑国人为求和的事占卜，不吉利。又为到太庙去号哭，并且在街巷中陈列兵车占卜，吉利。城中的人都到太庙大哭，守城的将士也都哭了。楚庄王退军。郑国人修筑城墙。楚军再次推进，又包围了都城，攻了三个月，攻破了郑都。楚军从皇门入城，到达大路上。郑襄公光着上身牵着羊前去迎接，说："孤不能顺从天意，没能侍奉君王您，使君王您怀着愤怒到达敝邑，这是孤的罪过，岂敢不听从君王您的一切命令？如果把孤俘虏到江南去，安置在海边上，也服从君王您的命令。如果灭亡郑国，分赐诸侯，给他们做臣妾，也服从君王您的命令。如果承蒙顾念从前的友好关系，为周厉王、周宣王、桓公、武公求福，不灭亡他们的国家，让我们改而侍奉君王您，等同于贵国的各县，这是君王您的恩惠，也是孤的愿望，不是孤所敢于希望的。谨此表露肺腑之言，请君王考虑。"楚庄王左右都说："不能答应他，得到的国家就不能赦免。"楚庄王说："他们的国君能够屈居人下，一定能得到百姓的信任和使用他们，难道不是可以有所期待的吗？"退军三十里，允许郑国求和。潘尫进入郑都订立盟约，郑国子良到楚国做人质。

　　夏，六月，晋师救郑。荀林父①将中军，先縠②佐之；士会③

将上军，郤克④佐之；赵朔⑤将下军，栾书⑥佐之。赵括、赵婴齐⑦为中军大夫，巩朔⑧、韩穿为上军大夫，荀首、赵同为下军大夫⑨。韩厥⑩为司马。及河，闻郑既及楚平，桓子欲还，曰："无及于郑而剿⑪民，焉用之？楚归而动，不后。⑫"随武子⑬曰："善。会闻用师，观衅⑭而动。德、刑、政、事、典、礼不易⑮，不可敌也，不为是征⑯。楚君讨郑，怒其贰⑰而哀其卑。叛而伐之，服而舍之，德、刑成矣。伐叛，刑也；柔服⑱，德也，二者立矣。昔岁入陈⑲，今兹⑳入郑，民不罢㉑劳，君无怨讟㉒，政有经㉓矣。荆尸㉔而举，商农工贾㉕，不败其业，而卒乘辑睦㉖，事不奸㉗矣。蒍敖为宰㉘，择楚国之令典㉙；军行，右辕㉚，左追蓐㉛，前茅虑无㉜，中权后劲㉝。百官象物而动㉞，军政不戒㉟而备，能用典矣。

"其君之举㊱也，内姓选于亲㊲，外姓选于旧㊳。举不失德，赏不失劳㊴。老有加惠㊵，旅有施舍㊶。君子小人，物有服章㊷。贵有常尊，贱有等威㊸，礼不逆矣。德立刑行，政成事时㊹，典从礼顺，若之何敌之？见可而进，知难而退，军之善政也。兼弱攻昧㊺，武之善经也。子姑整军而经武㊻乎！犹有弱而昧者，何必楚？仲虺㊼有言曰：'取乱侮㊽亡'，兼弱也。《汋》曰：'于铄王师！遵养时晦'㊾，耆㊿昧也。《武》曰：'无竞惟烈。'㊿抚弱耆昧，以务烈所㊿，可也。"彘子㊿曰："不可。晋所以霸，师武、臣力也。今失诸侯，不可谓力；有敌而不从，不可谓武。由我失霸，不如死。且成师以出，闻敌强而退，非夫㊿也。命为军帅，而卒以非夫，唯群子能，我弗为也。"以中军佐济。

[注释]

①荀林父：谥桓子，晋国正卿，担任中军统帅，也是全军统帅。②先縠：先轸子。③士会：参《晋立灵公》注。④郤克：郤缺之子。⑤赵朔：赵盾之子。⑥栾书：栾盾之子。⑦赵括、赵婴齐：赵盾异母弟。赵婴齐又称作赵婴、

楼婴。⑧巩朔：又称巩伯。⑨荀首：荀林父弟。赵同：即原同，赵括兄。⑩韩厥：即韩献子，韩简之孙。⑪剿：劳。⑫“楚归而动”二句：意思是楚军回国后就伐郑，不算晚。⑬随武子：即士会。⑭衅：瑕隙。⑮典：法。不易：不违。⑯不为是征：不征是。“是”指这类国家。⑰贰：叛楚投晋。⑱柔服：安抚顺从的国家。⑲昔岁入陈：指去年讨伐陈国夏征舒。⑳今兹：今年。㉑罢：同“疲”。㉒怨、讟（dú）：皆怨恨之义。㉓经：常，常法。㉔荆尸：楚军的一种阵法，传自楚武王。荆，楚。尸，陈。㉕商：四处流动的商人。贾：固定在某地的商人。㉖卒乘：士兵。卒，步兵。乘，车兵。辑：和。㉗奸（gān）：犯。㉘蒍敖：即孙叔敖。宰：指令尹。㉙令典：好的礼法政令。㉚右辕：右军根据主将车辕之指向行动。㉛左追蓐（rù）：左军追求草蓐作为宿营之备。㉜前茅：前军。茅，通“旄”。军旗以旄为饰。虑无：应对突发情况。㉝中权：中军统筹全局。后劲：后军以精兵断后。㉞百官象物而动：军中百官，各建旌旗，依职而动。象物，取法物类。㉟戒：敕令。㊱举：选拔人才。㊲内姓：同姓。亲：亲近者。㊳外姓：异姓。旧：指贵族世家。㊴劳：指有功之人。㊵加惠：特加之恩惠。㊶旅：旅客。施舍：赐予。㊷章：文章，服色。㊸“贵有常尊”二句：这两句互文，指贵贱不同，威仪各有等差。㊹事时：按时行政。㊺昧：昏乱。㊻经武：整顿武备。㊼仲虺（huǐ）：汤之左相。㊽侮：陵。㊾“于铄王师”二句：即《诗·周颂·汋》。汋：今作“酌”。铄（shuò）：美。遵：率领。养：取。时：此。晦：昧。㊿耆：攻。(51)“《武》曰”句：即《诗·周颂·武》。竞：强。烈：业。(52)务：致力于。烈所：可以成就功业之事。(53)彘子：即先縠。(54)夫：丈夫，男子汉。

［译文］

夏六月，晋国军队救援郑国。荀林父统率中军，先縠辅佐他。士会统领上军，郤克辅佐他。赵朔统领下军，栾书辅佐他。赵括、赵婴齐担任中军大夫，巩朔、韩穿担任上军大夫，荀首、赵同担任下军大夫。韩厥担任司马。到了黄河边上，听说郑国已经和楚国讲和，荀林父打算回兵，说：“来不及救援郑国而劳师动众，有什么用？等楚军回国后再行动，也不算迟。”士会说：“好。我听说指挥打仗，要相机而动。德行、刑罚、政令、事务、典则、礼仪都不违背常道,这样的国家是不可为敌的,不应该和它打仗。楚军讨伐郑国,愤恨它的背叛,哀怜它的卑弱。背叛就讨伐它,顺服就饶恕它,德行、刑罚都具备了。讨伐背叛者,是刑罚;安抚顺服者,是德行,这两方面都树立起来了。楚国去年进入陈国,如今又进入郑国,百姓不感到疲劳,君王没有受到怨恨,可见政令是合乎常道的。列成荆尸之阵而出兵,商贩、农民、工匠、店主都不废其业,士兵之间关系和睦,事务就不相干扰了。芳敖做令尹,选用楚国好的法典;军队出动,右军跟随主将车辕行动,左军割草以备宿营之需,前军举旗开路以防意外,中军统筹全局,后军以精兵断后。军中百官各建旌旗,按职行动,军中事务不必下达敕令而完备,这是善于运用典则了。

"他们的国君选拔人才时,同姓中选最亲近的,异姓中选世家大族。选拔时不遗失有德行的人,赏赐时不漏掉有功劳的人。对老人有特别的恩惠,对旅客则有赐予。君子和小人,各有规定的衣服色彩。对高贵的人有一定的礼仪表示尊重,对卑贱的人有一定的规矩使他们畏服,礼节就没有不顺的了。德行树立,刑罚施行,政令有成,事务合时,典则通行,礼节顺当,怎么能与他相敌呢?看到可能就前进,发觉困难就后退,这是指挥作战的上策。兼并弱小,攻打愚昧,这是用兵的好规则。您姑且整顿军队、修治武备吧!另外还有其他弱小愚昧的国家,何必一定要与楚国交战呢?仲虺说过:'占取混乱之国,欺侮将亡之国。'就是指兼并弱小。《汋》诗说:'天朝军队多辉煌,攻取这个愚昧的殷商。'说的就是攻打愚昧。《武》诗说:'他的功业世无双。'安抚弱小的,进攻愚昧的,以致力于建立功业,这就可以了。"先縠说:"不可以。晋国之所以能称霸诸侯,在于军队勇武、臣子尽力。如今失去诸侯,不能说是尽力;有了敌人而不去迎战,不能说是勇武。因为我们而丢掉霸业,不如去死。而且全师而出,听到敌人强大就撤退,这不是大丈夫。被任命为军队统帅,结果却不像个大丈夫,这只有你们能这样,我是不干的。"就以中军副帅的身份领兵渡过了黄河。

知庄子①曰:"此师殆哉!《周易》有之:在《师》☰☰之《临》☰☰②,曰:'师出以律,否臧,凶。'③执事顺成④为臧,逆为否。众散为弱⑤,川壅为泽⑥。有律以如己也⑦,故曰律。否臧,且律竭也⑧。盈而以竭⑨,夭且不整⑩,所以凶也。不行谓之《临》⑪,有帅而不从,临孰甚焉?⑫此之谓矣。果⑬遇,必败,彘子尸⑭之,虽免而归,必有大咎⑮。"韩献子谓桓子曰:"彘子以偏师陷⑯,子罪大矣。子为元帅,师不用命,谁之罪也?失属、亡师⑰,为罪已⑱重,不如进也。事之⑲不捷,恶有所分。与其专罪⑳,六人同㉑之,不犹愈㉒乎?"师遂济。

楚子北师次于郔㉓。沈尹㉔将中军,子重㉕将左,子反㉖将右,将饮马于河而归㉗。闻晋师既济,王欲还,嬖人伍参欲战㉘。令尹孙叔敖弗欲,曰:"昔岁入陈,今兹入郑,不㉙无事矣。战而不捷,参之肉其足食乎?㉚"参曰:"若事之捷,孙叔为无谋矣。不捷,参之肉将在晋军,可得食乎?"令尹南辕、反旆㉛,伍参言于王曰:"晋之从政者新,未能行令。其佐先縠刚愎㉜不仁,未肯用命。其三帅者,专行不获㉝。听而无上㉞,众谁适从㉟?此行也,晋师必败。且君而逃臣㊱,若社稷何㊲?"王病之,告令尹改乘辕而北之,次于管㊳以待之。

[注释]

①知庄子:荀首。知,同"智"。②在《师》☰☰之《临》☰☰:卦象由《师》☰☰变为《临》☰☰。《师》,《坎》下《坤》上。《临》,《兑》下《坤》上。《师》卦之初爻由阴爻变为阳爻,即变为《临》卦。③"师出以律"三句:《周易·师·初六》爻辞。说师出当遵法纪,法纪不善,则有凶咎。律:法。否:不。臧:善。④顺成:循法以成事。⑤众散为弱:《师》变为《临》,

是由于《坎》变为《兑》。《坎》为众，变为《兑》，则有众散之象，故弱。⑥川壅为泽：《坎》为川，《兑》为泽，《坎》变为《兑》，有川塞之象。⑦"有律以如己也"句：有法纪，军队就会指挥自如。如己：谓如己意。⑧且：乃，是。竭：穷，尽。⑨盈而以竭：《坎》为川，川水充沛，故曰盈。变而为《兑》，《兑》为泽，泽水易竭。⑩夭：阻塞。且：而。不整：谓众散。⑪不行谓之《临》：《师》变为《临》，象征川壅为泽，故水不流行。⑫"有帅而不从"二句：龟子不从主帅军令，法纪不行，莫甚于此。⑬果：若。表假设。⑭尸：主。⑮咎：灾祸。后来先縠被处死。⑯偏师：部分军队，与主力相对而言。陷：深入。⑰属：属国，指郑国。亡师：孤军深入，必败。⑱已：太。⑲之：若。表假设。⑳专罪：主帅一人承担罪责。㉑同：共。指六位统军将领共同分担。㉒愈：胜。指六人分担罪责，胜于主帅一人承担。㉓郔：郑地，今河南郑州市北。㉔沈尹：沈县大夫。㉕子重：公子婴齐。㉖子反：公子侧。㉗将饮马于河而归：楚已服郑，准备用饮马于河的借口回国。㉘嬖人：宠臣。伍参：伍奢的祖父。㉙不：非。㉚"战而不捷"二句：意思是如果战败，就是杀了伍参也抵偿不了。其：岂。㉛南辕：回车向南。反旆：前军调转方向，即准备回国。旆，前军大旗。㉜愎：狠，戾。㉝专行不获：欲专行而不得。㉞听而无上：想要服从命令，不知谁才是上级。㉟适、从：听从。同义。㊱君：楚庄王。逃：避让。臣：荀林父。㊲若社稷何：拿社稷怎么办？意思是有辱社稷。㊳管：地名，今河南郑州市北。

[译文]

荀首说："这支部队太危险了！《周易》上有这样的卦象，即从《师》卦䷆变为《临》卦䷒，爻辞说：'出兵用律令来约束，做不到，凶。'执行顺利而成功就是善，反过来就是不善。大众离散就变弱，流水壅塞便成沼泽。有律令则指挥三军如同指挥自己一样，所以叫做'律'。执行不顺，律令就会穷竭无用。从充足到穷竭，阻塞而且不整齐，这就是凶象了。不能流动叫做《临》，有统帅而不服从，还有比这更严重的'临'吗？说的就是这种情况啊。如果遭遇敌人，一定失败，先縠会是罪魁祸首。即使他全身而退，必然会有大的灾祸。"韩厥对荀林父说："先縠带着一部分军队深入敌境，您的罪过很大了。您是军队主帅，军队不听号令，这是谁的罪过？失去属国，军队受损，犯的罪过已经很重了，还不如进军。就算打了败仗，罪责有人分担。与其一个人承担罪责，由六个人共同分担，不是更好吗？"晋军就渡过了黄河。

楚庄王率军向北，驻扎在郔地。沈尹统率中军，子重统率左军，子反统率右军，准备在黄河饮马后就回国。听到晋军已经渡河，楚庄王打算回师，他的宠臣伍参主张迎战。令尹孙叔敖不想打，说："我们去年攻入陈国，今年攻入郑国，不是没有战争。战而不胜，伍参的肉够吃吗？"伍参说："如果作战得胜，那就显出孙叔没有谋略。如果不能获胜，我的肉将落在晋军手里，哪轮得到你吃？"孙叔敖下令回车向南、旌旗掉头。伍参对楚庄王说："晋国的执政是新上任的，号令不能施行。他的辅佐先縠刚强狠戾，不行仁义，不肯听从命令。他们的三个统帅，想要专权行事，却办不到。想要服从命令，不知谁才是上级，大军无所适从。这一去，晋军必然失败。再说我们君王出马，却避让他们的臣子，国家怎么能受这等耻辱？"楚庄王听了后觉得难堪，就叫孙叔敖转过车辕向北前进，驻扎在管地等待晋军。

晋师在敖、鄗之间①。郑皇戌②使如晋师，曰："郑之从楚，社稷之故也，未有贰心。楚师骤③胜而骄，其师老④矣，而不设备。子击之，郑师为承⑤，楚师必败。"郤子曰："败楚服郑，于此在矣⑥。必许之！"栾武子曰："楚自克庸⑦以来，其君无日不讨国人而训之于民生之不易、祸至之无日、戒惧之不可以怠⑧；在军，无日不讨军实而申儆之于胜之不可保、纣之百克而卒无后⑨，训之以若敖、蚡冒筚路蓝缕以启山林⑩。箴⑪之曰：'民生在勤，勤则不匮。'不可谓骄。先大夫子犯有言曰：'师直为壮，曲为老。'⑫我则不德，而徼怨于楚。我曲楚直，不可谓老。其君之戎分为二广⑬，广有一卒⑭，卒偏之两⑮。右广初驾⑯，数⑰及日中，左则受⑱之，以至于昏。内官序当其夜⑲，以待不虞⑳。不可谓无备。子良，郑之良也；师叔㉑，楚之崇也。师叔入盟，子良在楚㉒，楚、郑亲矣。来劝我战，我克则来㉓，不克遂往㉔，以我卜㉕也！郑不可从。"赵括、赵同曰："率师以来，唯敌是求㉖。克敌、得属，又何俟？必从夔子！"知季曰："原、屏㉗，咎之徒㉘也。"赵庄子㉙曰："栾伯㉚善哉！实㉛其言，必长晋国。"

楚少宰㉜如晋师，曰："寡君少遭闵凶㉝，不能文㉞。闻二先君之出入此行也㉟，将郑是训定㊱，岂敢求罪于晋？二三子无淹㊲久！"随季对曰："昔平王命我先君文侯㊳曰：'与郑夹辅周室，毋废王命！'今郑不率㊴，寡君使群臣问诸郑，岂敢辱候人㊵？敢拜君命之辱。"夔子以为谄㊶，使赵括从而更之曰："行人失辞㊷。寡君使群臣迁大国之迹于郑，曰：'无辟㊸敌！'群臣无所逃命㊹。"

[注释]

①敖、鄗（qiāo）：均山名，今河南荥阳市北。②皇戍：郑卿。③骤：屡次。④老：在外日久，军队疲劳。⑤承：继。⑥于此在矣：即在于此矣。⑦克庸：楚灭庸在文公十六年（前611年）。⑧讨：治。于：以。⑨军实：军中人员器用之总称，此指将士。申、儆：告诫。二字同义。纣之百克：纣王曾百战百胜。⑩若敖、蚡冒：楚国早期君主。若敖，名熊仪，当周幽王之世。蚡冒，为楚武王之兄。筚路蓝缕以启山林：驾着柴车、穿着破衣服开辟土地。筚路，用竹木编的车，也称柴车。蓝缕，敝衣。⑪箴：告诫。⑫"师直为壮"二句：意思是师出有名，就士气高涨；反之则士气低落。直：理直。曲：理亏。⑬君之戎：楚王之亲兵。二广（guǎng）：东、西两广。⑭广有一卒：每广有兵车三十乘。三十乘为一卒。⑮卒偏之两：每卒由两偏组成。战车十五乘为一偏。两，两倍。⑯初驾：先驾。⑰数：数漏刻，指时间。⑱受：更，代。⑲内官：

近侍之臣。序：次，依次。当：值。⑳不虞：不料，指意外之事。㉑师叔：潘尪。㉒在楚：出质在楚。㉓来：谓附晋。㉔往：谓附楚。㉕以我卜：以我军之胜负来决定是否依附我们。㉖唯敌是求：只求与敌打仗。㉗原：赵同。屏：赵括。㉘咎之徒：招祸之人。㉙赵庄子：赵朔，赵盾之子。㉚栾伯：栾书。㉛实：行。㉜少宰：官名。太宰之副。㉝闵凶：忧患之事。㉞不能文：谓拙于言辞。㉟二先君：指楚武王、穆王，楚庄王之父、祖。行：道路。㊱将：唯。郑是训定：训定郑国。是，为宾语前置的结构助词。㊲淹：久。㊳文侯：名仇。周平王东迁，晋文侯与郑武公共定周室。㊴不率：不遵王命。率，循。㊵岂敢辱候人：意思是不想与楚交战。候人，掌迎送宾客的官员。此指楚少宰。㊶诣：谄媚，讨好。㊷行人：使者的通称。失辞：回答有误。㊸辟：同"避"。㊹无所逃命：没有地方逃避命令，指将与楚战。

[译文]

晋国军队驻扎在敖、鄗二山之间。郑皇戌到晋军中，说："郑国服从楚国，是为了保全国家的缘故，对晋国没有二心。楚军因屡次获胜而骄傲，他们长久在外很疲劳，而且不加防备。你们攻击他们，郑军随后出击，楚军必然失败。"先縠说："打败楚国，收服郑国，在此一举了，我们一定要答应！"栾书说："楚国自从战胜庸国以来，他们的国君没有一天不在治理国家，教育人民说人民安居乐业不容易，祸患随时会到来，要时刻戒备警惕，不可以懈怠；在军队中没有一天不在管理官兵，警戒他们说，胜利不可能永远保持，纣打了一百次胜仗而最终仍然亡国绝后，用若敖、蚡冒乘柴车、穿破衣开辟山林的事迹来教训他们。劝诫大家说：'百姓的生计在于勤劳，勤劳了就不会匮乏。'这就不能说楚国骄傲。先大夫子犯曾经说过：'出兵作战，理直就气壮，理亏就气衰。'我们的行为不合乎道德，却去和楚国结怨，我们理亏，楚国理直，这就不能说楚国气衰。他们国君的亲兵分为左右二广，每广有战车一卒，每卒又分左右两偏。右广先备战，时至正午，左广就去替换，直到黄昏。左右近臣按次序轮流值夜，以防备意外。这就不能说楚国没有防备。

子良，是郑国的贤人。潘尪，是楚国地位崇高的人。潘尪进入郑都订立盟约，子良在楚国做人质，楚国和郑国关系很密切了。现在郑国来劝我们出击，我们胜了就来归顺，我们败了就投靠楚国，这是拿我们争战的结果来决定自己的立场，郑国的话不能听从。"赵括、赵同说："率军前来，就是找敌人作战，打败敌人，得到属国，还等什么？一定要听从先縠的话。"荀首说："赵同、赵括这两个家伙，是招祸的人啊。"赵朔说："栾书说得好！照他的话去做，一定能使晋国长久。"

楚国的少宰到晋军中去，说："寡君年轻时遭遇忧患，不善于辞令。听说二位先君在这里来往，是为了教训安定郑国，怎敢得罪晋国？你们各位不要停留得太久了！"士会回答说："从前平王命令我们的先君文公说：'和郑国一起辅佐周王室，不要废弃天子的命令。'现在郑国不遵循天子的命令，寡君派下臣们来向郑国询问，怎么敢有劳贵国候人迎送？谨此拜谢贵国君王的命令。"先縠认为这样说是讨好楚国，派赵括追上使者而更正说："行人的话不恰当。寡君派下臣们来把大国的行迹迁出郑国，说：'不要避让敌人。'下臣们没有地方逃避命令。"

楚子又使求成于晋，晋人许之，盟有日①矣。楚许伯御乐伯，摄叔为右，②以致晋师③。许伯曰："吾闻致师者，御靡旌摩垒而还④。"乐伯曰："吾闻致师者，左射以菆⑤，代御执辔，御下，两马、掉鞅而还⑥。"摄叔曰："吾闻致师者，右入垒，折馘、执俘而还⑦。"皆行其所闻而复。晋人逐之，左右角之⑧。乐伯左射马，而右射人，角不能进。矢一而已。麋兴于前，射麋丽龟⑨。晋鲍癸当其后，使摄叔奉麋献焉，曰："以岁之非时⑩，献禽⑪之未至，敢膳诸从者。"鲍癸止之⑫，曰："其左善射，其右有辞，君子也。"既免。

晋魏锜求公族未得⑬，而怒，欲败晋师。请致师，弗许。请使，许之。遂往，请战而还。楚潘党逐之，及荧泽⑭，见六麋，射一麋以顾献，曰："子有军事，兽人无乃不给于鲜⑮？敢献于从者。"叔党⑯命去之。赵旃⑰求卿未得，且怒于失楚之致师者，请挑战，弗许。请召盟，许之，与魏锜皆命而往。郤献子曰："二憾⑱往矣，弗备，必败。"彘子曰："郑人劝战，弗敢从也；楚人求成，弗能好也。师无成命⑲，多备何为？"士季曰："备之善。若二子怒楚，楚人乘⑳我，丧师无日矣，不如备之。楚之㉑无恶，除备而盟，何损于好？若以恶来，有备，不败。且虽诸侯相见，军卫不彻㉒，警也。"彘子不可。士季使巩朔、韩穿帅七覆于敖前㉓，故上军不败。赵婴齐使其徒先具舟于河，故败而先济。

[注释]

①有日：日期已定。②"楚许伯御乐伯"二句：乐伯居左，许伯居中驾车，摄叔为车右。③致晋师：向晋军挑战。④靡旌：驾车疾驱，使旌旗倾斜。摩垒：迫近敌人营垒。摩，近。⑤左：车左。菆（zōu）：植物的茎。此指箭中最好者。⑥两马：整治马饰。掉：正。鞅：套在马颈部的革带。服马之鞅，用以固辀；骖马之鞅，一端系于衡之中部，以防两骖马外逸。⑦折馘（guó）：杀敌取其左耳。执俘：生俘敌人。⑧左右角之：从两边包抄夹击。⑨丽：著。龟：指兽背上隆起之处。古人射猎，以从背部射入、贯穿到腋下为善射。⑩以岁之非时：献麋在夏季，而时当初夏，故曰"非时"。⑪献禽：即献兽。⑫止之：止其众不复追赶。⑬魏锜：又称吕锜、厨武子（食邑于厨，谥武），魏肇之子。公族：指公族大夫，掌教训公室子弟。⑭荧泽：即荥泽。今河南荥阳市东。⑮兽人：官名。掌供野兽，并掌田兽之政令。给：足。⑯叔党：即潘党。⑰赵旃：赵穿之子。⑱二憾：两个心怀怨恨的人。指魏锜、赵旃。⑲成命：既定的策略。⑳乘：陵。指突袭。㉑之：如果。表示假设。㉒彻：通"撤"。㉓帅：率。七覆：七处伏兵。

[译文]

楚庄王又派人向晋军求和,晋国人答应了,已经定好了结盟的日期。楚国的许伯为乐伯驾驭战车,摄叔为车右,向晋军单车挑战。许伯说:"我听说单车挑战,驭手要能快到使车上的旌旗倾斜,迫近敌人的营垒后再回来。"乐伯说:"我听说单车挑战,车左用好箭射敌,代替驭手执辔,驭手下车整顿马匹,拨正革带,然后回来。"摄叔说:"我听说单车挑战,车右冲入敌人营垒,杀死敌人割下耳朵,带着俘虏,然后回来。"三人都按照他们所听说的做了,然后回返。晋国人追击他们,派出左右两支队伍进行夹攻。乐伯左边射马,右边射人,使两支队伍不能接近。最后只剩下一支箭了。这时有麋鹿出现在前面,乐伯用箭射它,正中背部。晋国的鲍癸正在后面追赶,乐伯派摄叔拿着麋鹿献给他,说:"因为还没到时候,应当奉献的禽兽还没有出现,谨以此献给您的随从当饭菜。"鲍癸阻止部下不再追赶,说:"他们的车左善于射箭,车右善于辞令,都是君子啊。"因此三人都免于被俘。

晋国的魏锜要求担任公族大夫没有遂愿,心怀愤怒,想让晋军吃败仗。他要求单车挑战,没有得到允许。请求出使,获得许可。魏锜就到楚营去,请战以后回来。楚国的潘党追赶他,到达荥泽,魏锜见到六只麋鹿,射了一只,回车献给潘党,说:"您有军务在身,兽人来不及供应新鲜野味吧?谨以此献给您的随从。"潘党下令不再追赶。赵旃要求做卿没能如愿,同时对放走楚国单车挑战的人感到愤怒,请求向楚军挑战,没被允许。他请求去召集会盟,得到允许,就与魏锜一起受命前往。郤克说:"这两个心怀不满的家伙去了,我们如果不做准备,必定会打败仗。"先縠说:"郑国人劝我们出击,我们不敢听从;楚国人要求讲和,我们不能与他们修好。军中没有固定的策略,多做准备有什么用?"士会说:"早做准备的好。如果这两个人激怒了楚国,楚军偷袭我们,我们会随时丢掉军队，不如做好防备。楚国人如果没有恶意，就撤销防备与他们结盟，对两国交好有什么损害？如果他们带着恶意前来，我们有了防备，就不至于失败。况且即使诸侯相见，军队的守卫也不予撤除，这就是警惕。"先縠不同意。士会派巩朔、韩穿在敖山前统率七处伏兵，所以上军保持不败。赵婴齐派他的部下先在河边备下了船只，所以后来虽然打败了却能先渡过河去。

　　潘党既逐魏锜，赵旃夜至于楚军，席于军门之外，使其徒入之。楚子为乘广三十乘，分为左右。① 右广鸡鸣而驾，日中而说②；左则受之，日入而说。许偃御右广，养由基③为右；彭名御左广，屈荡为右。乙卯，王乘左广以逐赵旃。赵旃弃车而走林，屈荡搏之，得其甲裳④。晋人惧二子之怒楚师也，使軘车⑤逆之。潘党望其尘，使骋而告曰："晋师至矣！"楚人亦惧王之入晋军也，遂出陈。孙叔曰："进之！宁我薄⑥人，无人薄我。《诗》云：'元戎十乘，以先启行'⑦，先人⑧也。《军志》曰：'先人有夺人之心⑨'，薄之也。"遂疾进师，车驰、卒奔，乘晋军。桓子不知所为，鼓于军中曰："先济者有赏！"中军、下军争舟，舟中之指可掬也。⑩

　　晋师右移，上军未动。工尹齐将右拒卒以逐下军⑪。楚子使唐狡与蔡鸠居告唐惠侯曰⑫："不榖⑬不德而贪，以遇大敌，不榖之罪也。然楚不克，君之羞也。敢藉君灵⑭，以济楚师。"使潘党率游阙⑮四十乘，从唐侯以为左拒，以从上军。驹伯⑯曰："待⑰诸乎？"随季曰："楚师方壮，若萃于我，吾师必尽，不如收而去之。分谤、生民⑱，不亦可乎？"殿其卒⑲而退，不败。王见右广，将从之乘。屈荡户⑳之，曰："君以此始，亦必以终。"自是楚之乘广先左㉑。

[注释]

①"楚子为乘广三十乘"二句：楚庄王将乘广分为左、右两广，每广三十乘。②说（shuì）：舍，卸车。③养由基：字叔。楚国神射手。④甲裳：甲之下衣。⑤轳（tún）车：兵车之一种。⑥薄：迫。⑦"元戎十乘"二句：引文出自《诗·小雅·六月》。元戎：古代大型战车，用于冲开敌阵。元，大。启行：开道。⑧先人：先于敌而动。即争取主动。⑨先人有夺人之心：意思是夺敌战心。⑩"中军、下军争舟"二句：后至者以手攀舟，在舟者以刀砍之，所以舟中断指非常之多。掬：双手合捧。⑪工尹齐：楚大夫，名齐，"工尹"为官名。右拒：右翼方阵。拒，通"矩"。⑫唐狡、蔡鸠居：楚大夫。唐，楚属小国。⑬不穀：君主自谦之辞。⑭藉：借。灵：福。⑮游阙：机动战车。⑯驹伯：郤克之子。⑰待：御。⑱分谤：分担逃跑之责。生民：使民得生。指不战。⑲殿其卒：担任上军之后殿。⑳戶：止。㉑自是楚之乘广先左：此前晋军一直是右广为先。

[译文]

潘党已经赶走了魏锜，赵旃夜里到达楚营，铺开席子坐在军门外，派他的手下进入楚营。楚庄王设立乘广，每广三十辆战车，分为左、右两广。右广鸡叫时套上车，到正午时卸车；左广就接替它，到太阳下山时卸车。许偃驾驭右广指挥车，养由基担任车右；彭名驾驭左广指挥车，屈荡担任车右。六月某日，楚庄王乘左广指挥车追赶赵旃。赵旃丢弃战车，跑进树林，屈荡入林和他搏斗，获得了他的甲裳。晋国人担心二人激怒楚国军队，派出轳车来接他们。潘党远望飞扬的车尘，派人飞车前往报告说："晋国军队到了！"楚国人也害怕楚庄王进入晋军，就出兵列阵迎战。孙叔敖说："进攻！宁可我们先迫近敌人，也不要让敌人迫近我们。《诗》说：'战车十辆，当先开道。'就是说要先于敌人行动。《军志》上说：'先下手可以夺去敌人的斗志。'说的就是要迫近敌人。"于是就快速进军，战车飞驰，士卒急奔，掩袭晋军。荀林父不知所措，在军中击鼓说："先渡河退回的有赏！"中军、下军抢着上船，船上被砍下的断指可以用手捧起来。

　　晋军向右移动，上军没有动。工尹齐率领右方阵的士兵追击晋军下军。楚庄王派唐狡与蔡鸠居对唐惠侯说："不穀德行不够却贪功，因而遇上了强大的敌人，这是不穀的罪过。然而楚国如果不能取胜，也是您的耻辱。谨借重君王威灵，来帮助楚军。"派潘党率领机动战车四十辆，跟从唐惠侯作为左方阵，以迎战晋军的上军。驹伯说："抵御他们吗？"士会说："楚国军队士气正旺，如果集中兵力对付我们，我军必然覆灭。还不如收兵撤离。分担罪责、保全士兵的生命，不也是可以的吗？"亲自为上军殿后，保持不败。楚庄王见到右广的战车，准备乘坐。屈荡阻止他，说："君王乘坐左广的车开始战斗，也一定要乘坐它结束战斗。"从此楚国的乘广以左广为先。

　　晋人或以广队不能进①，楚人惎之脱扃②。少进，马还③，又惎之拔旆投衡④，乃出。顾曰："吾不如大国之数奔⑤也。"

　　赵旃以其良马二济其兄与叔父，以他马反。遇敌不能去，弃车而走林。逢大夫与其二子乘⑥，谓其二子无顾⑦。顾曰："赵傁⑧在后。"怒之，使下，指木曰："尸女⑨于是。"授赵旃绥⑩，以免。明日，以表⑪尸之，皆重获在木下⑫。

　　楚熊负羁囚知䓨⑬，知庄子以其族⑭反之，厨武子御，下军之士多从之。每射，抽矢，菆，纳诸厨子之房⑮。厨子怒曰："非子之求，而蒲之爱，⑯董泽⑰之蒲，可胜既⑱乎？"知季曰："不以⑲人子，吾子其⑳可得乎？吾不可以苟射故也。"射连尹㉑襄老，获㉒之，遂载其尸；射公子穀臣㉓，囚之。以二者还。

　　及昏，楚师军于邲。晋之余师不能军，宵济，亦终夜有声。

[注释]

　　①广：兵车。队："坠"的本字。②惎（jì）：教。扃（jiōng）：兵车前部

横木。③还(xuān):盘旋不进。④旆:大旗。衡:车轭,厄于马颈之横木。⑤数奔:屡次逃命。意思是楚人经常打败仗,所以逃跑的经验比晋人强。⑥逢(páng):氏。与:以。⑦无顾:不要回头看。⑧叟:同"叟"。⑨尸女:收汝尸骨。⑩绥:登车用的绳子。⑪表:标记。⑫皆重获在木下:兄弟俩都死在树下。获,得。⑬熊负羁:楚大夫。知䓣:荀首(知庄子)之子,字子羽。⑭族:同族部属。⑮"每射"四句:指荀首自背抽箭,若遇到蒲柳做箭杆的箭,就放入魏锜的箭袋。⑯"非子之求"二句:指不尽心营救儿子,舍不得用好箭。蒲:蒲柳,做箭杆的材料。⑰董泽:泽名,在今山西闻喜县东北。⑱既:同"摡",取。⑲不以:不有,不抓住。⑳其:岂。㉑连尹:楚官名。㉒获:生俘、死得皆可称获。㉓公子毂臣:楚王之子。

[译文]

晋军有人的战车陷在坑里不能前进,楚军教他们抽掉车前横木。战车没走多远,马又盘旋不前,楚军又教他们拔掉大旗、扔掉车轭,这样才逃了出去。晋军回头对楚军说:"我们不像大国多次逃跑,经验丰富。"

赵旃用他的两匹好马拉车送走他的哥哥与叔父,自己用别的马驾车回逃,碰上敌人不能逃脱,就扔掉战车跑进树林。逢大夫和他的两个儿子乘一辆车经过,吩咐两个儿子不要回头看。两个儿子回头看了,说:"赵老头儿在后边。"逢大夫发怒,把儿子赶下车,指着一棵树说:"在这儿来收你们的尸体。"把上车的绳子递给赵旃,得以逃脱。第二天,逢大夫按照标记收尸,在那棵树下找到了两个压在一起的尸体。

楚国的熊负羁活捉了知䓣。荀首带着他的同族部属返回营救,魏锜为他驾车,下军的将士大多跟着他。荀首每次射箭,如果抽的是好箭,就放进魏锜的箭袋里。魏锜发怒说:"不去救自己的儿子,却舍不得用箭,董泽那儿的蒲柳,难道用得完吗?"荀首说:"抓不到敌人的儿子,我的儿子难道能救回来吗?这就是我不轻易把好箭用掉的缘故。"射连尹襄老,得到他的尸体,就放到战车上。射公子縠臣,俘虏了他。带着二者回程。

到黄昏的时候,楚军驻扎在邲地。晋国的残兵败卒溃不成军,在夜里渡河,整整一夜没有消停。

丙辰①,楚重②至于邲,遂次于衡雍③。潘党曰:"君盍筑武军而收晋尸以为京观④?臣闻克敌必示子孙,以无忘武功。"楚子曰:"非尔所知也。夫文,止戈为武⑤。武王克商,作颂曰:'载戢干戈,载櫜弓矢。我求懿德,肆于时《夏》,允王保之。'⑥又作《武》⑦,其卒章⑧曰:'耆定尔功⑨。'其三曰:'铺时绎思,我徂惟求定。'⑩其六曰:'绥万邦,屡丰年。'⑪夫武,禁暴、戢兵、保大、定功、安民、和众、丰财者也⑫,故使子孙无忘其章⑬。今我使二国暴骨,暴矣;观兵以威诸侯,兵不戢矣;暴而不戢,安能保大?犹有晋在,焉得定功?所违民欲犹多,民何安焉?无德而强⑭争诸侯,何以和众?利人之几⑮,而安人之乱,以为己荣,何以丰财?武有七德,我无一焉,何以示子孙?其为先君宫,告成事⑯而已,武非吾功也⑰。古者明王伐不敬,取其鲸鲵而封之⑱,以为大戮,于是乎有京观以惩淫慝⑲。今罪无所⑳,而民皆尽忠以死君命,又可以为京观乎㉑?"祀于河,作先君宫,告成事而还。

[注释]

①丙辰:此年六月无丙辰,可能记载有误。②重:辎重之车。③衡雍:郑地,今河南原阳县西北。④盍:何不。武军:把敌人尸体收集后用土封起来。京观:在武军上建木而表之。二者都是表彰武功的标记。⑤武:"武"字古文从"止"从"戈"。⑥"载戢干戈"五句:引文出自《诗·周颂·时迈》。载:语助词,无义。戢:收藏兵器。干戈:盾与戟,用作武器的通称。櫜(gāo):韬,弓衣。懿:美。肆:陈。时:是,此。《夏》:乐名。夏,大。允:语助,无义。之:指《夏》。⑦《武》:《诗·周颂》篇名。⑧卒章:最后

一章。今本《诗经》中,《武》只有一章。⑨耆定尔功:指武王继承文王绪业,致定其功。耆,致。⑩"其三曰"三句:诗句见今《诗·周颂·赉》。古今《诗》篇次不同。其三:第三章。大意是,陈述文王之德,我伐纣而求天下安定。铺:同"敷",布。时:是,此。绎:陈。思:语助词,无义。徂:往。惟:同"唯"。⑪"绥万邦"二句:诗句见今《诗·周颂·桓》。绥:安。⑫"禁暴、戢兵"句:对上列各项的总结。禁暴:止戈为武。戢兵:戢干戈,櫜弓矢。保大:肆于时《夏》,允王保之。定功:耆定尔功。安民:我徂惟求定。和众:绥万邦。丰财:屡丰年。⑬章:大功。⑭强:勉强。⑮几:危。⑯成事:战胜。⑰武非吾功也:这次胜利不足以成为武功。⑱鲸、鲵:鲸鱼。雄曰鲸,雌曰鲵。比喻首恶之人。⑲淫、慝:邪恶。指不敬之人。⑳罪无所:无处可以归罪。㉑可:通"何"。

[译文]

六月某日,楚军的辎重到达邲地,军队就移驻在衡雍。潘党说:"君王何不在这里修筑武军,收集晋军的尸体建立京观呢?下臣听说战胜了敌人一定要让子孙知道,让后代不忘记武功。"楚庄王说:"这不是你所知道的。从文字上说,'止'、'戈'组成'武'字。武王战胜商朝,作《颂》说:'收起干戈,藏好弓箭。我追求美德,陈于《夏》乐之中,成就王业保天下。'又作《武》诗,它最后一章说:'巩固你的功业。'它的第三章说:'布陈先王的美德,我去征讨只是求得天下安定。'它的第六章说:'安抚万邦,丰年常在。'武力,是用来禁止强暴、消弭战争、保持强大、巩固功业、安定人民、调和大众、丰富财物的,所以要让子孙不要忘记他的武功。如今我使得两国将士暴露尸骨,这是强暴;夸耀武力来威胁诸侯,战争没有消弭;强暴而又不能消弭战争,怎么能够保持强大?还有晋国在,哪里能巩固功业?所做违背人民意愿的还有很多,人民哪里会安定?没有德行而勉强与诸侯相争,用什么来调和大众?把别人的危难作为自己的利益,坐视别人的祸乱,以此作为自己的光荣,凭什么来丰富财物?周武王有七种美德,我一种都没有,用什么来昭示子孙？还是修建先君的神庙，报告战争胜利就可以了，武功不是我的功业。古时候贤明的君王讨伐无礼的国家，捕杀它的首恶元凶，筑起坟山，作为大惩罚，所以就有了京观，用来惩戒罪恶。如今晋国的罪过无法确指，而他们的士兵都在尽忠，为执行君王的命令而战死，又可以建造京观吗？"在黄河边祭祀河神，修建先君的神庙，报告战争胜利然后回国。

是役也，郑石制①实入楚师，将以分郑，而立公子鱼臣。②辛未，郑杀仆叔③及子服。君子曰："史佚所谓'毋怙乱④'者，谓是类也。《诗》曰：'乱离瘼矣，爰其适归'⑤，归于怙乱者也夫！"

郑伯、许男如楚。

秋，晋师归，桓子请死，晋侯欲许之。士贞子⑥谏曰："不可。城濮之役，晋师三日谷，文公犹有忧色。左右曰：'有喜而忧，如有忧而喜乎？'公曰：'得臣⑦犹在，忧未歇也。困兽犹斗，况国相乎？'及楚杀子玉，公喜而后可知也。曰：'莫余毒也已。'是晋再克而楚再败也⑧。楚是以再世不竞⑨。今天或者大警晋也，而又杀林父以重楚胜，其无乃久不竞乎？林父之事君也，进思尽忠，退思补过，社稷之卫也，若之何杀之？夫其败也，如日月之食焉，何损于明？"晋侯使复其位。

[注释]

①石制：郑大夫，字子服。②"将以分郑"二句：意指把郑国一分为二，一部分给楚国，一部分奉立鱼臣为君。③仆叔：即公子鱼臣。④怙乱：恃乱求利。⑤"乱离瘼矣"二句：诗句见《诗·小雅·四月》。离：忧。瘼：病。爰：焉。适：归。⑥士贞子：士渥浊，晋大夫。⑦得臣：楚令尹子玉。⑧是晋再克而楚再败也：既胜其军，又杀其相，对晋而言是再胜，对楚而言是再败。⑨再世：指成王、穆王之世。不竞：不强。

[译文]

这次战役,郑石制实是把楚军引入郑国,打算分割郑国,立公子鱼臣为君。辛未,郑国杀死了公子鱼臣和石制。君子说:"史佚所说的不要凭借动乱,就是说的这类人。《诗》说:'兵荒马乱心忧苦,何处可去何处可归宿?'这是归罪于靠动乱来谋利的人吧!"

郑襄公、许昭公去楚国。

秋,晋军回国,荀林父请求定他死罪,晋景公准备答应他。士渥浊劝谏说:"不能这样。城濮之战,晋军胜利后把楚军留下来的粮食吃了三天,文公还是面有忧色。左右的人说:'有了喜事而忧愁,如果有了忧愁的事您才高兴吗?'文公说:'楚令尹子玉还在,忧愁还没完呢。被围困的野兽还要作垂死的挣扎,何况是一个国相呢?'等到楚国杀死了子玉,文公的喜悦是可想而知的。文公说:'再没有人来害我了。'这等于是晋国再次获胜而楚国再次失败。楚国因此经历了两代君主都不能强盛。如今上天或许是要大大地警告一下我们晋国,而如果再杀死林父以让楚国再胜一次,恐怕晋国也会很久不能强盛了吧。林父侍奉国君,进能想着竭尽忠诚,退能想着补救过失,是国家的卫士,怎么能杀了他?他的战败,就好像日食月食一样,哪里会损害他的光明呢?"晋侯让荀林父恢复了原来的职位。

我无尔诈，尔无我虞
（宣公十四年、十五年）

[题解]

楚庄王轻视宋国，使者过境而不借道，为宋所杀。楚庄王为此兴师围宋，最终订盟而去。

楚子使申舟聘于齐①，曰："无假道于宋。"亦使公子冯聘于晋，不假道于郑。申舟以孟诸之役恶宋②，曰："郑昭、宋聋，晋使不害，我则必死。"王曰："杀女，我伐之。"见犀③而行。及宋，宋人止之。华元④曰："过我而不假道，鄙我也。鄙我，亡也。杀其使者，必伐我。伐我，亦亡也。亡一也。"乃杀之。楚子闻之，投袂⑤而起。屦及于窒皇⑥，剑及于寝门之外⑦，车及于蒲胥⑧之市。秋，九月，楚子围宋。

……

宋人使乐婴齐⑨告急于晋，晋侯欲救之。伯宗⑩曰："不可。古人有言曰：'虽鞭之长，不及马腹。'天方授楚，未可与争。虽晋之强，能违天乎？谚曰：'高下在心。'川泽纳污，山薮⑪藏疾，瑾瑜⑫匿瑕，国君含垢⑬，天之道也。君其待之！"乃止。

使解扬⑭如宋，使无降楚，曰："晋师悉起，将至矣。"郑人因而献诸楚⑮。楚子厚赂之，使反其言⑯。不许。三而许之。登诸楼车⑰，使呼宋而告之。遂致其君命⑱。楚子将杀之，使与之言曰："尔既许不穀而反之，何故？非我无信，女则弃之。速即⑲尔刑！"对曰："臣闻之：君能制命为义，臣能承命为信，信载义而行之为利。谋不失利，以卫社稷，民之主也。义无二信⑳，信无二命㉑。君之赂臣，不知命也。受命以出，有死无霣㉒，又可赂乎？臣之许君，以成命也。死而成命，臣之禄㉓也。寡君有信臣，下臣获考㉔，死又何求？"楚子舍之以归。

夏，五月，楚师将去宋，申犀稽首于王之马前曰："毋畏知死而不敢废王命，王弃言焉。"王不能答。申叔时仆㉕，曰："筑室，反耕者㉖，宋必听命。"从之。宋人惧，使华元夜入楚师，登子反㉗之床，起之曰："寡君使元以病告，曰：'敝邑易子而食，析骸以爨㉘。虽然，城下之盟，有以国毙㉙，不能从也。去我三十里，唯命是听。'"子反惧，与之盟，而告王。退三十里，宋及楚平。华元为质。盟曰："我无尔诈，尔无我虞㉚。"

[注释]

①楚子：楚庄王。申舟：楚大夫，名无畏（下文作"毋畏"），字子舟。②申舟以孟诸之役恶宋：鲁文公十年（前617年），楚子、宋公、郑伯在孟诸打猎，宋公违命，无畏笞击其仆示众。孟诸，宋国水泽名，在今河南商丘市东北。恶，交恶，得罪。③见犀：把儿子申犀引见给楚庄王。④华元：宋大夫，担任右师，为执政之一。⑤投袂：振袖。⑥屦及于窒皇：楚王盛怒之下，不及穿鞋，侍从追到庭院里给鞋子。屦，鞋。窒（dié）皇，寝室前之门庭。⑦寝门之外：追到寝门的外边。寝门在庭院外。⑧蒲胥：地名，其中有市。⑨乐（yuè）婴齐：宋大夫。⑩伯宗：晋大夫。⑪山薮：山林薮泽。薮，有水之处。⑫瑾瑜：美玉。⑬国君含垢：国君为社稷考虑，忍一时之耻辱。垢，辱。⑭解扬：晋大夫，字子虎。⑮郑人囚而献诸楚：解扬过郑境，郑与楚亲，所以抓住他，送给了楚人。⑯使反其言：让他说晋不救宋。⑰楼车：用以观察敌情的兵车，其上有望楼。⑱遂致其君命：解扬在楼车上又违反与楚人之约，把晋侯的意思传达给宋人。⑲即：就，受。⑳义无二信：道义不能有两种信用。㉑信无

二命：信用不能接受两种命令。㉒霣（yǔn）：同"陨"，坠，指废弃。㉓禄：福。㉔获考：死得其所。㉕仆：驾车。㉖反耕者：让士卒中耕田者回去，表示将要长期围困。㉗子反：公子侧，楚司马。㉘析：剖开。爨（cuàn）：炊。表明宋国到了岌岌可危的地步。㉙有以国毙：宁可亡国。㉚虞：欺。与"诈"同义。

[译文]

楚庄王派申舟到齐国聘问，说："不要向宋国借路。"又派公子冯去晋国聘问，也不向郑国借路。申舟因为在孟诸打猎时得罪了宋国，说："郑国人明白事理，宋国人昏庸糊涂，到晋国的使者不会受到伤害，我就一定会被杀死。"楚庄王说："如果杀了你，我就讨伐它。"申舟把自己的儿子申犀引见给楚庄王后出行。到了宋国，宋国人拦住了他。华元说："经过我国境内却不向我国借路，是把我国视作他们的属县。把我们视为他们的属县，我们就等于是亡国了。杀死他们的使者，他们一定会来攻打我们。攻打我国的结果也是我们亡国。反正亡国都是一样的。"于是杀死了申舟。楚庄王听说了，拂袖而起，到庭院里才送上鞋子，到寝宫门外才送上佩剑；到蒲胥市上才让他坐上车子。秋九月，楚庄王派兵包围了宋国。

……

宋国人派乐婴齐去晋国告急，晋景公准备救援宋国。伯宗说："不行。古人有句话说：'鞭子虽长，但够不到马肚子。'上天正保佑楚国，不能和它争斗。晋国虽然强大，能违背天意吗？谚语说：'高高低低，都在心里。'河流湖泊能容纳污泥浊水，山林薮泽能隐藏毒虫猛兽，美玉上隐匿着斑点，国君要能忍受耻辱，这是上天的常道。君王您还是等待着吧。"于是停止派兵。

晋景公派解扬到宋国去，叫宋国不要投降楚国，说："晋军倾力而出，马上要到了。"路过郑国，郑国人把解扬囚禁起来献给楚国。楚庄王送给解扬许多财物，让他说相反的话。解扬不答应。再三强迫，他才同意。楚国人让解扬登上楼车，叫他向宋国人喊话，告诉他们晋兵不来。解扬就乘机传达了晋景公的命令。楚庄王将要杀死他，派人对他说："你既然答应了不穀，却又违背许诺，是什么缘故？不是我不讲信用，是你丢弃了信用。快去接受你的刑罚吧。"解扬回答说："下臣听说：君王能制定正确的命令就是义，臣子能承担命令就是信，用信用去承载道义然后执行就是利益。谋划而不损害利益，以此保卫国家，这就是百姓的主人。道义不允许有两种信用，信用不能承载两个相反的命令。君王贿赂下臣，是不懂得怎样制定正确的命令。下臣接受了命令出来，宁死也不会放弃使命，难道是可以贿赂的吗？下臣之所以答应君王，正是为了完成使命。牺牲生命而能完成使命，这是下臣的福气。寡君有守信用的臣子，下臣死得其所，死了又有什么要求呢？"楚庄王赦免了他，放他回国。

夏五月，楚国军队准备撤离宋国。申犀在楚庄王马前叩头说："毋畏知道一定会死而不敢废弃君王您的命令，君王丢弃了自己的诺言。"楚庄王无言可答。申叔时正为庄王驾车，说："建筑房舍，叫耕田的农民回国，宋国一定会听从命令。"楚庄王听从了他的建议。宋国人害怕，派华元夜里潜入楚军中，登上子反的床，把他叫起来，说："寡君派我把我们的困难告诉您，说：'敝邑互相交换孩童杀了吃，剖开尸骨当柴烧饭。即使这样，城下之盟，我们宁可亡国，也不肯订立。你们退兵三十里，宋国将完全听从你们的命令。'"子反害怕，就与华元盟誓，然后报告楚庄王。楚军后退三十里。宋国与楚国讲和，华元作为人质。盟词说："我不欺骗你，你不欺骗我。"

齐晋鞌之战（宣公十七年、成公二年）

[题解]

成公二年，齐国入侵鲁国、卫国。晋国应二国之请，派郤克统率军队前往解救，与齐军在鞌地进行大战。战斗中，郤克的御者解张与车右逢丑父均舍生忘死，驾着主帅战车勇往直前，最终率领晋军取得胜利。齐侯骄纵轻敌，是失败的重要原因。

孙桓子还于新筑①，不入②，遂如晋乞师。臧宣叔③亦如晋乞师。皆主郤献子④。晋侯许之七百乘。郤子曰："此城濮之赋⑤也。有先君之明与先大夫之肃⑥，故捷。克于先大夫，无能为役⑦，请八百乘。"许之。郤克将中军，士燮佐上军，栾书将下军，韩厥为司马，以救鲁、卫。臧宣叔逆⑧晋师，且道⑨之。季文子⑩帅师会之。及卫地，韩献子⑪将斩人，郤献子驰，将救之。至，则既斩之矣。郤子使速以徇⑫，告其仆曰："吾以分谤也。"

[注释]

①孙桓子：孙良夫，卫国大夫，齐、卫之战，孙桓子为卫军主帅。新筑：卫地。②不入：不进入国都。③臧宣叔：臧孙许，鲁大夫。④主郤（xì）献子：以郤献子（即郤克）为主人，即通过郤克求助。宣公十七年（前592年），郤克出使齐国，齐顷公让妇人隔着帷幕观看他。郤克上台阶时，妇人发出哄笑。郤克受到侮辱，因此发誓报仇。⑤赋：军赋，指兵马装备等。⑥肃：

敏捷。⑦无能为役：供其役使，还嫌不足。⑧逆：迎接。⑨道：同"导"，向导。⑩季文子：季孙行父，鲁国执政大臣。⑪韩献子：即韩厥。⑫徇：示众。

[译文]

孙桓子回到新筑，没进入国都，就到齐国请求派兵相救。臧宣叔也到晋国求兵。两人都通过郤克求助。晋景公答应派兵车七百辆。郤克说："这是城濮之战时我军所用的兵车数。当时因为有先君的圣明及先大夫的敏捷，所以得胜。与先大夫相比，我给他们做仆役都不够。请您给我八百辆兵车。"晋景公答应了。郤克率领中军，士燮为上军佐，栾书率领下军，韩厥担任司马，出兵救援鲁国和卫国。臧孙许前来迎接晋军，并为他们做向导。鲁国季文子也率军前来会合。到了卫国境内，司马韩厥要杀人，郤克驾车飞速前往，打算救下那个人。等赶到，已经杀了。郤克派人迅速把尸体挂起来示众，告诉仆人说："我这样做，是替韩厥分担指责。"

师从齐师于莘①。六月壬申，师至于靡笄②之下。齐侯使请战，曰："子以君师辱于敝邑，不腆③敝赋，诘朝④请见。"对曰："晋与鲁、卫，兄弟也，来告曰：'大国朝夕释憾于敝邑之地⑤。'寡君不忍，使群臣请于大国，无令舆师淹⑥于君地。能进不能退，君无所辱命。"齐侯曰："大夫之许，寡人之愿也；若其不许，亦将见也。"齐高固入晋师，桀⑦石以投人，禽之而乘其车，系桑本焉，以徇⑧齐垒，曰："欲勇者贾⑨余余勇！"

[注释]

①从：追踪。莘：卫地，通往齐国的要道。②靡笄（jī）：山名。今山东济南千佛山。③腆（tiǎn）：丰厚。"不腆"为当时习惯套语。④诘朝：明天早晨。⑤释憾：解恨。敝邑：鲁、卫自称。⑥淹：停留。⑦桀：揭，举。⑧徇：巡行。⑨贾：买。

[译文]

晋军在莘地追上齐军。六月十六日，军队到达靡笄山下。齐侯派使者请战,说:"您带领您国君的军队光临敝邑,敝国军队人数很少,希望明天早晨相见。"郤克回答说:"晋国与鲁国、卫国,是兄弟之国,他们前来告诉我们说:'大国不分早晚,在我们的土地上发泄愤怒。'寡君不忍,派臣子们前来向大国请求,不要让我军在贵国长久停留。我们只能前进,不能后退,您用不着下达命令。"齐侯说:"您的许可,正是寡人的愿望啊。即使您不许可,我们也要和您相见。"齐国的高固冲进晋军,举起石头投向敌人,擒住了一个晋兵并登上他的战车,把桑树根系在车上,到齐军阵前巡行,说:"需要勇气的人来买我多余的勇气!"

癸酉,师陈于鞌①。邴夏御②齐侯,逢丑父为右③。晋解张④御郤克,郑丘缓⑤为右。齐侯曰:"余姑翦灭此而朝食⑥。"不介马而驰之⑦。郤克伤于矢,流血及屦⑧,未绝鼓音,曰:"余病矣!"张侯曰:"自始合,而矢贯余手及肘,余折以御⑨。左轮朱殷⑩,岂敢言病?吾子忍之!"缓曰:"自始合,苟有险,余必下推车,子岂识之?——然子病矣!"张侯曰:"师之耳目,在吾旗鼓,进退从之。此车一人殿⑪之,可以集事⑫。若之何其以病败君之大事也?擐⑬甲执兵,固即死也,病未及死,吾子勉之!"左并辔,右援枹而鼓⑭。马逸不能止,师从之。齐师败绩。逐之,三周华不注⑮。

[注释]

①鞌:历下,今山东济南市西。②御:驾车。③逢(páng)丑父:人名。右:车右。④解(xiè)张:名侯,字张,即下文所称"张侯"。晋大夫。⑤郑丘缓:姓郑丘,名缓。⑥翦灭:消灭。朝食:会食。朝,会。⑦不介马:没有给战马披上护甲。⑧屦(jù):鞋。⑨折以御:折断箭杆,继续驾车。⑩朱殷(yān):红黑色。⑪殿:镇守。⑫集事:成事。指取得胜利。⑬擐(huàn):穿,著。⑭援:引。枹(fú):鼓槌。⑮三周华不注:围着华不注山

跑了三圈。

[译文]

十七日，两军在鞌地列阵。邴夏为齐侯驾车，逢丑父是车右。晋国解张为郤克驾车，郑丘缓是车右。齐侯说："我姑且消灭了这些敌人再吃早饭！"来不及给战马披上护甲就冲了上去。郤克中了箭，鲜血流到鞋上，鼓声一直没有停止过，说："我受伤了！"解张说："从两军交战开始，就有箭射穿了我的手和肘，我折断箭杆，继续驾车。左边的车轮都变成红黑色了，哪里敢说受伤呢？您忍着点吧！"郑丘缓说："从两军交战开始，只要有险要的地方，我一定下去推车，您难道没觉察到吗？——不过您的确受伤了啊！"解张说："全军的耳朵和眼睛，在于我们的旌旗和鼓声，是进是退，都跟着它。这辆车只要有一人镇守，就可以取得胜利。怎么能因为受伤而坏了君王的大事呢？穿上铠甲，拿着兵器，本来就是去死的，受伤还没到死的地步，您还是尽力而为吧！"解张左手把握缰绳，右手拿着鼓槌击鼓。战马向前狂奔，不能停止，晋军跟着冲锋。齐军大败。晋军追击齐军，围着华不注山追了三圈。

韩厥梦子舆①谓己曰："旦辟②左右！"故中御而从齐侯③。邴夏曰："射其御者，君子也。"公曰："谓之君子而射之，非礼也。"射其左，越于车下。射其右，毙于车中。綦毋张丧车④，从韩厥曰："请寓⑤乘！"从左右⑥，皆肘之，使立于后。韩厥俯，定其右。逢丑父与公易位。将及华泉⑦，骖絓于木而止⑧。丑父寝于轏⑨中，蛇出于其下，以肱击之，伤而匿⑩之，故不能推车而及。韩厥执絷⑪马前，再拜稽首⑫，奉觞加璧以进，曰："寡君使群臣为鲁、卫请，曰：'无令舆师陷入君地。'下臣不幸，属当戎行⑬，无所逃隐。且惧奔辟，而忝⑭两君。臣辱戎士，敢告不敏⑮，摄官承乏⑯。"丑父使公下，如华泉取饮。郑周父御佐车⑰，宛茷⑱为右，载齐侯以免。韩厥献丑父，郤献子将戮之，呼曰："自今无有代其君任患者，有一于此，将为戮乎？"郤子曰："人不难以死免其君，我戮之，不祥，赦之，以劝事君者。"乃免之。

[注释]

①子舆：韩厥的父亲。②辟：避开。③中御：在中间驾车。从：追赶。④綦毋（qí wú）张：姓綦毋，名张。丧：丢失。⑤寓：寄，搭乘。⑥从左右：想站在车的左右位。⑦华泉：泉名。在华不注山下，流入济水。⑧骖（cān）：驾车的四匹马中两边的两匹。绊：通"挂"，绊住。⑨辀（zhàn）：栈车。⑩匿：隐瞒。⑪絷（zhí）：缰绳。⑫稽（qǐ）首：叩首至地。⑬属（zhǔ）：适，刚好。戎行（háng）：兵车的行列。⑭忝：辱。⑮不敏：不才。⑯摄官承乏：人手缺乏，代理官职。⑰郑周父：齐大夫。佐车：副车。⑱宛茷（fèi）：齐大夫。

[译文]

韩厥梦见父亲子舆对自己说："明天避开战车的左右两侧！"因此居中驾车，追赶齐侯。邴夏说："射那个驾车的，那是个君子啊。"齐侯说："称他为君子而射他，不合于礼。"射车左，车左死于车下。射车右，车右死在车上。綦毋张丢失了战车，跟随韩厥说："请让我搭乘您的战车吧！"站在车左或车右的位置上，韩厥都用肘推他，使他站在自己的身后。韩厥俯身，把车右的尸体安放好。逢丑父与齐侯交换了位置。将要跑到华泉的时候，骖马挂在树木上，战车因此停了下来。此前逢丑父睡在栈车里，有蛇从下面出来，逢丑父用小臂去打它，小臂受了伤，他隐瞒了这件事，因此不能推车前进，这才被韩厥追上。韩厥拿着马缰绳走到马前，两次下拜叩头，说："寡君派臣下们为鲁国、卫国请求，说：'不要让军队进入贵国的土地。'下臣不幸，刚好在军队里服役，不能逃避。而且也担心奔走逃避，成为两位君王的耻辱。下臣勉强成为一名战士,谨向君王报告自己的无能,因为人手缺乏,只好充任这个职位。"丑父让齐侯下去,到华泉去取水喝。郑周父驾着副车,宛茷为车右,载着齐侯离开,这样免于被俘。韩厥把逢丑父献上,郤克准备杀掉他,他大喊道:"到现在为止,没有人代替他的君王担当祸患的。有一个人在这里,还要被杀掉吗?"郤克说:"一个人不怕用死来使他的君王免除祸患,如果我杀掉他,是不吉利的。赦免他,用来鼓励侍奉君王的人。"于是就释放了逢丑父。

楚归知罃(成公三年)

[题解]

晋楚邲之战时,晋国俘虏榖臣,射死襄老;楚国俘虏了知罃。楚国欲用知罃换回榖臣和襄老的尸体,企图用私恩打动知罃,换取回报。知罃不卑不亢,应对有节,表达了忠君爱国的立场。

晋人归楚公子榖臣与连尹襄老之尸于楚①,以求②知罃。于是荀首佐中军矣③,故楚人许之。王④送知罃,曰:"子其怨我乎?"对曰:"二国治戎⑤,臣不才,不胜其任⑥,以为俘馘⑦。执事不以衅鼓⑧,使归即戮⑨,君之惠也。臣实不才,又谁敢怨?"王曰:"然则德我乎?"对曰:"二国图其社稷,而求纾⑩其民,各惩其忿⑪,以相宥⑫也。两释累囚⑬,以成其好⑭。二国有好,臣不与及⑮,其谁敢德?"王曰:"子归,何以报我?"对曰:"臣不任⑯受怨,君亦不任受德,无怨无德,不知所报。"王曰:"虽然,必告不榖。"对曰:"以君之灵⑰,累臣得归骨⑱于晋,寡君之以为戮⑲,死且不朽。若从君之惠而免之,以赐君之外臣首⑳;首其请于寡君,而以戮于宗㉑,亦死且不朽。若不获命㉒,而使嗣宗职㉓,次及于事㉔,而帅偏师㉕,以修封疆㉖。虽遇执事,其弗敢违㉗,其竭力致死,无有二心,以尽臣礼,所以报也。"王曰:"晋未可与争。"重㉘为之礼而归之。

[注释]

①榖臣:楚庄王之子。连尹:官名。襄老:楚大夫。②求:索取。③于是:在这时候。荀首:晋大夫,知䓨的父亲。佐中军:为中军的副帅。④王:楚共王。⑤治戎:整顿军备。指进行战争。⑥胜:担当得起。任:职务。⑦俘馘(guó):俘虏。俘,指战争中被俘虏的人。馘,指割取敌方战死者的耳朵。⑧执事:办事人员。客套说辞,实指楚共王。衅:祭礼,杀牲后以血涂在钟鼓上。这里指用俘虏代牲衅鼓。⑨即戮:就死。⑩纾:缓解。⑪惩:惩戒。忿:怒气,怨恨。⑫宥:宽赦,原谅。⑬累囚:被捆绑起来的俘虏。⑭好:友好。⑮与(yù):参与。及:赶上。⑯任:担当。⑰以:靠。灵:福。⑱归骨:把骨头带回去。⑲戮:被杀的对象。⑳首:荀首。对楚共王来说是外臣。㉑宗:祖庙。㉒不获命:没有得到君王的允许。㉓宗职:宗子(宗族首领)的职务。㉔次及于事:按次序担任军职。㉕偏师:副帅、副将率领的军队。㉖修:治理。封疆:边界。㉗其:将。违:躲避。㉘重:隆重地。

[译文]

晋国人把楚国公子榖臣和连尹襄老的尸体送还楚国,以交换知䓨。在这时候,知䓨的父亲荀首担任晋国中军的副帅,因此楚国人答应放回知䓨。楚共王送知䓨,说:"您怨恨我吗?"知䓨回答说:"两国交兵,我不才,不能胜任,被擒当了俘虏。您不用我来衅鼓,把我送回去就死,这是您的恩惠啊。我实在不成才,又敢怨恨谁呢?"共王说:"那么你会感激我吗?"知䓨回答说:"两国都为社稷着想,以求缓解人民的痛苦,各自懊悔当初的怨恨而相互原谅,双方都释放俘虏,以建立友好关系。两国关系友好,我并没有赶上,又敢感激谁呢?"共王问:"您回去用什么报答我?"知䓨回答说:"我不担当怨恨,君王您也不担当恩德。没有怨恨,没有恩德,不知道要报答什么。"共王说:"虽然这样,一定要告诉我。"知䓨回答说:"靠着君王的威灵,我这个被囚禁的臣子得以把骨头送回晋国,如果寡君把我杀了,死了也是不朽的。如果托您的恩惠,寡君赦免了我,并赐给您的外臣荀首;荀首如果向寡君请求,在宗庙把我杀了,死也是不朽的。如果没有得到我们君王的允许,使我继承宗子的职务,并按次序担任军职,作为副将率领军队来治理晋国的边境。即使遇到您,我也不敢逃避,一定尽力致死,没有二心,来尽作为臣子的礼节,这就是我用来报答您的。"共王说:"晋国还不能同它相争。"隆重地为知䓨举行仪式,送他回去。

晋归钟仪（成公九年）

[题解]

楚国钟仪作为俘虏，应对晋侯有礼有节，不忘维护本国形象，因此赢得晋国君臣的尊敬与信赖，获释回国。

晋侯观于军府，见钟仪。①问之曰："南冠而絷②者，谁也？"有司对曰："郑人所献楚囚也。"使税③之。召而吊④之。再拜稽首。问其族，对曰："泠人⑤也。"公曰："能乐乎？"对曰："先父之职官也，敢有二事？"使与之琴，操⑥南音。公曰："君王何如？"对曰："非小人之所得知也。"固问之。对曰："其为太子也，师、保⑦奉之，以朝于婴齐而夕于侧也⑧。不知其它。"

公语范文子⑨。文子曰："楚囚，君子也。言称先职，不背本也；乐操土风⑩，不忘旧也；称太子，抑⑪无私也；名其二卿，尊君也。不背本，仁也；不忘旧，信也；无私，忠也；尊君，敏⑫也。仁以接事，信以守之，忠以成之，敏以行之。事虽大，必济。君盍归之，使合晋、楚之成？"公从之，重为之礼，使归求成。

[注释]

①"晋侯观于军府"二句：成公七年（前584年），楚伐郑，诸侯救郑，

郑军俘虏了钟仪,献给晋国,晋国把他囚禁在军府里。军府:军用储藏库,也用来囚禁战俘。钟仪,楚郧(yún)邑大夫。②絷(zhí):捆绑。③税:通"脱",松绑。④吊:慰问。⑤泠人:即"伶人",乐官。⑥操:演奏。⑦师、保:教导太子的人。⑧婴齐:即子重,担任令尹。侧:即子反,担任司马。二人都是朝中重臣。⑨范文子:名士燮,晋大夫。⑩土风:本国音乐。⑪抑:发语词,无义。⑫敏:敬。

[译文]

晋景公视察军府,看见了钟仪。问看管的人说:"那个戴着南方帽子而被囚禁的人是谁?"主管官员回答说:"是郑国人所献的楚国俘虏。"景公让人把他放出来,召见他,并表示慰问。钟仪再拜叩头。景公问他家族世官,他回答说:"是乐官。"景公说:"还会奏乐吗?"钟仪回答说:"这是我先人的职掌所在,我怎么敢从事其他的职业?"景公让人给他琴,他弹奏的是南方的乐调。景公问:"你们的君王怎么样?"钟仪回答说:"这不是小人所能知道的。"景公坚持问他,他回答说:"当他做太子的时候,师、保侍奉他,每天早晨向婴齐请教,晚上向侧请教。我不知道其他的。"

景公把这件事告诉了范文子。文子说:"这个楚囚是位君子。言辞中举出先人的职官,这是不背弃根本。奏乐弹的是本国乐调,这是不忘故旧。举出国君做太子时候的事情,这是没有私心。对二卿直呼其名,这是尊重国君。不背弃根本,是仁;不忘故旧,是信;没有私心,是忠;尊重国君,是敏。用仁来处理事情,用信来保持它,用忠来完成它,以敏来推行它。事情再大,必定成功。君王您何不放他回去,让他结成晋、楚之间的和好?"景公听从了文子的建议,对钟仪重加礼遇,让他回国求和。

楚灭莒（成公九年）

[题解]

莒国恃陋而不做防备，为楚所灭。

冬，十一月，楚子重自陈伐莒，围渠丘①。渠丘城恶②，众溃，奔莒。戊申，楚入渠丘。莒人囚楚公子平③。楚人曰："勿杀，吾归而④俘。"莒人杀之。楚师围莒。莒城亦恶，庚申，莒溃。楚遂入郓⑤，莒无备故也。

君子曰："恃陋而不备，罪之大者也，备豫不虞⑥，善之大者也。莒恃其陋，而不修城郭，浃辰⑦之间，而楚克其三都，无备也夫！《诗》曰：'虽有丝、麻，无弃菅、蒯；虽有姬、姜，无弃蕉萃；凡百君子，莫不代匮。'⑧言备之不可以已也。"

[注释]

①渠丘：今山东莒县北。②恶：破败。③公子平：字子封，穆公子，于共王为叔。④而：汝，你。⑤郓（yùn）：古邑名，约在今山东沂水县东北（一说今山东郓城县东）。⑥豫：备。不虞：没有料到，意外。⑦浃辰：十二天。浃，周。辰，从子时到亥时，共十二个时辰。浃辰指从戊申到庚申，共十二天。⑧"虽有丝、麻"六句：所引诗句不见今本《诗经》，乃逸《诗》。丝、麻、菅（jiān）、蒯（kuǎi）：编织器具所用的材料。姬、姜：代指美女；蕉萃：即"憔悴"，代指不美者。凡百：泛指一切。代匮：或缺此，或缺彼，意

谓总有缺少的时候。匮,缺少。

[译文]

冬十一月,楚子重从陈国出发攻打莒国,包围了渠丘。渠丘的城墙破败,民众溃散,逃到莒城。初五日,楚军攻入渠丘。莒国人俘虏了楚公子平。楚国人说:"不要杀死他!我们放回你们的俘虏。"莒国人还是把公子平杀了。楚军包围了莒城。莒城的城墙也破败不堪,十七日,莒国溃散。楚军就攻入郓城,这是因为莒国没有设防的缘故。

君子说:"依恃僻陋而不加防备,这是罪中的大罪。防备意外情况,这是善中的大善。莒国凭仗地处偏僻,因而不修城筑郭,十二天之内,楚国连续攻下了它的三个城市,这是因为它没有防备的缘故啊!《诗》说:'虽然有了丝和麻,不要丢弃菅与蒯;虽然有了美娇娥,不要丢弃憔悴女。凡是君子,没有不缺少的时候。'是说防备是不可以停止的。"

吕相绝秦(成公十三年)

[题解]

秦国与晋国都是春秋时期的大国,时和时战,时近时远。晋国的吕相历数秦晋之间的分合向背,与秦断绝关系。晋军在麻隧打败了秦军。

夏,四月戊午,晋侯使吕相绝秦①,曰:

"昔逮②我献公及穆公相好,戮力③同心,申之以盟誓,重之以婚姻。天祸晋国,文公如齐,惠公如秦。无禄④,献公即世⑤。穆公不忘旧德,俾我惠公用能奉祀于晋⑥。又不能成大勋⑦,而为韩之师。亦悔于厥⑧心,用集⑨我文公,是穆之成也⑩。文公躬擐甲胄⑪,跋履山川,逾越险阻,征东之诸侯,虞、夏、商、周之胤而朝诸秦,则亦既报旧德⑫矣。郑人怒君之疆场⑬,我文公帅诸侯及秦围郑⑭。秦大夫不询于我寡君⑮,擅及郑盟。诸侯疾之,将致命⑯于秦。文公恐惧,绥静⑰诸侯,秦师克还无害,则是我有大造于西也⑱。无禄,文公即世,穆为不吊⑲,蔑死我君⑳,寡㉑我襄公,迭㉒我殽地,奸绝㉓我好,伐我保㉔城,殄灭我费滑㉕,散离我兄弟㉖,挠乱我同盟,倾覆我国家。我襄公未忘君之旧勋㉗,而惧社稷之陨,是以有殽之师㉘。犹愿赦罪于穆公。穆公弗听,而即楚谋我㉙。天诱其衷㉚,成王陨命㉛,穆公是以不克逞志㉜于我。穆、襄即世，康、灵即位㉝。康公，我之自出㉞，又欲阙翦㉟我公室，倾覆我社稷，帅我蝥贼㊱，以来荡摇我边疆，我是以有令狐之役㊲。康犹不悛㊳，入我河曲�439，伐我涑川㊵，俘我王官㊶，翦我羁马㊷，我是以有河曲之战㊸。东道之不通，则是康公绝我好也。

[注释]

①吕相：魏锜之子魏相。绝秦：与秦绝交。下文即绝交书。②昔逮：古昔，从前。③戮力：合力。④无禄：不幸。禄，福。⑤即世：就世，去世。⑥"穆公不忘旧德"二句：秦晋韩之战时，曾俘获公子夷吾，后来放其回国为君，是为惠公。参《秦晋韩之战》。⑦勋：功。⑧厥：其。⑨集：成就，成全。⑩是穆之成也：秦穆公曾派兵护送晋文公（公子重耳）回国。成，成就。⑪躬：身，亲自。擐：穿。⑫旧德：指秦纳惠公、文公。⑬疆埸（yì）：边境。埸，边界。⑭我文公帅诸侯及秦围郑：事在僖公三十年（前630年）。⑮秦大夫：与郑盟者为秦穆公，言秦大夫者，为外交辞令。询：谋。⑯致命：舍命，拼命。⑰绥静：使安静。绥，安。⑱大造：大功。造，成。西：指秦国。⑲不吊：不来吊唁。⑳蔑死我君：当作"蔑我死君"，与"寡我襄公"相对。㉑寡：弱，轻视。㉒迭：通"轶"，侵犯。㉓奸绝：断绝。㉔保：小城。㉕殄（tiǎn）灭：灭绝。费滑：滑国。费为滑都所在。㉖散离我兄弟：郑、滑与晋为同姓国。㉗旧勋：指秦纳文公于晋为君。㉘殽之师：殽之战在僖公三十三年（前627年）。参《秦晋殽之战》一文。㉙而即楚谋我：文公十四年（前613年），秦使斗克归楚求和。㉚天诱其衷：上天开导其心。诱，启。衷，心。㉛成王陨命：文公元年（前626年），楚弑成王。㉜逞志：遂愿，得意。㉝穆、襄、康、灵：分别指秦穆公、晋襄公、秦康公、晋灵公。㉞"康公"二句：康公母为晋女。㉟阙翦：损害。㊱蝥贼：食苗害虫，喻危害国家的人，指公子雍。㊲令狐之役：在文公七年（前620年）。㊳悛（quān）：悔改。㊴河曲：晋地，今山西永济市东南。㊵涑川：地名，今山西永济市东北。㊶王官：晋地，今山西闻喜县西。㊷羁马：晋邑，今山西永济县南。㊸河曲之战：在文公十二年（前615年）。

[译文]

夏四月戊午，晋厉公派吕相去与秦国绝交，说：

"从前我们献公与你们穆公相互友好，合力同心，用盟誓加以申明，又用婚姻来加深这种关系。上天降祸给晋国，文公去了齐国，惠公到了秦国。不幸，献公去世。穆公不忘昔日的恩德，使我们惠公因此能在晋国主持祭祀，但又不能完成重大的勋劳，因而有了韩地的战役。他后来心中懊悔，因此成就了我们的文公，这是穆公的成全。文公亲自披甲戴胄，跋涉山川，逾越艰难险阻，征服东方的诸侯，虞、夏、商、周的后代都向秦国朝见，也可以说是报答了秦国往日的恩德了。郑国人侵犯君王的边境，我们文公率领诸侯与秦国一起包围郑国。秦大夫不征求我寡君的意见，擅自与郑国订立盟约。诸侯憎恨这事，准备与秦国拼死一战。文公恐惧，安抚诸侯，秦军得以安然回国，这就是我国对秦国的大恩惠了。不幸，文公去世，穆公不肯来吊唁，蔑视我们逝世的先君，轻视我们的襄公，袭击我们的殽地，断绝我们的友好邻邦，攻打我们的城邑，灭亡我们的同姓滑国，离间我们的兄弟国家，扰乱我们的同盟，倾覆我们的国家。我们襄公没有忘记贵国君王过去的功劳，而又害怕国家灭亡，所以才有了殽地的战役。我们国君还是希望能向穆公解释罪过。穆公不听，而勾结楚国打我们的主意。天意保佑我国，楚成王丧命，穆公因此没能对我国得逞。穆公、襄公去世，康公、灵公即位。康公，是我们晋国的外甥，又想损害我们的公室，倾覆我们的国家，率领我国的蟊贼，以此来扰乱我国的边疆。我国因此发动了令狐的战役。康公不思悔改，侵入我国的河曲，攻打我国的涑川，掠夺我国的王官，割裂我国的羁马。我国因此发动了河曲之战。东面道路不通，就是因为康公和我们断绝友好关系的缘故。

"及君之嗣也①，我君景公引领西望曰：'庶抚我乎！'君亦不惠称盟②,利吾有狄难③,入我河县④,焚我箕、郜⑤,芟夷我农功⑥,虔刘我边陲⑦,我是以有辅氏之聚⑧。君亦悔祸之延,而欲徼福于先君献、穆⑨,使伯车⑩来命我景公曰:'吾与女同好弃恶,复修旧德,以追念前勋。'言誓未就,景公即世,我寡君是以有令狐之会⑪。君又不祥,背弃盟誓。白狄及君同州⑫,君之仇雠,而我婚姻也。君来赐命曰:'吾与女伐狄。'寡君不敢顾婚姻,畏君之威,而受⑬命于吏。君有二心于狄,曰:'晋将伐女。'狄应且憎⑭,是用⑮告我。楚人恶君之二三其德也,亦来告我曰:'秦背令狐之盟,而来求盟于我:"昭告昊天上帝、秦三公、楚三王曰⑯:'余虽与晋出入⑰,余唯利是视。'"不榖恶其无成德,是用宣之,以惩不壹。'诸侯备⑱闻此言,斯是用痛心疾首,昵就⑲寡人,寡人帅以听命,唯好是求。君若惠顾诸侯,矜哀寡人,而赐之盟,则寡人之愿也,其承宁⑳诸侯以退,岂敢徼乱?君若不施大惠,寡人不佞㉑,其不能以诸侯退矣。敢尽布之执事,俾执事实图利之。"

秦桓公既与晋厉公为令狐之盟,而又召狄与楚,欲道以伐晋,诸侯是以睦于晋。晋栾书将中军,荀庚佐之;士燮将上军,郤锜佐之;韩厥将下军,荀䓨佐之;赵旃将新军,郤至佐之。郤毅御戎,栾鍼为右。㉒孟献子㉓曰:"晋帅乘和,师必有大功。"五月丁亥,晋师以诸侯之师及秦师战于麻隧㉔。秦师败绩,获秦成差及不更女父㉕。曹宣公卒于师。师遂济泾,及侯丽㉖而还。迓晋侯于新楚㉗。

[注释]

①君:秦桓公。嗣:嗣位。②不惠称盟:不肯加惠结盟。③狄难:宣公十五年(前612年),晋灭赤狄潞氏。④河县:沿河县邑。⑤箕:晋邑,今山西蒲县东北。郜:晋地,约在山西浮山县西。⑥芟夷:割除。农功:庄稼。⑦虔、刘:杀。⑧辅氏之聚:辅氏之战在宣公十五年。⑨而欲徼福于先君献、

穆：即恢复晋献公、秦穆公时的友好状态。⑩伯车：秦桓公子，名鍼。⑪令狐之会：在成公十一年（前580年）。⑫同州：秦与白狄同处《尚书·禹贡》所分之雍州。⑬受：同"授"。⑭应且憎：一边答应，一边憎恨（秦国）。⑮是用：因此。⑯昊：大。秦三公：穆、康、共。楚三王：成、穆、庄。⑰出入：往来。⑱备：俱，都。⑲昵就：亲近。⑳承宁：止息。㉑不佞：不才。㉒"晋栾书将中军"十句：以上诸人，均为晋国卿或大夫。栾书：晋正卿。荀庚：晋卿，荀林父之子。士燮：晋卿，士会之子。郤锜：即驹伯，郤克之子。韩厥：晋卿，韩简之孙。荀䓨：即知䓨，荀首之子。赵旃：赵穿之子。郤至：郤克之子。郤毅：郤至之弟。栾鍼：栾书之子。㉓孟献子：即仲孙蔑，文伯毂之子。㉔麻隧：秦地，今陕西泾阳县北。㉕成差、女父：人名。不更：秦国爵名。㉖侯丽：秦地，今陕西礼泉县。㉗迓：迎。新楚：秦地，今陕西大荔县。

[译文]

"到了君王即位，我们国君景公伸长了脖子朝西望说：'大概要安抚我们了吧！'君王也同样不肯加惠结盟，利用我们有狄人侵犯的机会，攻入我国沿河县邑，焚毁我们的箕邑、郜邑，收割我们的庄稼，杀戮我们的边民。我国因此发动了辅氏之战。君王也懊悔祸患蔓延，而想求福于先君献公、穆公，派伯车来我国，命令我们景公说：'我与你同心同德抛弃怨恶，重新修复过去的恩德，以追念先君的功业。'盟誓尚未完成，景公逝世。我寡君因此有令狐的会见。君王您又居心不良，背弃了盟约。白狄与君王同处一州，是君王的仇敌，但与我们有婚姻关系。君王派人来命令说：'我和你去讨伐狄人。'寡君不敢顾及婚姻关系，害怕君王的威风，就向官吏下达了出兵的命令。君王对狄人有二心，说：'晋国将要攻打你们。'狄人一边答应你们，一边憎恶你们，因此把情况告诉了我们。楚国人讨厌君王这种反复无常的德行，也来告诉我们说：'秦国背弃了令狐的盟约，却来要求与我国结盟："对着皇天上帝、秦国的三位先公、楚国的三位先王发誓：'我们虽然与晋国来往，我不过是为了图谋利益而已。'"不穀憎恶他们没有应有的德行，所以公布真相,用来惩戒表里不一的人。'诸侯全都听到了这话,因此痛心疾首,都来亲近寡人。寡人率领诸侯来听取君王的命令,只是为了求得友好。君王如肯惠顾诸侯,怜悯寡人,从而赐给我们盟约,那是寡人的愿望,那就会安定诸侯而退走,怎么敢求乱?君王如果不肯施予大恩,寡人不才,就不能率领诸侯退走了。谨把详情全部报告给您的左右执事,请执事仔细权衡利弊吧!"

秦桓公与晋厉公在令狐结盟后,又去召集狄人与楚人,想引导他们攻打晋国,诸侯因此都与晋和好。晋栾书统率中军,荀庚辅佐他。士燮统率上军,郤锜辅佐他。韩厥统率下军,荀䓨辅佐他。赵旃统率新军,郤至辅佐他。郤毅驾驭战车,栾鍼担任车右。孟献子说:"晋军将帅与士兵齐心协力,军队一定能建立大功。"五月四日,晋军带着诸侯军队与秦军在麻隧交战,秦军大败,秦国的成差和不更女父被俘。曹宣公在军中去世。军队于是就渡过泾水,到达侯丽后收兵,在新楚迎接晋厉公。

晋楚鄢陵之战（成公十六年）

[题解]

晋国与楚国为争夺势力范围，在鄢陵展开大战。楚军战败。

晋侯①将伐郑。范文子②曰："若逞吾愿③，诸侯皆叛，晋可以逞④。若唯郑叛，晋国之忧，可立俟⑤也。"栾武子⑥曰："不可以当吾世而失诸侯，必伐郑。"乃兴师。栾书将中军，士燮佐之；郤锜将上军，荀偃佐之；韩厥将下军，郤至佐新军。荀䓨居守。郤犨⑦如卫，遂如齐，皆乞师焉。栾黡⑧来乞师。孟献子⑨曰："有胜矣。"戊寅，晋师起。

郑人闻有晋师，使告于楚，姚句耳与往⑩。楚子救郑。司马将中军⑪，令尹⑫将左，右尹子辛⑬将右。过申⑭，子反入见申叔时⑮，曰："师其何如？"对曰："德、刑、详⑯、义、礼、信，战之器⑰也。德以施惠，刑以正邪，详以事神，义以建利⑱，礼以顺时，信以守物。民生厚而德正⑲，用利而事节⑳，时顺而物成，上下和睦，周旋㉑不逆，求无不具，各知其极㉒。故《诗》曰：'立我烝民，莫匪尔极。'㉓是以神降之福，时无灾害，民生敦厐㉔，和同以听，莫不尽力以从上命，致死以补其阙㉕，此战之所由克也。今楚内弃其民㉖，而外绝其好㉗；渎齐盟㉘，而食话言㉙，奸时㉚以动，而疲民以逞㉛。民不知信，进退罪也㉜。人恤所底㉝，其谁致死？子其勉之！吾不复见子矣。"姚句耳先归，子驷㉞问焉。对曰："其行速，过险而不整。速则失志㉟，不整，丧列。志失列丧，将何以战？楚惧不可用也。"

[注释]

①晋侯：晋厉公。②范文子：即士燮。③逞吾愿：如我意。逞，快意，满足。④逞：通"盈"，缓解。⑤立俟：立等可待，指迅速。⑥栾武子：即栾书，晋中军主帅。以下士燮、郤锜、韩厥、郤至、荀䓨，均见《吕相绝秦》一文注。⑦郤犨：郤豹曾孙，统率新军。⑧栾黡：栾书之子。⑨孟献子：仲孙蔑。⑩姚句耳：郑大夫。与往：随同前往。⑪司马：担任此职者为公子侧（字子反）。⑫令尹：担任此职者为公子婴齐（子重）。⑬子辛：公子壬夫。⑭申：楚邑，今河南南阳市。⑮申叔时：楚大夫。⑯详：通"祥"，顺。⑰器：器用，工具。引申为凭借。⑱义以建利：义为利之本，有义，利始得立。建，成。⑲民生厚而德正：人民生活富足，则道德端正。⑳用利而事节：有利于国而行动，则举动合乎节度。㉑周旋：行动。㉒极：准则。㉓"立我烝民，莫匪尔极"二句：引诗见《诗·周颂·思文》。烝，众。㉔民生敦（dūn）厖（máng）：百姓生活丰足。敦，厚，厖，丰。㉕阙：战死者。㉖弃其民：指不施惠于民。㉗而外绝其好：指不能取信于诸侯。㉘渎齐（zhāi）盟：亵渎盟誓。齐，同"斋"。古代盟誓必斋戒。㉙食话言：食言，指不守信。㉚奸（gān）时：违时。即不顺时。㉛逞：满足私欲。㉜进退罪也：进退皆获罪。㉝恤：忧。底：至。㉞子驷：公子騑，穆公之子。㉟失志：疏于考虑。

[译文]

晋厉公准备攻打郑国，范文子说："如果满足我们的愿望，诸侯都背叛晋国，晋国内部的祸患就能得到缓解。如果只有郑国背叛，晋国的忧患，马上就要到来。"栾书说："不能够在我们这一代失去诸侯的拥护，一定要讨伐郑国。"于是兴兵出战。栾书统率中军，士燮辅佐他。郤锜统率上军，荀偃辅佐他。韩厥统率下军，郤至辅佐新军。荀䓨留守国内。郤犨去卫国，接着去齐国，都是请求出兵相助。栾黡来我国请求出兵。孟献子说:"晋国有胜算了。"四月十二日,晋军出动。

郑国人闻知晋军来攻,派人去报告楚国,姚句耳一同前往。楚共王发兵救郑。司马子反统率中军,令尹子重统率左军,右尹子辛统率右军。军队经过申邑时,子反入城拜会申叔时,说:"这次出兵会怎样?"申叔时回答说:"德行、刑罚、和顺、道义、礼法、信用,这是战争的凭借。德行用来施予恩惠,刑罚用来纠正邪恶,和顺用来侍奉神明,道义用来建立利益,礼法用来顺合时宜,信用用来保守事物。百姓生活富足就会德行淳正,于国有利而行动,事情才能合于节度,时宜合适,万物才能成就。上下和睦,行动顺当,有所需求便无不具备,各人都知道行动的准则。所以《诗》说:'养我百姓,无不合乎准则。'因此神明赐福,四时无灾,百姓丰足,齐心一致地听从,无不尽力服从上面的命令,不怕牺牲,前仆后继。这就是战争所以能胜利的缘故。如今楚国对内放弃它的百姓,对外断绝它的友好国家,亵渎盟约,说话食言,违反时令发动战争,使百姓疲敝来满足一己之私欲。人民不知道信用,进退得罪。人人为自己的结局而担忧,谁肯牺牲性命?您还是尽力去做吧!我不会再见到您了。"姚句耳先回国,子驷问他情况,他回答说:"他们行军神速,经过险地而队伍不整。行军过快就会疏于考虑,队伍不整就不成阵列。疏于考虑、不成阵列,将凭什么作战?楚军恐怕不能依靠了。"

五月,晋师济河。闻楚师将至,范文子欲反①,曰:"我伪②逃楚,可以纾③忧。夫合诸侯,非吾所能也,以遗能者。我若群臣辑④睦以事君,多矣。"武子曰:"不可。"

六月,晋、楚遇于鄢陵⑤。范文子不欲战。郤至曰:"韩之战,惠公不振旅;⑥箕之役,先轸不反命;⑦邲之师,荀伯不复从,⁸皆晋之耻也。子亦见先君之事矣。今我辟楚,又益耻也。"文子曰:"吾先君之亟战也,有故。秦、狄、齐、楚皆强,不尽力,子孙将弱。今三强服矣,敌楚而已。惟圣人能外内无患。自⁹非圣人,外宁必有内忧,盍释⑩楚以为外惧乎?"

甲午晦,楚晨压晋军而陈⑪。军吏患之。范匄⑫趋进,曰:"塞井夷⑬灶,陈于军中,而疏行首⑭。晋、楚唯天所授,何患焉?"文子执戈逐之,曰:"国之存亡,天也,童子何知焉!"栾书曰:"楚师轻窕⑮,固垒而待之,三日必退。退而击之,必获胜焉。"郤至曰:"楚有六间⑯,不可失也。其二卿⑰相恶,王卒以旧⑱,郑陈而不整,蛮军而不陈,陈不违晦⑲,在陈而嚣⑳,合而加嚣㉑。各顾其后,莫有斗心;㉒旧不必良,以犯天忌㉓,我必克之。"

[注释]

①反:撤军。②伪:同"为",如果。表示假设。③纾:缓解。④辑:和。⑤鄢陵:今河南鄢陵县北。⑥"韩之战"二句:秦晋韩之战在僖公十五年(前645年),晋惠公被俘。振旅:整顿军队。⑦"箕之役"二句:晋狄箕之役在僖公三十三年(前627年),晋胜,主帅先轸战死。反命:回复君命。⑧"邲之师"二句:晋楚邲之战在宣公十二年(前597年),晋败,主帅荀林父溃不能战。⑨自:如果。⑩释:放下。⑪压:迫近。陈:列阵。⑫范匄:士燮之子士匄,谥宣子。⑬夷:平。⑭疏行首:把军队行列间距拉大。首,通"道"。⑮轻窕:轻佻,不稳重。⑯间:隙,弱点。⑰二卿:子重、子反。⑱以:用。旧:旧家,世族。⑲陈不违晦:当天为晦日(每月最后一天)。古人认为晦日列阵出战,于军不利。⑳嚣:喧哗,吵闹。㉑合:指两军交战。加:益。㉒"各顾其后"二句:《国语·晋语六》云:"郑将顾楚,楚将顾夷,莫有斗心。"即互相观望,不肯用力。㉓以:又。犯天忌:指阵不违晦。

[译文]

五月,晋军渡过黄河。听说楚军将要到来,范文子主张撤军,说:"我们如果避让楚国,可以缓和局势。会合诸侯,不是我的能力所能承受的，还是留给有能力的人吧。我们如果群臣和睦以侍奉君王，这就足够了。"栾书说："不行。"

六月，晋、楚两军在鄢陵相遇。范文子不想交战。郤至说："当年韩之战，惠公被俘，溃不成军；箕之战，先轸牺牲，不能复命；邲之战，荀林父没有斗志，落荒而逃。这都是我们晋国的耻辱。您也都见过先君时代的这些战事。现在我们避让楚国，又要添加耻辱了。"范文子说："我们先君多次作战，是有原因的。秦、狄、齐、楚都很强大，我们如果不尽力，子孙就会衰弱。现在三个强国顺服我们，敌对的只有楚国而已。只有圣人才能够内外都没有忧患。如果不是圣人，外部安宁，内部必然产生忧患，为什么不丢开楚国，让它作为我们外部的忧患呢？"

五月三十晦日，楚军在清晨迫近晋军列开阵势。晋国的军吏感到担心。范匄快步向前，说："填塞水井，铲平灶头，就在营中列阵，把行列间距放宽。晋、楚两国各看天意所在，有什么好担心的？"范文子拿起戈来赶他走，说："国家的存亡，在于天意，小孩子知道什么！"栾书说："楚军轻佻，我们加固营垒而等待，不出三天他们一定会撤退。趁他们撤退时攻击他们，一定可以获胜。"郤至说："楚军有六处缺陷，机不可失。他们的二卿不和，楚王的亲兵都是老兵，郑国的军队虽然列阵却不整齐，蛮人虽然成军却不成阵势，列阵作战不避晦日，士兵在阵中喧闹，与对手交战就会更加喧闹。各军瞻前顾后，缺乏斗志。老兵不一定精良，又犯了上天所忌，我军一定能战胜他们。"

楚子登巢车①，以望晋军。子重使大宰伯州犁②侍于王后。王曰："骋而左右③，何也？"曰："召军吏也。""皆聚于中军矣。"曰："合谋④也。""张幕⑤矣。"曰："虔卜于先君也⑥。""彻⑦幕矣。"曰："将发命也。""甚嚣，且尘上矣。"曰："将塞井夷灶而为行⑧也。""皆乘矣，左右执兵而下矣。"曰："听誓⑨也。""战乎?"曰："未可知也。""乘而左右皆下矣。"曰："战祷⑩也。"伯州犁以公卒⑪告王。苗贲皇⑫在晋侯之侧，亦以王卒⑬告。皆曰："国士⑭在，且厚⑮，不可当也。"苗贲皇言于晋侯曰："楚之良，在其中军王族而已。请分良以击其左右，而三军萃⑯于王卒，必大败之。"公筮之。史曰："吉。其卦遇《复》䷗⑰，曰：'南国蹙，射其元王，中厥目。'⑱国蹙、王伤，不败何待?"公从之。

有淖⑲于前，乃皆左右相违⑳于淖。步毅御晋厉公，栾鍼为右。㉑彭名御楚共王，潘党为右。㉒石首御郑成公，唐苟为右。㉓栾、范以其族夹公行㉔。陷于淖。栾书将载晋侯。鍼曰："书退㉕！国有大任㉖，焉得专之？且侵官㉗，冒㉘也；失官㉙，慢也；离局㉚，奸㉛也。有三罪焉，不可犯也。"乃掀公以出于淖。

[注释]

①巢车：又叫辒车、楼车。一种设有望楼用来查看敌情的战车。②伯州犁：晋伯宗之子。伯宗在晋被杀，伯州犁奔楚，任太宰。③骋而左右：晋国兵车向左右两方行进。④合谋：共同商议。⑤张幕：张设帐幕。⑥虔卜于先君也：在先君神主前卜问吉凶。古代出兵，随军携带先君神主。虔，敬。⑦彻：撤除。⑧行：军队排成队列。⑨听誓：听主帅发布誓师的命令。⑩战祷：战前向神灵祈祷。⑪公卒：晋侯亲兵。⑫苗贲皇：楚国斗椒之子，其父被杀，逃奔晋国，食邑于苗。他熟悉楚军情况，所以侍于晋侯之侧。⑬王卒：楚王亲兵。⑭国士：智勇兼备之士。指伯州犁。⑮厚：军队行列密集。指实力雄厚。⑯萃：集。⑰《复》䷗：六十四卦之一，《震》下《坤》上。⑱"南国蹙"三句：占辞。南国：指楚。蹙（cù）：局迫。元王：大王。厥：其。⑲淖（nào）：泥沼。⑳违：避开。㉑步毅：郤毅，郤至之弟。栾鍼：栾书之子。御：驾驭战车。为右：担任车右。㉒彭名、潘党：楚大夫。㉓石首、唐苟：郑大夫。㉔栾、范以其族夹公行：栾、范之族战斗力强，所以护卫在晋厉公左右。族，从家族中选拔出来的人员。㉕书退：栾书退下。古代礼制，在国君面

前，子直呼父名。㉖大任：大事，重任。㉗侵官：侵犯他人职守。㉘冒：冒犯。㉙失官：放弃本职。栾书是主帅。㉚离局：离开职守。㉛奸：乱。

[译文]

楚共王登上巢车眺望晋军，子重派太宰伯州犁侍立在共王身后。共王说："战车左右分开驰骋，为什么？"伯州犁说："这是在召集军吏。""那些人都聚集在中军了。"伯州犁说："这是在一起商议。""张设帐幕了。"伯州犁说："这是在先君神主前虔诚地占卜。""帐幕撤掉了。"伯州犁说："快要发布命令了。""喧哗得厉害，而且尘土上扬了。"伯州犁说："将要填塞水井铲平灶头而摆开阵列了。""都上了战车了，将帅和车右都拿着兵器下车了。"伯州犁说："是在听取主帅发布军令。""他们要出战了吗？"伯州犁说："还不能确定。""上了战车，将帅和车右又下来了。"伯州犁说："这是在做战前祈祷。"伯州犁把晋君亲兵的情况告诉了楚共王。苗贲皇侍立在晋厉公身旁，也把楚王亲兵的情况告诉了晋厉公。晋国的将士都说："伯州犁这个杰出人士在楚国，而且他们兵力雄厚，不易抵挡。"苗贲皇对晋厉公说："楚国的精锐，在于他们的中军和王族而已。请把我们的精兵分一部分攻打他们的左右二军，而集中三军对付楚王的亲兵，一定能大败他们。"晋厉公让太史占筮，太史说："吉利。得到了《复》卦，卦辞说：'南方国家很局迫，用箭射它的国王，射中了他的眼睛。'国家局迫、国王受伤，不吃败仗还等什么呢？"晋厉公听信了他的话。

晋军前面有个大泥坑，于是晋军都或左或右地绕开泥坑前进。步毅为晋厉公驾驭战车，栾鍼担任车右。彭名为楚共王驾驭战车，潘党担任车右。石首为郑成公驾驭战车，唐苟为车右。栾氏、范氏带着他们部族的队伍护卫着晋厉公前进。晋厉公车陷泥坑，栾书打算让晋厉公乘自己的战车。栾鍼说："栾书退下！国家有大事，你怎能一人专揽？而且侵犯别人的职责，这是冒犯；丢弃自己的职责,这是怠慢;离开自己的岗位,这是扰乱。有三件罪名,这是不能碰的。"他就抬起厉公的战车脱离泥坑。

癸巳,潘尪之党与养由基蹲甲而射之①,彻七札焉②。以示王,曰:"君有二臣如此,何忧于战?"王怒曰:"大辱国③!诘朝④尔射,死艺⑤。"吕锜⑥梦射月,中之,退入于泥。占之,曰:"姬姓,日也;异姓,月也,⑦必楚王也。射而中之,退入于泥,亦必死矣。"及战,射共王,中目。王召养由基,与之两矢,使射吕锜,中项,伏弢。以一矢复命。

郤至三遇楚子之卒,见楚子,必下,免胄⑧而趋风⑨。楚子使工尹襄问之以弓⑩,曰:"方事之殷⑪也,有韎韦之跗注⑫,君子也。识⑬见不穀而趋,无乃伤乎?"郤至见客,免胄承命,曰:"君之外臣⑭至从寡君之戎事,以君之灵,间⑮蒙甲胄,不敢拜命⑯。敢告不宁⑰,君命之辱⑱。为事⑲之故,敢肃使者⑳。"三肃使者而退。

[注释]

①潘尪(wāng)之党:潘尪之子,名党。这样写是为了与担任共王御者的潘党区别开。养由基:楚国神射手。蹲甲:把铠甲叠放在一起。蹲,聚。②彻:穿透。七札:七层。当时革甲一般有七层。③大辱国:当时俗语,用来指责二人过于夸大。④诘朝:明天。⑤死艺:死在这项技艺(善射)上。⑥吕锜:魏锜。⑦"姬姓"四句:日月有内外之意。姬姓为天子之姓,尊,故为日为内;异姓卑,故为月为外。⑧免胄:脱下头盔。⑨趋风:快步走过。表示敬意。⑩工尹襄:楚大夫,名襄,担任工尹。问:以物赠人。⑪殷:盛。⑫韎(mèi):赤黄色。跗(fū):脚背。注:属。⑬识:适,刚才。⑭外臣:对他国君主自称之词。⑮间:与,参与。⑯不敢拜命:不敢拜受楚王问候之命。⑰不宁:没有受伤。宁,同"憖",伤。⑱君命之辱:辱承君命,实不敢当。⑲事:战事。⑳肃:肃拜。双手合拢,当心而下移,俯身作揖。有军服在

身，只能肃拜。

[译文]

二十九日，潘尪的儿子潘党与养由基叠起铠甲射箭，都射穿了七层。他们拿去给共王看，说："君王您有我们这样的两个臣子，打仗有什么愁的？"共王发怒说："真丢人！明天你要是射箭，就会死在这项本领上。"晋国的吕锜梦见自己射月亮，射中了，自己后退陷入泥坑里。他为此事占卜，占者说："姬姓国家好比太阳，异姓国家好比月亮。你射中的一定是楚王。射中后，后退陷入泥坑，你也一定会死。"等到交战，吕锜用箭射楚共王，射中了他的眼睛。楚共王叫来养由基，给他两支箭，派他去射吕锜，射中脖子，倒在弓套上死去。养由基拿了剩下的一支箭向楚共王复命。

郤至三次遇上楚共王的亲兵，他见到楚共王，必定跳下战车，脱去头盔而快步走过。楚共王派工尹襄用弓为礼物去问候他，说："正当战斗激烈的时候，有位穿红色熟皮军服的人，他是个君子。刚才见到鄙人而快步跑开，难道是受伤了吗？"郤至面见工尹襄，脱下头盔，听他传达楚共王的话，说："君王的外臣郤至跟随寡君参加作战，托君王的福，参加了披盔戴甲的行列，不敢拜谢宠命。谨向君王报告没有受伤，感谢君王赐问，实不敢当。因为在战斗之中，谨向使者肃拜。"对工尹襄肃拜三次后退走。

晋韩厥从郑伯，其御杜溷罗曰："速从之！其御屡顾，不在马，可及也。"韩厥曰："不可以再辱国君①。"乃止。郤至从郑伯，其右茀翰胡曰："谍辂之②，余从之乘③，而俘以下。"郤至曰："伤国君有刑。"亦止。石首曰："卫懿公唯不去其旗，是以败于荥。"④乃内旌于韬中。唐苟谓石首曰："子在君侧，败者壹大⑤。我不如子，子以君免，我请止⑥。"乃死。

楚师薄于险⑦，叔山冉⑧谓养由基曰："虽君有命⑨，为国故，子必射。"乃射，再发，尽殪⑩。叔山冉搏人以投⑪，中车，折轼。晋师乃止。囚楚公子茷⑫。

栾鍼见子重之旌，请曰："楚人谓夫旌，子重之麾也，彼其子重也。日⑬臣之使于楚也，子重问晋国之勇，臣对曰：'好以众整。'曰：'又何如？'臣对曰：'好以暇。'今两国治戎，行人不使，不可谓整；临事而食言，不可谓暇。⑭请摄饮⑮焉。"公许之。使行人执榼承饮⑯，造⑰于子重，曰："寡君乏使，使鍼御持矛⑱，是以不得犒从者，使某⑲摄饮。"子重曰："夫子⑳尝与吾言于楚，必是故也。不亦识㉑乎！"受而饮之，免使者而复鼓。旦而战，见星未已。

[注释]

①不可以再辱国君：成公二年（前589年）鞌之战时，韩厥已追上齐顷公，而顷公与车右逢丑父换了位置，韩厥就把丑父当成顷公抓了回去。②谍辂（yà）之：派轻骑从间道包抄。谍，驿，轻骑。辂，通"迓"。迎。③从之乘：谓登上郑伯战车。④"卫懿公唯不去其旗"二句：闵公二年（前660年），卫懿公与狄人战于荧泽，卫师大败，懿公不去其旗，因而被杀。⑤败者壹大：败军之中，君王最大。壹，专一。大，指郑君。⑥止：停止前进，以抵御追兵。⑦薄于险：被晋军逼迫到险要的地方。薄，迫。⑧叔山冉：名冉，叔山为氏。⑨虽君有命：楚共王命令养由基不得射箭。⑩殪：死。⑪搏人以投：俘晋人以投晋军。搏，取。⑫公子茷：名钧，字发。⑬日：往日，从前。⑭"临事而食言"二句：临战事不能履行前言，不能算做从容。暇，闲暇，从容。⑮摄饮：使人代己敬子重酒。⑯榼（kē）：酒器。承：奉。⑰造：至。⑱御持矛：侍于君侧持矛，指担任车右。御，侍。⑲某：使者自称。⑳夫子：指栾鍼。㉑识（zhì）：记。

[译文]

晋韩厥追赶郑成公，他的御者杜溷罗说："快追上去！他的御者多次回头张望，不专心驾车，可以追得上。"韩厥说："我不能够再次做羞辱国君的事。"于是停止了追赶。郤至追赶郑成公，他的车右茀翰胡说:"派轻车绕道包抄,我追上他的战车去把他俘虏下车。"郤至说:"伤害国君要受到刑罚。"也停止追赶。郑成公的御者石首说:"卫懿公因为没有撤下他的旗子,所以在荧泽惨败。"于是把旌旗藏进弓袋中。唐苟对石首说:"你在国君身边,战败了更要专心保护君王。我不如你,你带着国君逃脱,我请求留下来抵挡追兵。"于是留下来战死了。

楚军被晋军逼迫到险要的地方,叔山冉对养由基说:"虽然君王有禁令,但是为了国家的缘故,你一定要射箭。"养由基于是向晋军射箭,射二箭,死二人。叔山冉抓住晋军投掷回去,砸中战车,折断了车轼。晋军于是停了下来。囚禁了楚公子茷。

栾鍼见到子重的旌旗,向晋厉公请求说:"楚国人说那面旌旗是子重的旗号,那位恐怕就是子重了。从前下臣出使到楚国,子重曾问起晋国军队的勇敢表现在哪里。下臣回答说:'喜欢人多而有纪律。'他问:'还有什么?'下臣回答说:'喜欢临事从容不迫。'如今两国交战,使者不通,不能说有纪律;临到事情却说话不算,不能说是从容不迫。请允许我派人代为敬酒。"晋厉公同意了。栾鍼派使者拿着酒榼装满酒,到子重那儿,说:"寡君缺少人手,派栾鍼拿矛当侍卫,因此不能来犒劳您的左右,特派我代为敬酒。"子重说:"夫子曾经在楚国对我说过这番话,一定是为了这个。他的记性真是太好了!"接过酒来喝了,让使者回去,而重新擂起战鼓。从早晨开战,直到见了星星还没结束。

子反命军吏察夷伤①,补卒乘,缮甲兵,展②车马,鸡鸣而食,唯命是听。晋人患之。苗贲皇徇曰:"蒐③乘、补卒,秣马、利兵,修陈、固列,蓐食、申祷④,明日复战!"乃逸⑤楚囚。王闻之,召子反谋。谷阳竖献饮于子反⑥,子反醉而不能见。王曰:"天败楚也夫!余不可以待。"乃宵遁。

晋入楚军，三日谷⁷。范文子立于戎马之前⁸，曰："君幼，诸臣不佞⁹，何以及此？君其戒之！《周书》曰：'惟命不于常。'⁽¹⁰⁾有德之谓。"

楚师还，及瑕⑪，王使谓子反曰："先大夫之覆师徒者，君不在。⑫子无以为过，不穀之罪也。"子反再拜稽首曰："君赐臣死，死且不朽。臣之卒实奔，臣之罪也。"子重复谓子反曰："初陨师徒者⑬，而⑭亦闻之矣。盍图之⑮！"对曰："虽微先大夫有之，大夫命侧，侧敢不义？侧亡君师，敢忘其死？"王使止之，弗及而卒。

[注释]

①夷伤：伤者。夷，同"痍"，伤。②展：整顿。③蒐：检阅。④申祷：再次祈祷。⑤逸：纵。⑥谷阳竖：子反的童仆。⑦三日谷：食楚谷三日。⑧戎马：晋厉公车马。⑨不佞：不才。⑩"惟命不于常"：引文出自《尚书·康诰》。意思是天命无常，唯助有德之人。⑪瑕：楚邑，在今湖北随州市。⑫"先大夫之覆师徒者"二句：僖公二十八年（前632年），晋楚城濮之战，楚军大败。先大夫指令尹成得臣。当时楚成王不在军中。⑬初陨师徒者：起初让军队蒙受损失的人，指子玉。⑭而：尔。⑮盍图之：何不考虑一下。子重与子反相恶，所以逼他自杀。

[译文]

子反命令军吏调查受伤情况，补充兵员，修理盔甲武器，整顿战车马匹，鸡叫时吃饭，只服从主帅的命令。晋军因此而担心。苗贲皇在军中传令说："检阅战车，补充士兵，喂饱马匹，磨快兵器，整顿军阵，巩固行列，饱餐战饭，再次祷告，明天再战！"他故意让楚国俘虏逃回去报告情况。楚共王听说后，召见子反来商量。有个名叫谷阳的童仆献酒给子反，子反喝醉了不能来见共王。共王说："这是上天要让楚国打败仗啊！我不能再等了。"于是连夜撤退。

晋军进入楚营，把楚营中的粮食吃了三天。范文子站在晋厉公的车马前说："君王年幼，臣子们又没才能，怎么到了这种局面？君王还是要警惕啊！《周书》上说，'天命不会常在不变'，是说天只保佑有德行的人。"

楚军回国，到达瑕地，楚共王派人对子反说："先大夫使军队覆没的时候，国君不在军中。你不要把这次战败作为自己的过错，这是不穀的罪过。"子反再次下拜叩头说："君王赐下臣一死，死而不朽。下臣的士兵的确逃跑了，这是下臣的罪过。"子重派人对子反说："起初让军队蒙受损失的那个人，你也听到过了。你何不自己考虑一下？"子反回答说："即使没有先大夫自杀谢罪的先例，大夫下命令给侧，侧岂敢陷于不义？侧使君王的军队败亡，怎敢逃避一死？"楚共王派人阻止他，还没赶到，子反就自杀了。

祁奚请老（襄公三年）

[题解]

祁奚推荐官员，不避仇，不避亲，不避偏，唯善是举，受到后人称赏。

祁奚请老①，晋侯问嗣②焉。称③解狐——其雠也，将立之而卒。又问焉。对曰："午④也可。"于是羊舌职死矣⑤，晋侯曰："孰可以代之？"对曰："赤⑥也可。"于是使祁午为中军尉，羊舌赤佐之。

君子谓："祁奚于是能举善矣。称其雠，不为谄；立其子，不为比⑦；举其偏，不为党⑧。《商书》曰：'无偏无党，王道荡荡'⑨，其祁奚之谓矣。解狐得举，祁午得位，伯华得官，建一官而三物成⑩，能举善也。夫唯善，故能举其类。《诗》云：'惟其有之，是以似之'⑪，祁奚有焉。"

[注释]

①祁奚：高梁伯之子，字黄羊。晋大夫，时为中军尉。请老：请求退休。②嗣：继任者。③称：举荐。④午：祁午，祁奚之子。⑤于是：于时，此时。羊舌职：祁奚之佐（副手）。⑥赤：羊舌职之子，字伯华。⑦比：徇私。⑧党：结党。⑨"无偏无党"二句：引文见《尚书·洪范》。偏：偏私。荡荡：形容宽广。⑩一官：指中军佐。三物：指不谄、不比、不党。⑪"惟其有

之"二句：引诗见《诗·小雅·裳裳者华》。

[译文]

祁奚请求退休，晋悼公询问继任的人选。祁奚举荐解狐——他的仇人，准备下达任命时，解狐去世了。晋悼公又询问人选，祁奚回答说："祁午可以。"这时候羊舌职去世，晋悼公说："谁可以接替他呢？"祁奚回答说："羊舌赤可以。"这样，晋悼公就任命祁午为中军尉，羊舌赤辅佐他。

君子认为："祁奚在这件事情上能够举荐有德行的人。举荐他的仇人，不是谄媚；举立他的儿子，不是徇私；荐举他的副职，不是结党。《商书》上说：'不偏私，不结党，先王之道坦荡荡。'说的就是祁奚这样的人啊！解狐得到举荐，祁午得到职位，羊舌赤得到官职，设立一个官职而成就三件事，这是由于能够举荐有德行的人啊！唯其有德行，所以能够举荐他的同类。《诗》上说：'正因为他有美好的德行，他举荐的人才同他一样。'祁奚就是这样的。"

魏绛戮扬干（襄公三年）

[题解]

魏绛严格执行军法，不虑权势，不徇情面，晋悼公因此尊敬并提拔他。

晋侯之弟扬干乱行于曲梁①，魏绛戮其仆②。晋侯怒，谓羊舌赤③曰："合诸侯，以为荣也。扬干为戮④，何辱如之？必杀魏绛，无失也！"对曰："绛无贰志⑤，事君不辟⑥难，有罪不逃刑，其将来辞⑦，何辱命焉⑧？"言终，魏绛至，授仆人⑨书，将伏剑⑩。士鲂、张老止之⑪。公读其书，曰："日君乏使⑫，使臣斯⑬司马。臣闻：'师众以顺为武⑭，军事有死无犯为敬⑮。'君合诸侯，臣敢不敬⑯？君师不武⑰，执事不敬⑱，罪莫大焉。臣惧其死⑲，以及扬干，无所逃罪。不能致训⑳，至于用钺，臣之罪重，敢有不从㉑以怒君心？请归死于司寇㉒。"公跣而出㉓，曰："寡人之言，亲爱㉔也；吾子之讨，军礼也。寡人有弟，弗能教训，使干大命㉕，寡人之过也。子无重㉖寡人之过，敢以为请。"

晋侯以魏绛为能以刑佐民矣，反役㉗，与之礼食㉘，使佐新军㉙。张老为中军司马㉚，士富为候奄㉛。

[注释]

①晋侯之弟扬干乱行于曲梁：襄公三年（前570年）六月，鲁公、晋

侯、单子、宋公、卫侯、莒子、邾子、齐世子光等在鸡泽（今河北邯郸市东北）会盟，晋侯之弟扬干扰乱军队行列。晋侯，晋悼公。乱行，扰乱军队行列，破坏军容。古代会盟，诸侯有军队相从。曲梁在鸡泽稍南。②魏绛：晋大夫，魏犨之子。时任中军司马，主管军法。戮：杀。其仆：为扬干驾车者。③羊舌赤：中军佐，参《祁奚请老》注。④为戮：受辱。杀其仆，等于侮辱他。⑤无贰志：一心为国。⑥辟：同"避"。⑦其将来辞：恐怕会来解释。其，语气副词，表示不太肯定。⑧何辱命焉：不必劳驾君王下令。⑨仆人：主管接受官吏紧急奏事的官员。⑩伏剑：负剑自杀。⑪士鲂：晋卿，士会之子。张老：晋侯正，掌斥候（侦察）。⑫曰：从前。乏使：缺少供驱使者。⑬斯：通"司"，任职。⑭师众：师旅。顺：服从命令。⑮军事有死无犯为敬：从事军旅，宁死不犯军纪为敬。⑯敢不敬：敢不执行军纪。⑰不武：指有违反军纪者。⑱执事不敬：有关军吏不敢执行军法。⑲臣惧其死：执事不敬为死罪。⑳不能致训：未能先训告众人。㉑不从：不从刑戮。㉒司寇：司法官。㉓跣而出：光着脚跑出来，担心魏绛自杀。㉔亲爱：心疼自己的弟弟。㉕大命：军令。㉖重：加重。㉗反役：盟会后回国。㉘与之礼食：在太庙为他举行公食大夫之礼。㉙使佐新军：提拔他为新军佐（副帅）。㉚张老为中军司马：代魏绛。㉛士富为候奄：代张老。士富为士会别族。

[译文]

晋悼公的弟弟扬干在曲梁扰乱了军队的行列，魏绛处死了他的御者。晋悼公发怒，对羊舌赤说："会合诸侯，是以此为荣的事。扬干因此受辱，还有什么比这更耻辱的？一定要杀了魏绛，不要耽误！"羊舌赤回答说："魏绛没有异志，侍奉君王不避危难，有了罪过不避刑罚，恐怕自己会来解释的，何必劳动您下达命令呢？"话刚说完，魏绛来了，交给仆人一封书信，准备伏剑自杀。士鲂、张老阻止了他。晋悼公读他的书信，上面说："从前君王缺少使唤的人，任命下臣担任司马一职。下臣听说：'军队中的人以服从军纪为武，在军中做事以宁死不犯军纪为敬。'君王会合诸侯，下臣怎敢不执行军纪？君王的队伍里有违反军纪的，管事的不敢执行军纪，没有比这更大的罪了。下臣害怕犯死罪，所以才涉及到了扬干，这罪过无以逃避。我不能让全军周知军纪，以至于要动用斧钺，下臣罪过深重，岂敢不服从刑罚，而使君王发怒？请允许下臣回去死在司寇那里。"晋悼公读后光着脚跑出来，说："寡人所说的话，是出于对兄弟的亲爱。您杀死扬干的御者，是执行军法。寡人有弟，没能教训好，让他犯了军纪，这是寡人的过错。您不要加重寡人的过错，谨以此作为请求。"

晋悼公因此认为魏绛能够用刑法帮助治理人民。盟会后回国，在太庙为魏绛举行公食大夫之礼，任命他担任新军副帅。任命张老为中军司马，士富为候奄。

驹支不屈于晋（襄公十四年）

[题解]

范宣子指责戎人泄漏机密，准备拘捕其首领驹支。驹支历陈史实，据理力争，指出戎人有功而无负于晋。

十四年，春，吴告败于晋①。会于向②，为吴谋楚故也③。范宣子数吴之不德也④，以退吴人。执莒公子务娄，以其通楚使也。

将执戎子驹支⑤，范宣子亲数诸朝⑥，曰："来！姜戎氏！昔秦人迫逐乃祖吾离于瓜州，⑦乃祖吾离被苫盖、蒙荆棘来归我先君⑧，我先君惠公有不腆⑨之田，与女剖分而食之。今诸侯之事我寡君不如昔者，盖言语漏泄，则职女之由⑩。诘朝⑪之事，尔无与⑫焉。与，将执女。"对曰："昔秦人负恃其众，贪于土地，逐我诸戎⑬。惠公蠲⑭其大德，谓我诸戎，是四岳之裔胄也⑮，毋是翦弃。赐我南鄙之田，狐狸所居，豺狼所嗥。我诸戎除翦其荆棘，驱其狐狸豺狼，以为先君不侵不叛之臣，至于今不贰。昔文公与秦伐郑，秦人窃与郑盟而舍戍焉⑯，于是乎有殽之师⑰。晋御其上，戎亢⑱其下，秦师不复⑲，我诸戎实然⑳。譬如捕鹿，晋人角之㉑，诸戎掎之㉒，与晋踣㉓之。戎何以不免㉔？自是以来，晋之百役，与我诸戎相继于时㉕，以从㉖执政，犹殽志也㉗，岂敢离逖㉘？今官之师旅㉙无乃实有所阙，以携诸侯㉚而罪我诸戎！我诸戎饮食衣服不与华同，贽币不通㉛，言语不达㉜，何恶之能为？不与于会，亦无瞢㉝焉。"赋《青蝇》㉞而退。宣子辞㉟焉，使即协会，成恺悌㊱也。

[注释]

①"十四年"三句：襄公十三年（前560年），吴国趁楚共王去世之机，入侵楚国，结果中了楚军埋伏，大败。吴与晋曾为同盟国，所以前来通报。②会于向：经载"十有四年春，王正月，季孙宿、叔老会晋士匄、齐人、宋人、卫人、郑公孙虿、曹人、莒人、邾人、滕人、薛人、杞人、小邾人会吴于向"。向，郑地，今河南尉氏县西南，鄢陵县西北。③为吴谋楚故也：这次会盟的举行，是因为吴侵楚失败，吴向晋（盟主）通报，企图报复。④范宣子：士匄（gài），晋卿。数（shǔ）：责备。不德：吴趁楚丧入侵为不德。⑤戎子驹支：戎人首领，名叫驹支。⑥朝：在向地盟会时布置有朝位。⑦"来"三句：瓜州戎人有二姓，姜姓与允姓。吾离这一支为姜姓。瓜州：地名，今甘肃敦煌。⑧被：同"披"。蒙：冒，戴。苫盖、荆棘：用茅草、荆棘所编就之物，极言其困苦。⑨腆（tiǎn）：多。⑩职女之由：当是由于你。职，当。女，同"汝"，你。⑪诘朝：明天早晨。⑫与：参与。⑬诸戎：西戎由部落组成，驹支为各部落的首领，所以称"诸戎"。⑭蠲（juān）：明。⑮四岳：唐尧时方伯（四方之长），姜姓。裔胄：后代。⑯窃：私自。事在僖公三十年（前630年）。舍：置。⑰殽之师：殽之战在僖公三十三年。⑱亢：抵挡。⑲不复：不能回国复命，指全军覆没。⑳我诸戎实然：实际上是我们诸戎的功劳。㉑角之：执其角。指当面进攻。㉒掎之：拖其后腿。指背后攻击。㉓踣：仆，倒。㉔何以不免：为什么不能免于罪责。㉕相继于时：按时相从，没有间断。㉖从：追随。㉗犹殽志也：如同参加殽之战一样，没有二心。㉘逖：远，违。㉙官之师旅：指晋执政。不明加指斥，外交辞令比较委婉。㉚以携诸侯：使诸侯携贰（怀有二心）。㉛贽币不通：即不相往来。㉜达：通。㉝瞢（méng）：愧，忧。㉞《青蝇》：见《诗·小雅》。诗云："营营青蝇，止于樊。岂弟君子，无信谗言。营营青蝇，止于棘。谗人罔极，交乱四国。营营青蝇，止于

榛。谗人罔极，构我二人。""岂弟"即"恺悌"。㉟辞：道歉。㊱恺悌：和易近人。

[译文]

十四年春，吴国向晋国报告为楚国战败。诸侯在向地会见，是为了替吴国谋划如何对付楚国。范宣子指责吴国乘楚国有丧时用兵的不道德，以此拒绝吴人。拘捕了莒国公子务娄，因为他与楚国有使者往来。

晋国准备拘捕戎人的首领驹支。范宣子亲自在朝会上责备他，说："过来，姓姜的戎人！从前秦国人在瓜州驱赶你的祖先吾离，你的祖先吾离披着茅衣、戴着荆帽，前来投靠我们的先君。我们先君惠公只有并不丰厚的田地，同你们平分，让你们有饭吃。如今诸侯侍奉我们寡君不如以前了，这是因为说话泄漏了机密，应当是由于你们的缘故。明天早晨的事情，你就不要参加了！你要是敢参加，就把你抓起来！"驹支回答说："从前秦国人仗着他们人多，贪婪地掠夺土地，把我们各部戎人赶走。惠公展示了他高尚的品德，认为我们各部戎人，是四岳的后代，不应该被剪灭放弃。赐给我们南部边境地区的田地，那是个狐狸安居、豺狼嗥叫的地方。我们各部戎人铲除了那儿的荆棘，赶走了狐狸豺狼，成为你们先君不侵犯不背叛的臣下，直到今天都没有二心。过去文公与秦国一起攻打郑国，秦国人私下里与郑国订立盟约，留下军队帮他们戍守，因此就发生了在殽地的战役。晋国在上边抵御秦军，我们戎人在下面攻击秦军，秦军没能回去复命，实在是我们戎人努力作战的结果。譬如捕捉一只鹿，晋国人抓住它的角，我们各部戎人拉住它的腿，和晋国人一起把它放倒。戎人为什么不能免于罪责呢？从那时以来，晋国凡有征战，我们各部戎人都是按时跟上，以追随你们的执政，如同殽之战那时一样，没有二心，怎么敢违背呢？如今你们的官员，恐怕实在有些地方做得不够，使诸侯生背叛之心，而你们却要责备我们各部戎人！我们各部戎人吃的穿的都与华夏不同，平时不相往来，言语不通，能做什么坏事？不参加会议，我也不会感到羞愧！"赋《青蝇》之诗后退了下去。范宣子向驹支道歉，请他参与会议事务，展示了和易近人的作风。

师旷论卫人出其君（襄公十四年）

[题解]

师旷指出，君主与各级官吏，是用来管理百姓的。卫献公的行为超过了他的职分，所以被国人驱逐。

师旷侍于晋侯①。晋侯曰："卫人出其君②，不亦甚乎？"对曰："或者其君实甚。良君将赏善而刑淫③，养民如子，盖之如天，容之如地；民奉其君，爱之如父母，仰之如日月，敬之如神明，畏之如雷霆，其可出乎？夫君，神之主而民之望也。若困民之主④，匮神乏祀⑤，百姓绝望，社稷无主，将安用之⑥？弗去何为？天生民而立之君，使司牧之，勿使失性⑦。有君而为之贰⑧，使师保之⑨，勿使过度。是故天子有公，诸侯有卿，卿置侧室⑩，大夫有贰宗⑪，士有朋友⑫，庶人、工、商、皂、隶、牧、圉皆有亲昵⑬，以相辅佐也。善则赏⑭之，过则匡⑮之，患则救之，失则革⑯之。自王以下各有父兄子弟以补察⑰其政。史为书⑱，瞽⑲为诗，工诵箴谏⑳，大夫规诲㉑，士传言㉒，庶人谤㉓，商旅于市㉔，百工献艺㉕。故《夏书》曰：'遒人以木铎徇于路，官师相规，工执艺事以谏。'㉖正月孟春，于是乎有之，谏失常也㉗。天之爱民甚矣，岂其使一人肆㉘于民上，以从㉙其淫，而弃天地之性？必不然矣。"

[注释]

①师旷：字子野，晋大师（乐工之长）。晋侯：晋悼公。②卫人出其君：本年夏四月，卫大夫孙林父、宁殖赶走了卫献公。③刑淫：惩罚邪恶。④困民之主：当作"困民之性"。性，生。⑤匮神令祀：指鬼神无祭祀者。匮，乏同义。⑥之：指君。⑦勿使失性：失去生存之资。性，生。⑧贰：辅佐者，如卿、大夫等。⑨师：教导。保：保护。⑩侧室：支子。⑪贰宗：嫡子为小宗，次者为贰宗。⑫朋友：同宗为朋，同志为友。⑬皂、隶：奴隶。牧、圉：养牛、马的人。⑭赏：宣扬。⑮匡：正。⑯革：更，改。⑰补察：补救、审察。⑱史为书：史官君举必书。⑲瞽：乐师。⑳工：乐人。诵：或歌或读。㉑规：正。诲：教诲，开导。㉒士传言：通过大夫传达国君过失。㉓谤：议论。㉔商旅于市：商旅议于市。㉕百工献艺：根据各自所擅长提出批评建议。㉖"道人以木铎"三句：所引当为逸《书》之文，见今伪《古文尚书·胤征》。道人：宣令之官。木铎：金口木舌之铃。徇：巡行宣令。官师：一官之长。㉗"正月孟春"三句：地位较低的官员及百工等，在正月道人徇于路时，可以建言献策。㉘肆：放肆。㉙从：同"纵"，放纵。

[译文]

师旷随侍在晋悼公身边。晋悼公说："卫国人赶走他们的国君，不是太过分了吗？"师旷回答说："也许他们的国君实在太过分了。好的国君会奖励善良而惩罚邪恶，抚育百姓如同对待子女，像天一样覆盖他们，像地一样容纳他们。百姓侍奉他们的国君，爱戴他就像爱戴父母一样，尊仰他如同尊仰日月，敬重他如同敬重神明，畏惧他如同畏惧雷霆，难道能赶得走他吗？国君，是神明祭祀的主持者，是百姓的希望所在。如果让百姓生活困乏，神明缺乏祭祀，百姓断绝希望，国家没人主持，哪里用得着他？不赶走他还干什么？上天生了百姓而为他们设立国君，让国君统治百姓，不要让百姓生活困乏。有了国君而又为他配备辅佐的官员，让他们教导和保护国君，不让国君做事超过限度。因此天子有诸侯，诸侯有卿，卿设置侧室，大夫有贰宗，士有朋友，庶人、工、商、皂、隶、牧、圉都有亲近的人，用来互相帮助。好的就宣扬，有过失就纠正，有患难就援救，有错失就改革。从天子以下，各自有父兄子弟来补救、审察他政策的得失。太史作记载，乐师写歌诗，乐工诵读箴谏，大夫规劝开导，士传达意见，庶人指责，商人在市场上议论，工匠们呈献技艺。所以《夏书》说：'道人摇着木铎在道路上巡行，官师规劝，工匠们通过自己的技艺进行劝谏。'每当正月孟春，就有道人巡行，让人发表对失去常规事物的劝谏。上天爱护百姓无微不至，难道会让一个人凌驾在百姓头上，以放纵他的邪恶而抛弃天地的本性？一定不会这样的。"

叔孙豹论不朽（襄公二十四年）

[题解]

叔孙豹认为，不朽不是世世代代享受高官厚禄，而是能够立德、立功、立言，为后世留下精神财富。

二十四年，春，穆叔①如晋。范宣子逆之②，问焉，曰："古人有言曰：'死而不朽'③，何谓也？"穆叔未对。宣子曰："昔匄之祖，自虞以上为陶唐氏④，在夏为御龙氏⑤，在商为豕韦氏⑥，在周为唐杜氏⑦，晋主夏盟为范氏⑧，其是之谓乎！"穆叔曰："以豹所闻，此之谓世禄，非不朽也。鲁有先大夫曰臧文仲⑨，既没，其言立，其是之谓乎！豹闻之：'大上⑩有立德，其次有立功，其次有立言。'虽久不废，此之谓不朽。若夫保姓受氏，以守宗祊⑪，世不绝祀，无国无之。禄之大者，不可谓不朽。"

[注释]

①穆叔：叔孙豹，谥穆。鲁大夫。②范宣子：士匄（gài），晋正卿。逆：迎。按照聘礼，宾至郊外，君派卿朝服，用束帛迎接，以示慰劳。③死而不朽：《国语·晋语八》载此事，韦昭注："言身死而名不朽灭。"④自虞以上为陶唐氏：陶唐氏在虞舜以前显著，以后则否。陶唐氏，帝尧初封于唐，都陶，故其氏名陶唐。⑤御龙氏：陶唐氏之后刘累，在夏孔甲时赐氏为御龙。⑥豕韦氏：相传原为风姓古氏名。刘累之后受封于豕韦，即以此为氏。⑦唐杜氏：以

国为氏。其地在今陕西西安市东南,祁姓。⑧晋主夏盟为范氏:晋为华夏诸侯盟主,所以能与虞、夏、商、周并称。范(今河南范县)为士会采邑,因以为氏。⑨臧文仲:臧孙辰。⑩大(tài)上:最上,最高。⑪宗祊(bēng):宗庙。祊,宗庙之门。

[译文]

二十四年春,穆叔去晋国。范宣子迎接他,问他说:"古人有句话说:'死而不朽',这说的是什么?"穆叔没有回答。宣子说:"往昔匄的祖先,自虞舜以上为陶唐氏,在夏朝为御龙氏,在商朝为豕韦氏,在周朝为唐杜氏,在晋国主持华夏诸侯盟会时为范氏,恐怕这就是'死而不朽'吧?"穆叔说:"根据豹所听到的,这叫做世禄,不是不朽。鲁国有先大夫臧文仲,虽然去世了,他说的话却世代相传,这种情况才叫做'死而不朽'。豹听说'最高的树立德行,其次是建立功业,再次是树立言论',虽然去世很久也不会废弃,这就叫做不朽。至于保存种姓、受封为氏,用来守护宗庙,世代祭祀不绝,没有哪个国家没有这种情况。这是禄位中的大者,不能够称作不朽。"

崔杼之乱(襄公二十五年)

[题解]

齐国崔杼当政,杀死庄公,拥立景公,自任首相。齐国太史前仆后继,秉笔直书。

二十五年,春,齐崔杼①帅师伐我北鄙,以报孝伯之师也②。公患之,使告于晋。孟公绰③曰:"崔子将有大志④,不在病我,必速归,何患焉?其来也不寇⑤,使民不严,异于他日。"齐师徒归。

齐棠公⑥之妻,东郭偃之姊也。东郭偃臣⑦崔武子。棠公死,偃御武子以吊焉。见棠姜而美之,使偃取之⑧。偃曰:"男女辨姓⑨,今君出自丁,臣出自桓,⑩不可。"武子筮之,遇《困》☷之《大过》☶⑪。史皆曰"吉"⑫。示陈文子,文子曰:"夫从风⑬,风陨妻⑭,不可娶也。且其繇⑮曰:'困于石,据于蒺梨,入于其宫,不见其妻,凶。'⑯'困于石',往不济也;'据于蒺梨',所恃伤也;'入于其宫,不见其妻,凶',无所归也。"崔子曰:"嫠⑰也,何害?先夫当之矣⑱。"遂取之。

[注释]

①崔杼:即崔武子,齐国权臣。②以报孝伯之师也:上一年(前549

年），孟孝伯（即仲孙羯）率师伐齐。③孟公绰：鲁大夫。④崔子将有大志：指崔杼另有大的举措。⑤寇：劫掠。⑥棠公：齐棠邑大夫。棠邑在今山东平度县东南。⑦臣：家臣。⑧使偃取之：使偃为己娶之。⑨男女辨姓：古时同姓不婚。辨，别。⑩"今君出自丁"二句：丁：丁公，齐太公之子。桓：齐桓公。崔氏出自丁公，东郭氏出自桓公，都是姜姓，不可嫁娶。⑪《困》䷮之《大过》䷛：卦象由《困》变成《大过》。《困》卦（《坎》下《兑》上）第三爻由六三变为九三，即为《大过》卦（《巽》下《兑》上）。⑫史皆曰"吉"：就《困》卦卦象而言，《坎》为中男，《兑》为少女，正相配，故曰吉。⑬夫从风：《坎》为中男，故曰夫。变为《巽》，故曰"夫从风"（《巽》为风）。⑭风陨妻：《大过》卦《巽》下（风）《兑》（少女），故曰"风陨妻"。⑮繇：占辞。⑯"困于石"五句：《困·六三·爻辞》。困于石：指犯罪被囚。蒺梨：即蒺藜，有刺。据于蒺藜，必被刺伤。宫：家。⑰嫠（lí）：寡妇。⑱先夫当之矣：指先夫棠公已应此凶兆。

[译文]

二十五年春，齐国崔杼率领军队攻打我国北部边境，以报复孟孝伯对齐国的进攻。襄公为此担忧，派人报告晋国。孟公绰说："崔杼将有大举措，不在于困扰我国，必然很快回国，担忧什么呢？他来到我国不抢不掠，驱使百姓也不严厉，这与以前不一样。"齐军空来一趟就撤兵回国。

齐棠公的妻子，是东郭偃的姐姐。东郭偃给崔杼做家臣。棠公去世了，东郭偃驾车送崔杼去吊唁。崔杼见到棠姜，觉得她很美，让东郭偃为他娶过来。东郭偃说："男女结婚要辨明姓氏，现在您是丁公的后代，我是桓公的后代，不可以。"崔杼让人占筮，得到《困》卦䷮变成《大过》卦䷛。史官们都说"吉利"。崔杼把卦象给陈文子看，陈文子说："丈夫跟随风，风吹落妻子，不可以娶啊。再说这卦的繇辞说：'被石头所困，据守在蒺藜丛中，进入了那个屋子，不见他的妻子，凶。''被石头所困'，意味着前去不会成功；'据守在蒺藜丛中'，意味着所依靠的东西会使人受伤；'进入了那个屋子,不见他的妻子,凶',意味着要无家可归。"崔杼说:"她是个寡妇,有什么害处?即使有,她的前夫已经承担这凶兆的结果了。"于是娶了棠姜。

庄公通焉①,骤②如崔氏,以崔子之冠赐人。侍者曰:"不可。"公曰:"不为崔子,其无冠乎?"③崔子因是④,又以其间伐晋⑤也,曰:"晋必将报。"欲弑公以说⑥于晋,而不获间⑦。公鞭侍人贾举,而又近之,乃为崔子间公⑧。

夏,五月,莒为且于之役⑨故,莒子朝于齐。甲戌,飨诸北郭。崔子称疾,不视事。乙亥,公问⑩崔子,遂从姜氏。姜入于室,与崔子自侧户出。公拊楹而歌⑪。侍人贾举止众从者而入,闭门。甲兴⑫,公登台而请⑬,弗许;请盟,弗许;请自刃于庙,弗许。皆曰:"君之臣杼疾病,不能听命⑭。近于公宫⑮,陪臣干掫有淫者⑯,不知二命⑰。"公逾⑱墙,又⑲射之,中股,反队⑳,遂弑之。贾举、州绰、邴师、公孙敖、封具、铎父、襄伊、偻堙皆死㉑。祝佗父祭于高唐㉒,至复命,不说弁而死于崔氏㉓。申蒯,侍渔者㉔,退,谓其宰曰:"尔以帑㉕免,我将死。"其宰曰:"免,是反子之义㉖也。"与之皆㉗死。崔氏杀鬷蔑于平阴㉘。

[注释]

①庄公:齐庄公,名光。通焉:与棠姜私通。②骤:屡。③"不为崔子"二句:意思是,若无崔子之冠,就没有他人之冠可以赐人了吗?为,有。其,岂。④因是:因此怒公。⑤间伐晋:乘晋有难而伐之。事在襄公二十三年(前550年)。间,伺察。⑥说:同"悦"。⑦间:空隙,机会。⑧乃为崔子间公:为崔杼寻找杀庄公的机会。⑨且于之役:襄公二十三年,齐伐晋还,侵莒且于。⑩问:前去问疾。⑪拊:叩击。楹:柱子。⑫甲兴:埋伏好的甲士们拥出来,准备攻击。⑬请:《史记·齐太公世家》作"请解",即请求免于一死。⑭不能听命:不能亲自来听命令。⑮近于公宫:崔杼住处离齐宫很近。⑯陪

臣：大夫的家臣于国君为陪臣。干掫（zhōu）：巡夜，缉捕不法。干，通"捍"，捍卫。掫，行夜戒守。⑰不知二命：只知道执行崔子的命令，不知道有其他的命令。⑱逾：翻越。⑲又：或，有人。⑳反队：跌于墙内。队，同"坠"。㉑"贾举、州绰"句：这八个人都是齐国的勇士，护卫庄公，都因此而死。其中贾举与上文侍人贾举是两个人。㉒高唐：地名，在今山东高唐县东。齐有别庙在那里。㉓说（tuō）：通"脱"。弁：爵弁，祭服。㉔侍渔者：监收鱼税之官。㉕帑（nú）：指申蒯的妻室儿女。申蒯准备为君而死，所以托付家室给其宰。㉖反子之义：与死君之义相背。㉗偕：同"偕"，一起。㉘鬷（zōng）蔑：平阴大夫，庄公嬖臣。庄公母为鬷声姬，鬷蔑为庄公母党。平阴：齐地，在今山东平阴县东北。

[译文]

　　齐庄公与棠姜通奸，频频出入崔家，把崔杼的帽子拿来赐给别人。侍者说："不能这样。"庄公说："没有崔子的帽子，难道就没有别人的帽子吗？"崔杼因此怀恨庄公，又因为庄公乘晋国内乱而攻打晋国，说："晋国必定会来报复。"想要杀死庄公来取悦晋国，但没有找到机会。庄公鞭打侍人贾举，而又对他加以亲近，贾举于是就为崔杼窥察机会。

　　夏五月，莒国由于齐国侵略自己在且于对阵的缘故，莒子到齐国朝见齐庄公。十六日，齐庄公在北城设飨礼招待莒子。崔杼声称有病，不理政事。十七日，齐庄公去慰问崔杼，乘机去找姜氏。姜氏进入内室，和崔杼一起从侧门走了出去。齐庄公敲着柱子唱情歌。侍人贾举让庄公的随从们停止跟随左右，自己进去，关上了门。埋伏的甲士们拥了出来，准备动手。庄公登上高台请求饶命，甲士们不答应；请求结盟，不答应；请求到太庙去自杀，仍然不答应。甲士们都说："君王的下臣杼病得厉害，不能来听从君王的命令。这里离公宫很近，陪臣们只知道巡夜捉拿有淫行的人，不知道其他的命令。"庄公爬墙逃走，有人射了他一箭，正中大腿，他就向后跌在墙内。甲士们就把庄公杀了。贾举、州绰、邴师、公孙敖、封具、铎父、襄伊、偻堙都被杀死。祝佗父在高唐祭祀，回来复命，没有脱掉弁帽就在崔氏家中被杀死。申蒯是掌管渔业的官员，他退了出来，对自己的家宰说："你带着我的妻儿逃命去，我准备赴死。"他的家宰说："如果我逃命，这就违背了您的道义了。"与申蒯一起战死。崔氏在平阴杀死了醜虺。

晏子①立于崔氏之门外，其人②曰："死乎？"曰："独吾君也乎哉③，吾死也？"曰："行乎？"曰："吾罪也乎哉，吾亡也？"曰："归乎？"曰："君死，安归？君民者，岂以陵④民？社稷是主⑤。臣君者，岂为其口实⑥，社稷是养⑦。故君为社稷死，则死之；为社稷亡，则亡之。若为己死，而为己亡，非其私昵⑧，谁敢任之？且人有君⑨而弑之，吾焉得⑩死之？而焉得亡之？将庸何归⑪？"门启而入，枕尸股而哭，兴，三踊⑫而出。人谓崔子必杀之。崔子曰："民之望⑬也，舍之，得民。"

卢蒲癸奔晋，王何奔莒。⑭

叔孙宣伯⑮之在齐也，叔孙还纳其女于灵公⑯，嬖，生景公⑰。丁丑，崔杼立而相之，庆封⑱为左相，盟国人于大宫⑲，曰："所不与崔、庆者——"⑳晏子仰天叹曰："婴所不唯忠于君、利社稷者是与，有如上帝！"乃歃㉑。辛巳，公㉒与大夫及莒子盟。

大史㉓书曰："崔杼弑其君。"崔子杀之。其弟嗣书㉔，而死者二人㉕。其弟又书，乃舍之。南史氏㉖闻大史尽死，执简以往㉗。闻既书矣，乃还。

[注释]

①晏子：晏婴，齐国贤臣。闻难而来。②其人：指晏婴的随从。③独吾君也乎哉：难道是我一个人的君主吗？也，语助词，无义。④陵：凌驾其上。⑤社稷是主：即"主社稷"。是，宾语前置的结构助词。⑥口实：指俸禄。⑦

养：保养，奉养。⑧私昵：为个人昵爱之人。⑨人有君：庄公因为崔杼而获立为君，所以说"人有君"。人，指崔杼。⑩焉得：何能，哪里能够。⑪将：且。庸、何：何。同义。⑫踊：顿足，跳跃。一踊三跳，三踊为九跳。⑬民之望：百姓仰望之人。⑭"卢蒲癸奔晋"二句：卢蒲癸、王何：庄公亲近之臣。⑮叔孙宣伯：即叔孙侨如。因与穆姜私通，于成公十六年（前575年）被逐奔齐。在齐又与灵公母声孟子通奸。⑯叔孙还：齐群公子。女：宣伯之女。⑰景公：名杵臼，庄公异母弟。⑱庆封：庆克之子，原为大夫（相当于卿）。⑲大宫：太公庙。⑳"所不与崔"句：盟书宣读未毕，而晏婴抢先插话。所，若，表示假设。㉑歃（shà）：歃血。会盟程序之一，口含牲血或以血涂嘴边。㉒公：齐景公。莒子朝齐，遇乱未去，此时方盟。㉓大史：齐国史官。㉔嗣书：接着书写。㉕而死者二人：太史之弟接着记载此事，又有二人被杀。㉖南史氏：也是齐国史官。㉗执简以往：简上仍然写着"崔杼弑其君"。

[译文]

晏子站在崔杼家门外，他的随从问他："您准备死吗？"晏子说："难道只是我一个人的国君吗，我为他死？"随从说："那么逃亡吗？"晏子说："难道是我的罪过吗，我要逃亡？"随从说："那么回去吗？"晏子说："国君都死了，我回到哪里去？做百姓君主的人，难道是用来凌驾在百姓之上的吗？是让他来主持国政的。做君主的臣子的人，难道是为了自己的俸禄？是让他来治理国家的。所以国君为了国家而死，臣子就应该为他而死；国君是为了国家而逃亡，臣子就跟随他逃亡。如果国君是为自己个人而死，为自己个人而逃亡，不是他私人宠爱的人，谁敢承担这个责任？而且别人立了国君反而杀害了他，我哪里能为他而死，又哪里能为他而逃亡？但是又能回到哪里去呢？"崔家大门打开了，晏子进去，枕在尸体的大腿上号哭，起来后，跳跃了九次才出去。有人对崔杼说："一定要杀了他！"崔杼说："他是百姓仰望的人，放过他，可以得到民心。"

卢蒲癸逃往晋国，王何逃往莒国。

叔孙宣伯在齐国的时候，叔孙还把宣伯的女儿嫁给齐灵公，受到宠爱，生了景公。十九日，崔杼立景公为国君，而自己担任首相，庆封担任左相，与国人在太公庙里盟誓，宣誓说："如果有不亲附崔氏、庆氏的——"晏子仰天叹息说："我晏婴如果不亲附对国君忠诚、对国家有利的人，有上帝作证！"于是歃血。二十三日，齐景公及大夫与莒子结盟。

太史记载说："崔杼杀了他的国君。"崔杼杀了他。太史的弟弟接着这样写，因此被杀死的又有两个。太史的第三个弟弟仍然这样写，崔杼才放过了他。南史氏听说太史全死了，拿着竹简前往，听说已经如实记载了，才回去。

闾丘婴以帷缚其妻而载之①，与申鲜虞②乘而出，鲜虞推而下之③，曰："君昏不能匡④，危不能救，死不能死，而知匿其昵⑤，其谁纳之？"行及弇中⑥，将舍。婴曰："崔、庆其追我。"鲜虞曰："一与一，谁能惧我？"⑦遂舍，枕辔而寝，食马而食，驾而行。出弇中，谓婴曰："速驱之！崔、庆之众，不可当也。"遂来奔。

崔氏侧⑧庄公于北郭。丁亥，葬诸士孙之里⑨。四翣⑩，不蹕⑪，下车七乘⑫，不以兵甲⑬。

[注释]

①闾丘婴：庄公亲信。帷：车帷。缚：束。②申鲜虞：也是庄公亲信。③推而下之：推闾丘婴之妻下车。④匡：补救其失。⑤匿：藏。昵：亲。⑥弇(yǎn)中：山谷名，在山东临淄至莱芜之间。⑦"一与一"二句：在狭道之中，以一对一，对方虽众，也不能让我害怕。与：当，敌。惧：病。⑧侧：通"厝"，埋，指临时掩埋，不殡于庙。⑨士孙之里：里名。士孙是姓氏。⑩翣(shà)：殡葬时所用的一种装饰，长柄扇形。天子用八柄，诸侯用六柄，大夫用四柄。⑪蹕：清道，止行人，并加警戒。凡大事、大丧必用之。⑫下车七

乘：齐君当依上公之礼，用车九乘送葬。⑬不以兵甲：不用兵甲随葬。

[译文]

　　间丘婴用帐幕裹藏妻子，放到车上，与申鲜虞同坐一辆车逃走。申鲜虞把间丘婴的妻子推下车去，说："国君昏聩不能匡正，危难不能救援，死去不能殉难，只知道藏匿自己心爱的人，有谁会接纳我们？"走到弇中狭道，准备住下来。间丘婴说："崔氏、庆氏恐怕在追赶我们。"申鲜虞说："一对一，谁怕谁？"就住下来休息，枕着马缰睡觉，喂饱了马然后吃饭，套上马赶路。走出弇中后，对间丘婴说："快点赶马！崔氏、庆氏人多，没法挡住他们。"于是逃来我国。

　　崔杼把庄公暂时埋在城北。二十九日，安葬在士孙之里。葬礼用四柄长扇，不戒严清道，送葬的车只用了七辆，不用兵甲随葬。

子产戎服献捷(襄公二十五年)

[题解]

子产向晋国报告讨伐陈国的胜利,并向晋国人陈述郑、陈两国的历史渊源与恩怨由来,指出郑伐陈实为履行王命,师出有名。晋人不能致诘。孔子对其辞令表示赞赏。

初,陈侯会楚子伐郑①,当陈隧②者,井堙木刊③,郑人怨之。六月,郑子展、子产帅车七百乘伐陈④,宵突陈城,遂入之。陈侯扶其太子偃师奔墓,遇司马桓子⑤,曰:"载余!"曰:"将巡城。"遇贾获⑥,载其母妻,下之,而授公车。公曰:"舍⑦而母。"辞曰:"不祥。"与其妻扶其母以奔墓,亦免。

子展命师无入公宫,与子产亲御⑧诸门。陈侯使司马桓子赂以宗器。陈侯免⑨,拥社⑩,使其众男女别而累⑪,以待于朝。子展执絷而见,再拜稽首,承饮而进献。⑫子美⑬入,数俘而出⑭。祝祓社⑮,司徒致民,司马致节,司空致地,⑯乃还。

……

郑子产献捷⑰于晋,戎服将事⑱。晋人问陈之罪⑲。对曰:"昔虞阏父为周陶正⑳,以服事我先王㉑。我先王赖㉒其利器用也,与其神明㉓之后也,庸以元女大姬配胡公㉔,而封诸陈,以备三恪㉕。则我周之自出㉖，至于今是赖㉗。桓公之乱㉘，蔡人欲立其出㉙，我先君庄公奉五父而立之㉚，蔡人杀之，我又与蔡人奉戴厉公。至于庄、宣皆我之自立㉛。夏氏之乱，成公播荡，又我之自入,㉜君所知也。今陈忘周之大德，蔑㉝我大惠，弃我姻亲，介㉞恃楚众，以凭陵我敝邑，不可亿逞㉟，我是以有往年之告㊱。未获成命㊲，则有我东门之役㊳。当陈隧者，井堙木刊。敝邑大惧不竞㊴而耻大姬，天诱其衷㊵，启敝邑心。陈知其罪，授手㊶于我。用敢献功。"晋人曰："何故侵小？"对曰："先王之命，唯罪所在，各致其辟㊷。且昔天子之地一圻㊸，列国一同㊹，自是以衰㊺。今大国多数圻矣，若无侵小，何以至焉？"晋人曰："何故戎服？"对曰："我先君武、庄为平、桓卿士。城濮之役，文公布命曰：'各复旧职。'命我文公戎服辅王，以授㊻楚捷——不敢废王命故也。"士庄伯不能诘㊼，复于赵文子㊽。文子曰："其辞顺㊾。犯顺，不祥。"乃受之。

冬，十月，子展相郑伯如晋，拜陈之功。子西㊿复伐陈，陈及郑平。

仲尼曰："《志》㊾有之：'言以足志，文以足言。'不言，谁知其志？言之无文，行而不远。晋为伯，郑入陈，非文辞不为功。慎辞哉！"

[注释]

①陈侯会楚子伐郑：在襄公二十四年（前549年）冬。陈侯：陈哀公，名溺。楚子：楚康王，名昭。②隧：道，道路。③井堙木刊：水井被填平，树林被破倒。④子展：公孙舍之。子产：公孙侨。均为郑卿。⑤司马桓子：陈国大夫，任司马。⑥贾获：陈大夫。⑦舍：安置。⑧御：主，控制。⑨免（wèn）：同"绖"，着丧服。⑩拥：抱着。社：社主。⑪累：用绳索捆绑。⑫"子展执絷而见"三句：以上是外臣战胜时见敌国君主之礼。絷：绳。承饮：奉觞敬酒。⑬子美：子产。⑭数俘而出：只清点俘虏人数而不带走。⑮被

社：祓祭于社。⑯“司徒致民”三句：司徒、司马、司空，均郑官，把百姓、符节、土地还给陈国，以示无犯。⑰献捷：报告战胜，并进献战利品。晋为盟主，郑国因此献捷。⑱戎服将事：穿着军服处理事务。⑲晋人问陈之罪：郑国曾在去年请求伐陈，晋国不准。⑳陶正：主管陶器之官。㉑先王：周武王。㉒赖：善，嘉奖。㉓神明：指虞舜。㉔庸：乃。元女大（tài）姬：武王长女。胡公：阏父之子。㉕三恪：周封黄帝、尧、舜之后，称为三恪。㉖则：乃。周之自出：为周之外甥。㉗至于今是赖：至今犹赖于周德。㉘桓公之乱：鲁桓公五年（前707年），陈桓公去世，国内发生变乱。㉙蔡人欲立其出：桓公之子厉公为蔡女所生。㉚我先君庄公奉五父而立之：桓公弟五父佗杀太子免而代之，郑庄公因就定其位。㉛至于庄、宣皆我之自立：陈庄公、宣公都是厉公之子，为郑所立。㉜“夏氏之乱”三句：文公十年（前617年），陈灵公为夏征舒所杀，郑国护立成公。播荡：流离失所。㉝蔑：弃，灭。㉞介：倚仗，凭借。㉟亿逞：满足。㊱我是以有往年之告：郑国在去年曾向晋请求伐陈。㊲成命：允许。成，定。㊳则有我东门之役：去年陈国跟随楚伐郑东门。㊴不竞：不强。㊵诱：启。衷：中，内心。㊶授手：授首。罪人得到惩罚。㊷辟：刑。㊸圻：又作“畿”，一圻方千里。㊹同：一同方百里。㊺衰：差降，按等级降低。《孟子·万章下》：“天子之制，地方千里，公侯皆方百里，伯七十里，子、男五十里，凡四等。”㊻授：受，接受。㊼士庄伯：士弱。诘：诘问，盘问。㊽赵文子：赵武，晋卿，主持国政。㊾顺：顺理成章。㊿子西：公孙夏，子驷之子，郑大夫。(51)《志》：古书。

[译文]

起初，陈哀公会同楚康王攻打郑国。凡是陈国经过的道路，水井被填平，树木被砍倒。郑国人对此十分怨恨。六月，郑子展、子产率领战车七百辆攻打陈国，夜间突袭陈国都城，攻入城中。陈哀公扶着他的太子偃师逃往墓地，碰到司马桓子，说：“带上我！”桓子说：“我要去巡城。”又碰到贾获，车上装着他的母亲和妻子。贾获让他的母亲与妻子下车，把车子交给陈哀公。哀公说：“把你的母亲安置好！”贾获推辞说：“妇女同车不吉利。”同他的妻子扶着母亲逃往墓地,也幸免于难。

子展命令军队不要进入公宫,与子产亲自把守在宫殿门口。陈哀公派司马桓子把宗庙的祭器赠给他们。哀公穿着丧服,抱着社主,让他的手下按男女分开排列、捆绑,在朝廷上等待处置。子展拿着绳子入见陈哀公,再次下拜叩头,捧着酒杯向陈哀公敬酒。子产入朝,清点了俘虏的人数后退出。郑国的祝史在社举行袚祭,司徒归还百姓,司马归还符节,司空归还土地,于是回国。

......

郑子产向晋国报告战胜并进献战利品,穿着军服处理事务。晋国人质问他陈国犯了什么罪。子产回答说:"从前虞阏父任周陶正,为我们的先王效劳。我们先王赏识他能制作器具利于日用,而且是虞舜的后代,于是把长女太姬许配给他的儿子胡公,把他封在陈地,成为'三恪'之一。所以陈国是我们周朝的外甥,一直到今天还赖周德庇护。桓公死后陈国内乱,蔡国人想立蔡女所生的儿子。我们先君庄公拥戴五父而立他为君,蔡国人把他杀了。我国又与蔡国人共同奉戴厉公。一直到庄公、宣公,都是我们所立的。夏氏作乱,成公流离失所,又是我们帮助他回国为君,这是您所知道的。现在陈国忘记了周朝的大德,丢弃了我们的大恩,抛弃我们这些姻亲,倚仗着楚国人多,来欺凌我敝邑,没有满足的时候。我国因此有去年请求讨伐陈国的报告。没有获得肯定的答复,就有了我国东门的战役。凡是陈国人经过的道路,井被填平,树木被砍倒。敝邑十分害怕国家不强,使太姬蒙受耻辱。上天开导了他们的内心,启动了敝邑攻打他们的想法。陈国认识到自己的罪过,向我们服罪,接受惩罚。因此谨献上我们的战功。"晋国人说:"为什么要进攻小国?"子产回答说:"先王的命令,只要犯有罪过,就要各受其罚。再说过去天子的土地方圆千里,列国的土地方圆百里,依次递降。如今大国的土地多达数千里了,如果不进攻小国,怎么能达到呢?"

晋国人说:"你为什么穿着军服处理事务?"子产回答说:"我们先君武公、庄公,任周平王、桓王的卿士。城濮战役,贵国文公发布命令,说:'你们各自恢复原来的职务!'命令我国文公穿着军服辅佐周王,以接受楚国的俘虏——我这样做,正是不敢废除周王命令的缘故。"士庄伯无法继续质问,向赵文子汇报。赵文子说:"他言之有理,反对有理的人不吉利。"于是接受了郑国奉献的战利品。

冬十月,子展作为郑伯的相礼一同到晋国,拜谢晋国接受讨伐陈国胜利的战利品。子西又攻打陈国,陈国与郑国媾和。

孔子说:"《志》上有这样的话:'言语用来表达意愿,文采用来修饰言语。'不说话,谁能知道他的意愿?言语没有文采,不能到达远方。晋国成为霸主,郑国进入陈国,不是有文采的辞令,就不能成功。要谨慎地对待辞令啊!"

向戌弭兵（襄公二十七年）

[题解]

宋国弱小，而向戌能周旋于大国之间，使诸侯会盟，达到弭兵的目的，展示了杰出的外交才能。弭兵的过程，也曲折地反映了当时大国之间错综复杂的关系。郑侯享赵文子，反映了春秋时君子赋诗明志、观诗见志的风尚。

宋向戌善于赵文子①，又善于令尹子木②，欲弭诸侯之兵以为名③。如晋，告赵孟④。赵孟谋于诸大夫。韩宣子⑤曰："兵，民之残⑥也，财用之蠹⑦，小国之大菑⑧也。将或弭之，虽曰不可，必将⑨许之。弗许，楚将许之，以召诸侯，则我失为盟主矣。"晋人许之。如楚，楚亦许之。如齐，齐人难之⑩。陈文子⑪曰："晋、楚许之，我焉得已⑫？且人曰'弭兵'，而我弗许，则固携吾民⑬矣，将焉用之？"齐人许之。告于秦，秦亦许之。皆告于小国，为会于宋。

五月甲辰，晋赵武至于宋。丙午，郑良霄⑭至。六月丁未朔，宋人享赵文子，叔向⑮为介。司马置折俎⑯，礼也。仲尼使举是礼也⑰，以为多文辞。戊申，叔孙豹、齐庆封、陈须无、卫石恶至。甲寅，晋荀盈从赵武至。丙辰，邾悼公至。壬戌，楚公子黑肱先至⑱，成言于晋⑲。丁卯，宋向戌如陈，从子木成言于楚[20]。戊辰，滕成公至。子木谓向戌，请晋、楚之从交相见也。[21]庚午，向戌复于赵孟。赵孟曰："晋、楚、齐、秦，匹[22]也，晋之不能于齐，犹楚之不能于秦也。[23]楚君若能使秦君辱于敝邑[24]，寡君敢不固请于齐？"壬申，左师[25]复言于子木，子木使驲谒诸王[26]。王曰："释齐、秦，他国请相见也。"秋七月戊寅，左师至。是夜也，赵孟及子晳[27]盟，以齐言[28]。庚辰，子木至自陈。陈孔奂、蔡公孙归生至。曹、许之大夫皆至。以藩[29]为军。

[注释]

①向戌：宋卿，任左师之官。赵文子：赵武，晋正卿。②子木：屈建，楚令尹。③欲弭诸侯之兵以为名：弭兵之意起自赵文子，各国多知，向戌欲成之以求令名。弭（mí），止。④赵孟：即赵文子。⑤韩宣子：韩起，晋大夫。⑥民之残：残害人民者。⑦财用之蠹：财货的蠹虫，指消耗金钱物品。蠹，蛀虫。⑧菑："灾"的异体。⑨必将：一定要。⑩难之：感到为难，不想答应。⑪陈文子：名须无，齐大夫。⑫已：止。⑬携吾民：使百姓产生二心。⑭良霄：即伯有，公孙辄之子，担任郑国行人之职。⑮叔向：羊舌肸，晋太傅。赵武为主宾，叔向为宾之副，称为介。⑯折俎：诸侯享卿之礼，将煮熟的牲体解成一节一段，置于俎中，供食用。⑰仲尼使举是礼也：孔子后来读这段史料时，认为文辞可观。以下讲大国的大夫、小国的君主纷纷与会。举，记。⑱先至：先于令尹子木而至。当时子木在陈，故下文向戌如陈见子木。⑲成言于晋：与晋商定会盟的文辞。晋、楚都是大国，起决定性作用。⑳成言于楚：与子木商定弭兵之会的有关事宜。㉑"子木谓向戌"二句：子木对向戌提议，让晋、楚两国的附从国互相朝见两国，利益共享。从，属国。㉒匹：匹敌。指四大国地位相当。㉓"晋之不能于齐"二句：谓晋不能指挥齐，如同楚不能指挥秦。㉔使秦君辱于敝邑：让秦国国君到敝国朝见。㉕左师：向戌所任官名。㉖驲（rì）：传车，也单称传。用车叫驿，用马叫驲。谒：告。㉗子晳：楚公子黑肱。㉘齐言：统一盟词，以免正式会盟时发生争执。㉙藩：藩篱。不用营垒，表示相互信任。

[译文]

宋国的向戌与晋国的赵文子交好，又和楚国的令尹子木交好，想要停止诸侯之间的战争以博取好名声。他到了晋国，把这意思告诉了赵文子。赵文子与大夫们商议。韩宣子说："战争，是对人民的残害，是消耗国家财货的蠹虫，是小国的大灾难。有人想要停止战争，即使行不通，也一定要答应他。不答应，楚国将会答应，以此来号召诸侯，那么我们就失去盟主的地位了。"晋国人就答应了向戌。向戌到楚国，楚国也答应了他。到齐国，齐国人感到为难。陈文子说："晋国、楚国已经答应了，我们哪能不答应？再说别人说是'停止战争'，而我们不答应，那么就会使我们的百姓离心，将怎么使用他们？"齐国人答应了向戌。向戌告诉秦国，秦国也答应了。这几个大国都遍告各小国，在宋国举行会议。

五月二十七日，晋赵文子到达宋国。二十九日，郑良霄到达。六月初一日，宋国人设享礼宴请赵文子，以叔向为副主宾。司马把拆成段的熟肉放在俎中献上，这是合乎礼的。孔子看到了这次享礼的记载，认为文辞可观。初二日，叔孙豹、齐国的庆封、陈须无、卫国的石恶到达。初八日，晋国的荀盈在赵文子之后到达。初十日，邾悼公到达。十六日，楚公子黑肱先到达，和晋国达成有关协议。二十一日，宋向戌到陈国，与子木商定弭兵之会的有关事宜。二十二日，滕成公到达宋国。子木对向戌说，希望跟从晋国与跟从楚国的国家能够互相朝见两大国。二十四日，向戌把意见反馈给赵文子。赵文子说："晋、楚、齐、秦，是同等国家，晋国不能够指挥齐国，就像楚国不能够指挥秦国一样。楚国国君如果能使秦国国君屈尊到敝国朝见，寡君岂敢不坚决向齐国请求，让他们去朝见楚国？"二十六日，向戌把赵文子的话回复给子木。子木派人乘传车回国请示楚康王。楚康王说："不考虑齐国与秦国，让其他国家互相朝见就行了。"秋七月初二日，向戌到达。当天夜里，赵文子与公子黑肱商定盟会的内容，统一了措辞。初四日，子木从陈国到达。陈国的孔奂、蔡国的公孙归生到达。曹国、许国的大夫都到达了。用藩篱作为诸侯军队的分界。

晋、楚各处其偏①。伯夙②谓赵孟曰:"楚氛甚恶,惧难③。"赵孟曰:"吾左还④,入于宋,若我何?"辛巳,将盟于宋西门之外。楚人衷甲⑤。伯州犁⑥曰:"合诸侯之师,以为不信,无乃不可乎?夫诸侯望信于楚,是以来服。若不信,是弃其所以服诸侯也。"固请释甲。子木曰:"晋、楚无信久矣,事利而已⑦。苟得志焉,焉用有信?"大宰退,告人曰:"令尹将死矣,不及三年⑧。求逞志⑨而弃信,志将逞乎?志以发言,言以出信,信以立志。⑩参以定之⑪。信亡,何以及三?"赵孟患楚衷甲,以告叔向。叔向曰:"何害也?匹夫一为不信,犹不可,单毙其死⑫。若合诸侯之卿,以为不信,必不捷⑬矣。食言者不病⑭,非子之患也。夫以信召人,而以僭济之⑮,必莫之与⑯也,安能害我?且吾因宋以守病⑰,则夫⑱能致死。与宋致死⑲,虽倍楚⑳可也,子何惧焉?又不及是㉑。曰弭兵以召诸侯,而称㉒兵以害我,吾庸㉓多矣,非所患也。"

季武子㉔使谓叔孙以公命曰:"视邾、滕㉕。"既而齐人请邾㉖,宋人请滕,皆不与盟㉗。叔孙曰:"邾、滕,人之私也;我,列国也,何故视之?宋、卫,吾匹也。"乃盟。故不书其族,言违命也。㉘

[注释]

①偏:一方。晋在北,楚在南。②伯夙:荀盈。③难(nàn):患难。④左还:左转。"还"同"旋"。⑤衷甲:在衣服里面又穿上皮甲。⑥伯州犁:大宰。⑦事利而已:唯行有利于己之事而已。⑧不及三年:三年内必死。⑨逞志:实现自己的意志。⑩"志以发言"三句:意志用言辞来表达,言辞体现诚信,诚信成就意志。⑪参以定之:志、言、信互相关联,三者统一,然后能定。⑫单毙其死:不得善终。单,通"瘅",病。毙,仆,倒下。⑬捷:成

功。⑭不病：不足以为病，不构成危害。病，困。⑮僭：假，不信。济：成，利用。⑯与：赞同。⑰病：危难。⑱夫：人人。⑲与宋致死：同宋人一起抗楚。⑳倍楚：楚军加一倍。㉑不及是：没有到这种地步。㉒称：举。㉓庸：利，好处。㉔季武子：季孙宿，鲁正卿。㉕视邾、滕：比照邾、滕。邾、滕为小国，贡赋轻。季孙担心鲁国两属于晋、楚，加重贡赋，国力不堪承受，因此想比照小国。又担心叔孙不从，所以假借公命以告。视，比，比照。㉖请邾：请求把邾国作为其属国。㉗皆不与盟：附属国没有独立地位，不能参加盟会。㉘"故不书其族"二句：《春秋》书"豹及诸侯之大夫盟于宋"，不书其姓（叔孙），以其违背君命。

[译文]

晋国、楚国各自驻扎在藩篱两边。伯夙对赵文子说："楚军的气氛很凶恶，恐怕会发难。"赵文子说："我们从左边绕过去，进入宋都，能把我们怎么着？"初五日，准备在宋都西门之外结盟，楚国人在衣服里穿着皮甲。伯州犁说："会合诸侯的军队，而做不信任别人的事恐怕不可以吧？诸侯希望楚国讲信用，所以前来顺服。如果不讲信用，这是丢弃了用来让诸侯顺服的东西了。"坚决请求脱掉皮甲。子木说："晋国与楚国相互不讲信用已经很久了，只做对我们有利的事情。如果能够满足我们的意志，哪里用得着讲信用？"伯州犁退了下去，对人说："令尹将要死了，用不了三年。为了满足个人的意志而背弃信用，意志能得到满足吗？意志形诸言辞，言辞体现信用，信用成就意志，三者互相关联，彼此确定。信用没有了，怎么能活过三年呢？"赵文子对楚军衣服里穿皮甲感到担心，把这事告诉了叔向。叔向说："有什么危害吗？普通人一旦做出不守信用的事，尚且不行，还会不得善终。如果会合诸侯的卿相，做出不守信用的事，一定不会成功。说话不算数的人不足以造成危害，这不是您的祸患。用信用召集别人，而又用虚假来对付他们，必然没有人赞成他，哪里能害到我们？而且我们依靠宋国来防守他们造成的危害，那么人人都能拼命。与宋国人一起舍命抵抗，即使楚军再增加一倍也能抵挡,您担心什么呢?何况事情还没发展到这个地步。声称停止战争来召集诸侯,却发动战争来危害我们,我们的用处可就多了,这不是需要担心的。"

季武子派人以襄公的名义对叔孙豹说:"把我国比照邾国、滕国。"不久齐国人请求把邾国作为他们的属国,宋国人请求把滕国作为他们的属国,两国都不能参加结盟。叔孙豹说:"邾国、滕国是别国的私属国,我们鲁国,是诸侯之国,为什么比照他们?宋国、卫国,才是和我们对等的。"于是参加结盟。《春秋》因此不记载叔孙豹的族名,是说他违背了国君命令的缘故。

晋、楚争先①。晋人曰:"晋固为诸侯盟主,未有先晋者也。"楚人曰:"子言晋、楚匹也,若晋常先,是楚弱也。且晋、楚狎②主诸侯之盟也久矣,岂专在晋?"叔向谓赵孟曰:"诸侯归晋之德只③,非归其尸④盟也。子务德,无争先。且诸侯盟,小国固必⑤有尸盟者,楚为晋细⑥,不亦可乎?"乃先楚人。书先晋,晋有信也。⑦

壬午,宋公兼享晋、楚之大夫,赵孟为客⑧,子木与之言,弗能对,使叔向侍言焉,子木亦不能对也。

乙酉,宋公及诸侯之大夫盟于蒙门⑨之外。子木问于赵孟曰:"范武子⑩之德何如?"对曰:"夫子之家事治,言于晋国无隐情,其祝史陈信于鬼神无愧辞⑪。"子木归以语王。王曰:"尚⑫矣哉!能歆神、人⑬,宜其光辅五君⑭以为盟主也。"子木又语王曰:"宜晋之伯也,有叔向以佐其卿,楚无以当之,不可与争。"

晋荀盈遂如楚莅盟⑮。

[注释]

①争先:争先歃血。②狎:更,交替。③只:语助词,无义。④尸:主。

⑤固必：本来一定。⑥细：小。指主盟的小国。⑦"书先晋"二句：《春秋》记作："夏，叔孙豹会晋赵武、楚屈建、蔡公孙归生、卫石恶、陈孔奂、郑良霄、许人、曹人于宋。"把晋国写在前面，是因为晋国守信用。⑧客：主宾。⑨蒙门：宋都东北的城门。⑩范武子：士会。以贤闻名于世。⑪祝史：掌祭祀、告神之赞词的官员。信：诚。⑫尚：上，高。⑬歆神、人：使神、人欣喜。⑭五君：指晋文公、襄公、灵公、成公、景公。⑮莅盟：结盟。莅，临。

[译文]

晋国与楚国在歃血仪式上争先。晋国人说："晋国本来就是诸侯的盟主，从来没有在晋国之前歃血的国家。"楚国人说："你们说晋国与楚国是对等的国家，如果晋国一直在先，这就是说楚国弱于晋国了。再说晋国、楚国交替做诸侯的盟主也有很长时间了，难道专门让晋国主持？"叔向对赵文子说："诸侯归服的是晋国的德行，不是归服晋国能主持盟会。您致力于修明德行，不要去争歃血的先后。再说诸侯结盟，小国本来就一定要有个主盟的，让楚国作为晋国的小国，不也是可以的吗？"于是让楚国先歃血。《春秋》记载时把晋国排在前面，是说晋国有信用。

初六日，宋平公同时设享礼宴请晋国、楚国的大夫，以赵文子为主宾。子木与赵文子交谈，赵文子难以应答，让叔向在旁帮着应对；对叔向提出的问题，子木也难以应答。

初九日，宋公与诸侯的大夫们在蒙门外结盟。子木向赵文子询问说："范武子的德行怎么样？"赵文子说："他老人家的家事有条有理，对晋国人来说没有隐瞒的事情，他家族的祝史祭祀时诚信可靠，没有说过感到愧悔的话。"子木回国后，把这番话报告了楚康王。楚康王说："高尚啊！他能够使鬼神与国人都高兴，他辅佐五代国君成为盟主是应该的了。"子木又对康王说："晋国成为诸侯盟主是合适的，有叔向来辅佐它的正卿，楚国没有人能够与他相当，不能与他们相争。"

晋国的荀盈于是到楚国参加结盟。

郑伯享赵孟于垂陇①,子展、伯有、子西、子产、子大叔、二子石从②。赵孟曰:"七子从君,以宠武也。请皆赋,以卒君贶③,武亦以观七子之志④。"子展赋《草虫》⑤,赵孟曰:"善哉,民之主也!抑⑥武也,不足以当之。"伯有赋《鹑之贲贲》⑦,赵孟曰:"床笫之言不逾阈⑧,况在野乎⑨?非使人⑩之所得闻也。"子西赋《黍苗》⑪之四章,赵孟曰:"寡君在,武何能焉!"⑫子产赋《隰桑》⑬,赵孟曰:"武请受其卒章。"⑭子大叔赋《野有蔓草》⑮,赵孟曰:"吾子之惠也。"印段赋《蟋蟀》⑯,赵孟曰:"善哉,保家之主⑰也!吾有望矣。"公孙段赋《桑扈》⑱,赵孟曰:"'匪交匪敖'⑲,福将焉往?若保⑳是言也,欲辞福禄,得乎?"

卒享,文子告叔向曰:"伯有将为戮矣。诗以言志,志诬其上而公怨之㉑,以为宾荣,其能久乎?幸而后亡㉒。"叔向曰:"然,已侈㉓,所谓不及五稔㉔者,夫子之谓矣。"文子曰:"其余皆数世之主也。子展其后亡者也㉕,在上不忘降。印氏其次也,乐而不荒㉖。乐以安民,不淫以使之,后亡,不亦可乎!"

[注释]

①郑伯享赵孟于垂陇:赵孟等自宋返晋,过郑,郑伯享之。垂陇,地名,今河南荥阳市东北。②子展:公孙舍之。伯有:良霄。子西:公孙夏。子产:公孙侨。子大叔:游吉。二子石:印段、公孙段。③贶(kuàng):赐。④武亦以观七子之志:诗言志。古人赋诗,断章取义,能看出各人之志。⑤《草虫》:《诗·召南》篇名。有句云:"未见君子,忧心忡忡。亦既见止,亦既觏止,我心则降。"子展把赵孟比作君子,乐于相见。⑥抑:不过。⑦《鹑之贲贲》:《诗·鄘风》篇名。此诗系卫人刺宣姜淫乱之作。有句云:"人之无良,我以为兄,我以为君。"贲贲,今作"奔奔"。⑧床笫(zǐ)之言:男女枕席之言。笫,床板。不逾阈:不越过门坎,意思是不足为外人道。因诗刺宣姜淫

乱，故有此论。阈，门坎。⑨况在野乎：垂陇在郑都以外，故称野。⑩使人：出使之人。赵孟自指。⑪《黍苗》：《诗·小雅》篇名。有句云："肃肃谢功，召伯营之。列列征师，召伯成之。"子西把赵孟比作召伯。⑫"寡君在"二句：意指营成之功归于晋君，非己之能。⑬《隰桑》：《诗·小雅》篇名。《诗》云："既见君子，其乐如何？"子产取乐见君子之义。⑭"赵孟曰"句：卒章作："心乎爱矣，遐不谓矣。中心藏之，何日忘之？"赵孟取欲得子产教诲之义。⑮《野有蔓草》：《诗·郑风》篇名。有句云："邂逅相遇，适我愿兮。"子大叔取初次相见之义。⑯《蟋蟀》：《诗·唐风》篇名。有句云："无以大康，职思其居。好乐无荒，良士瞿瞿。"取恭谨有礼义。⑰保家之主：能思其居且无荒，足以保家。⑱《桑扈》：《诗·小雅》篇名。取君子有礼文故能受天之佑义。⑲匪交匪敖：《桑扈》诗有句云："彼交匪敖，万福来求。"指不侮慢。匪，不。交，通"姣"，侮。敖，通"傲"。⑳保：守。㉑诬：轻，轻视。公：公开。怨：讥刺。㉒幸而后亡：如果幸运，乃得出亡，否则必被戮。㉓已：太。侈：放纵。㉔五稔（rěn）：五年。㉕子展其后亡者也：子展赋《草虫》，有"我心则降"。㉖乐而不荒：印段赋《蟋蟀》，有"好乐无荒"。

[译文]

　　郑简公在垂陇设享礼宴请赵文子，子展、伯有、子西、子产、子太叔、二子石跟着简公一起。赵文子说："七位跟着君王，这是对我的宠爱。请各位赋诗，以完成君王的恩赐，我也可以由此明白您七位的志向。"子展赋《草虫》这首诗，赵文子说："真好啊！这位是百姓的主人啊！不过我嘛，没有资格承当这一赞美。"伯有赋《鹑之贲贲》这首诗，赵文子说："夫妻间的私话不能够传出门，何况是在野外呢？这不是使臣所应该听到的。"子西赋《黍苗》一诗的第四章，赵文子说："有寡君在，我有什么能力能做到呢？"子产赋《隰桑》这首诗，赵文子说："我请求接受它的最后一章。"子太叔赋《野有蔓草》这首诗，赵文子说："这是您的恩惠。"印段赋《蟋蟀》这首诗，赵文子说："真好啊！这位是保住家族的当家人！我拭目以待。"公孙段赋《桑扈》这首诗，赵孟说："'不轻侮不骄傲'，福禄还会跑到哪里去？如果能保持这样，想要推辞福禄，能行吗？"

宴会结束后，赵文子告诉叔向说："伯有将被杀。诗是用来表明志向的，他的志向诬蔑他的君王而又公开表现出怨愤，作为对宾客的宠荣，他能够长得了吗？能够侥幸不死，后来也会逃亡。"叔向说："对，他太骄纵了，所谓等不到五年这句话，说的就是他这种人。"赵文子说："其他的大夫都是可以传下数世的当家人。子展或许是最后灭亡的，他在上位而不忘记谦抑自己。印氏或许是仅次于他而亡的，他欢乐而不放纵。欢乐用来安定人民，不过分地放纵欢乐，后一些灭亡，不也是可以的吗？"

宋左师请赏，曰："请免死之邑①。"公与之邑六十，以示子罕②。子罕曰："凡诸侯小国，晋、楚所以兵威之，畏而后上下慈和，慈和而后能安靖其国家，以事大国，所以存也。无威则骄，骄则乱生，乱生必灭，所以亡也。天生五材③，民并④用之，废一不可⑤，谁能去兵？兵之设久矣⑥，所以威不轨⑦而昭文德也。圣人以兴⑧，乱人以废⑨。废兴、存亡、昏明之术⑩，皆兵之由⑪也，而子求去之，不亦诬⑫乎！以诬道蔽⑬诸侯，罪莫大焉。纵无大讨，而又求赏，无厌⑭之甚也。"削而投之⑮。左师辞邑。

向氏欲攻司城⑯。左师曰："我将亡，夫子存我，德莫大焉。又可攻乎？"君子曰："'彼己之子，邦之司直'⑰，乐喜之谓乎！'何以恤我，我其收之'⑱，向戌之谓乎！"

[注释]

①请免死之邑：向戌弭兵成功，因此请赏，谦称"免死之邑"。②子罕：乐喜。把记载赏赐的文件给乐喜看。③五材：金、木、水、火、土。④并：遍。⑤废一不可：兵器用金与木为原料，打造时用水与火，取于土地，载于土地。⑥兵之设久矣：人类早期以石为兵，殷商时开始用铜。⑦轨：法。⑧圣人

以兴：圣人凭借武力兴起。圣人指汤、武。⑨乱人以废：作乱的人依恃武力而灭亡。乱人指桀、纣。⑩术：道。⑪皆兵之由：皆由于兵。⑫诬：欺骗。⑬蔽：塞，蒙蔽。⑭厌：满足。⑮削而投之：削去文书上的字而扔到地上。古人书于竹简或木札，误则以刀削之。⑯司城：子罕。⑰"彼己之子"二句：引自《诗·郑风·羔裘》。彼己之子：犹言彼人。己，今本作"其"。司直：主持正义。司，主。⑱"何以恤我"二句：引自《诗·周颂·维天之命》，今诗作"假以溢我，我其收之"。诗意是：用什么赐给我，我将要接受它。假，"遐"的假借，训为"何"。"恤"、"溢"声近相通，都是"赐"的假借。收，受。

[译文]

宋国的左师向戌请求赏赐，说："请赏给我免死的城邑。"宋平公给了他六十座城邑。向戌把简策拿给子罕看。子罕说："凡是诸侯中的小国，晋国、楚国用武力来威慑他们，他们害怕了，然后就能上下慈爱和睦，上下慈爱和睦了就能够安定他们的国家，来侍奉大国，这是他们能够生存下去的原因。没有威慑就会骄傲，骄傲了就会发生祸乱，祸乱发生就必然会被消灭，这是灭亡的原因。上天生长了金、木、水、火、土五种材料，百姓把它们全用上了，缺一不可，有谁能去掉兵器？兵器的设置已经很久了，是用来威慑不法而宣扬文德的。圣人依靠它而兴起，作乱的人依靠它而废弃。兴起与废弃、生存与灭亡、昏愦与贤明的策略，都是由于武力，而您却谋求去除它，不也是欺骗吗？用欺骗的手段来蒙蔽诸侯，没有比这更大的罪了。即使没有大的讨伐，却又请求赏赐，真是太贪得无厌了！"削去简策上的文字，然后丢到地上。向戌于是辞去城邑。

向戌的族人要去攻打子罕，向戌说："我将要灭亡了，他老人家让我生存了下来，没有比这更大的恩德了，又怎么可以去进攻他呢？"君子说："'他那个人，是国家主持正义的人'，说的就是子罕这样的人吧！'用什么赐给我，我都准备接收它'，说的就是向戌这样的人吧！"

季札聘诸国(襄公二十九年)

[题解]

吴公子季札聘鲁观乐,闻声能知其为某国之风,可见他精通乐理,学问广博,熟知天下情势。他又到齐、郑、卫、晋等国聘问,结交时贤,指点国是,对各国政治现状有清醒的认识。本篇是研究先秦礼乐制度的宝贵资料。

吴公子札来聘①,见叔孙穆子,说②之。谓穆子曰:"子其不得死③乎!好善而不能择人。吾闻君子务在择人。吾子为鲁宗卿④,而任其大政⑤,不慎举⑥,何以堪之?祸必及子!"

请观于周乐⑦。使工为之歌《周南》、《召南》⑧,曰:"美⑨哉!始基之矣,犹未也,⑩然勤而不怨矣。"为之歌《邶》、《鄘》、《卫》,曰:"美哉渊乎!忧而不困者也。吾闻卫康叔、武公之德如是,是其卫风乎!"⑪为之歌《王》,曰:"美哉!思⑫而不惧,其周之东⑬乎!"为之歌《郑》,曰:"美哉!其细⑭已甚,民弗堪也。是其先亡乎!"为之歌《齐》,曰:"美哉,泱泱乎!大风⑮也哉!表东海者,其大公乎!国未可量也。"为之歌《豳》,曰:"美哉,荡乎!乐而不淫,其周公之东⑯乎!"为之歌《秦》,曰:"此之谓夏声⑰。夫能夏⑱则大,大之至也,其周之旧乎!"为之歌《魏》,曰:"美哉,沨沨⑲乎!大而婉⑳,险而易行,以德辅此,则明主也。"为之歌《唐》,曰:"思深哉!其有陶唐氏㉑之遗民乎!不然,何其忧之远也?非令德之后,谁能若是?"为之歌《陈》,曰:"国无主,其能久乎!"

[注释]

①吴公子札:即季札,吴王寿梦第四子。聘:聘问,访问。②说:同"悦",喜欢。③不得死:不得善终。④宗卿:宗室的世卿。⑤大政:国政。⑥慎举:慎重选拔人。⑦请观于周乐:因周公位重功高,鲁国能有虞、夏、商、周四代之乐舞,季札因此请观。⑧《周南》、《召南》:是周公、召公封国时的诗歌,时代较早。⑨美:指音乐(乐曲)之美。⑩基:奠定基础。未:还没有最后成功。⑪"美哉渊乎"四句:邶、鄘、卫为三国,叛周,为周公所平定,后并入卫国,所以季札只提到卫。渊:深。⑫思:忧思。⑬周之东:周室东迁。⑭细:琐碎。⑮大风:大国之风。⑯周公之东:周公东征。⑰夏声:秦在西方,秦仲时始有车马礼乐,去戎狄之音,而有诸夏之声。⑱夏:大。⑲渢(fán)渢:婉转悠扬。⑳婉:婉转曲折。㉑陶唐氏:尧初封陶,后徙唐,故称。

[译文]

吴国公子季札前来聘问,见到叔孙穆子,很喜欢他。对穆子说:"您恐怕不得善终吧!喜好善良而不能选择善人。我听说君子应当致力于选择善人。您担任鲁国宗卿,承担国政,不慎重举拔善人,怎能受得了呢?祸患一定会到您身上。"

季札请求观赏周乐。使乐工为他歌唱《周南》、《召南》,他说:"好美啊!教化开始奠定基础了,还没有完成,但是百姓勤劳而没有怨恨了。"为他歌唱《邶风》、《鄘风》、《卫风》,他说:"好美啊!深厚啊!虽有忧愁而不困窘。我听说卫康叔、武公的德行是这样的,这恐怕是卫风吧!"为他歌唱《王风》,他说:"好美啊!虽有忧思而不恐惧,这恐怕是周室东迁以后的音乐吧!"为他歌唱《郑风》,他说:"好美啊!但是琐碎太过,百姓不能忍受。这恐怕要先亡国的吧!"为他歌唱《齐风》,他说:"好美啊!宏大啊!这是大国的音乐吧！为东海各国表率的，恐怕是姜太公的国家吧！这个国家前程不可限量。"为他歌唱《豳风》，他说："好美啊！坦荡啊！欢乐而有节制，恐怕是周公东征时的音乐吧。"为他歌唱《秦风》，他说："这就叫做夏声。能奏夏声就能大，大到极点了，恐怕是周朝以前的音乐吧！"为他歌唱《魏风》，他说："好美啊！婉转悠扬！声音大而婉转，节奏急促却易于演唱，如果用德行加以辅助，就是贤明的君主了。"为他歌唱《唐风》，他说："思虑多么深沉啊！恐怕有陶唐氏的遗民吧！如果不是这样，为什么忧虑得那么深远呢？不是美德者的后代，谁能像这样呢？"为他歌唱《陈风》，他说："国家没有主人，难道能够长久吗？"

自《郐》以下无讥焉①。为之歌《小雅》，曰："美哉！思而不贰②，怨而不言，其周德之衰乎？犹有先王之遗民焉。"为之歌《大雅》，曰："广哉，熙熙③乎！曲而有直体④，其文王之德乎！"为之歌《颂》，曰："至矣哉！直而不倨，曲而不屈，迩而不偪⑤，远而不携⑥，迁而不淫⑦，复而不厌，哀而不愁，乐而不荒⑧，用而不匮，广而不宣⑨，施而不费⑩，取而不贪，处而不底⑪，行而不流。五声⑫和，八风⑬平。节有度，守有序，盛德之所同也。"

见舞《象箾》、《南籥》者⑭，曰："美哉！犹有憾。"见舞《大武》⑮者，曰："美哉！周之盛也，其若此乎！"见舞《韶濩》⑯者，曰："圣人之弘也，而犹有惭德⑰，圣人之难也。"见舞《大夏》⑱者，曰："美哉！勤而不德⑲，非禹，其谁能修之？"见舞《韶箾》⑳者，曰："德至矣哉，大矣！如天之无不帱㉑也，如地之无不载也。虽甚盛德，其蔑㉒以加于此矣，观止矣㉓。若有他乐，吾不敢请已。"

[注释]

①郐：又作"桧"。讥：评论。②贰：背叛。③熙熙：和乐，融洽。④直体：主调平直。⑤偪：同"逼"，侵迫。⑥携：离。⑦淫：乱。⑧荒：过度。⑨宣：显露。⑩施：施惠。费：减少。⑪处：不动。底：停滞。⑫五声：宫、商、角、徵、羽五种声调。⑬八风：八音，指金、石、丝、竹、匏、土、革、木八类乐器奏出的声音。⑭《象箾》、《南籥》：颂文王之舞。箾同"箫"。⑮《大武》：武王之乐。⑯《韶濩（huò）》：即《大濩》，商汤之乐。⑰"圣人之弘也"二句：商汤伐桀，以下犯上，所以有惭德。⑱《大夏》：禹之乐。⑲不德：不自以为德。⑳《韶箾》：又作《箫韶》，虞舜之乐舞。㉑帱（dào）：覆盖。㉒蔑：无。㉓观止矣：谓所观尽善尽美，无以复加。

[译文]

自《郐风》以下，季札没有评论。为他歌唱《小雅》，他说："好美啊！虽有忧思而没有二心，虽有怨恨而没有尽情吐露，周德将要衰微了吧！还是有先王的遗民在啊。"为他歌唱《大雅》，他说："宽广啊，和乐啊！婉转曲折而主调平直有力，表现的是文王的德行吧！"为他歌唱《颂》，他说："美到极致了！刚直而不倨傲，曲折而不卑下，亲近而不逼迫，疏远而不离心，变化而不过分，反复而不厌倦，哀伤而不忧愁，欢乐而不过度，使用而不匮乏，宽广而不显露，施予而不减少，收取而不贪婪，静止而不停滞，流动而不泛滥。五声和谐，八风协调。节拍有一定的尺度，乐器有一定的次序，这都是盛德之人所共同具有的。"

季札看到《象箾》、《南籥》舞，说："好美啊！还是有所缺憾。"看到《大武》舞，说："好美啊！周朝的强盛，大概就像这样吧！"看到《韶濩》舞，说："圣人如此弘大，尚且有所惭愧，圣人真不容易啊。"看到《大夏》舞，说："好美啊！勤于民事而不自以为有德，不是禹，还有谁能做到呢？"看到《韶箾》舞，说："功德达到顶点了，伟大啊！像天一样无不覆盖，像地一样无不承载。德行达到了极盛，没有办法再增加了，尽善尽美达到止境了！

如果还有其他音乐,我不敢再请求了。"

其出聘也,通嗣君①也。故遂聘于齐,说晏平仲②,谓之曰:"子速纳③邑与政。无邑无政,乃免于难。齐国之政将有所归④,未获所归,难未歇⑤也。"故晏子因陈桓子以纳政与邑,是以免于栾、高之难。

聘于郑,见子产,如旧相识。与之缟带,子产献纻⑥衣焉。谓子产曰:"郑之执政⑦侈,难将至矣,政必及子。子为政,慎之以礼。不然,郑国将败。"

适卫,说蘧瑗、史狗、史鰌、公子荆、公叔发、公子朝,曰:"卫多君子,未有患也。"

自卫如晋,将宿于戚,闻钟声焉,曰:"异哉!吾闻之也:辩⑧而不德,必加于戮。夫子获罪于君以在此⑨,惧犹不足,而又何乐?夫子之在此也,犹燕之巢于幕上。君又在殡⑩,而可以乐乎?"遂去之。文子闻之,终身不听琴瑟。

适晋,说赵文子、韩宣子、魏献子,曰:"晋国其萃⑪于三族乎!"说叔向。将行,谓叔向曰:"吾子勉之!君侈而多良⑫,大夫皆富,政将在家⑬。吾子好直⑭,必思自免于难。"

[注释]

①嗣君:继位的君主,指夷昧。②晏平仲:晏子,名婴。③纳:交出。④归:归属。⑤歇:止。⑥纻:同"苎",苎麻。⑦执政:执掌政权者,指伯有。⑧辩:变乱。⑨夫子获罪于君以在此:戚地为孙文子采邑,文子曾在这里逐君。⑩君又在殡:当时卫献公卒而未葬。⑪萃:集中。⑫良:良臣。⑬在家:到大夫手中。⑭直:直言。

[译文]

季札出国聘问,是因为国君新立,需要与各国通好。因此就到齐国聘问,很喜欢晏平仲,对他说:"您赶快交还封邑和政权。没有封邑和政权，才能免于祸难。齐国的政权将会有所归属，没有得到归属，祸乱不会停止。"所以晏子就通过陈桓子交还了政权和封邑，因为这样做，才从栾氏、高氏发起的动乱中幸免。

季札到郑国聘问，见到子产，像很早就相识一样。他送给子产白绢大带，子产还赠给他纻麻衣服。他对子产说："郑国的执政非常奢侈，祸难将要来了，政权一定会落到您身上。您执掌政权，要用礼谨慎行事。如果不这样，郑国将会败落。"

季札到了卫国，喜欢蘧瑗、史狗、史鳅、公子荆、公叔发、公子朝等人，说："卫国君子很多，不会有祸患。"

季札从卫国到晋国，准备在戚地住宿，听到钟声，说："奇怪啊！我听说，发动变乱而又不修德行，必然招致杀戮。这个人就在这里得罪了君王，害怕尚且不够，而又有什么可以寻欢作乐的？这个人在这里，就像燕子在帐幕上筑巢。去世的国君还没安葬，难道可以寻欢作乐吗？"于是就离开戚地。孙文子听说了，从此不听音乐。

季札到了晋国，喜欢赵文子、韩宣子、魏献子，说："晋国的国政将要集中在这三家了！"喜欢叔向，将要离开时，对叔向说："您努力吧！君王奢侈而良臣很多，大夫都很富有，国政将落在大夫手里。您喜好直言不讳，一定会思考怎样使自己免于祸难。"

子产为政（襄公三十年）

[题解]

郑国子产是春秋时有名的政治家。本篇展示了他处理政事的才能以及对待同僚的智慧。通过民众前后评价的对比，显示了他执政的成效。

郑子皮授子产政①。辞曰："国小而偪，族大宠多，不可为②也。"子皮曰："虎帅③以听，谁敢犯子？子善相④之。国无小，小能事大，国乃宽。"

子产为政，有事伯石⑤，赂与之邑。子大叔⑥曰："国皆其国也，奚独赂焉？"子产曰："无欲实难。皆得其欲，以从其事，而要⑦其成。非我有成，其在人乎？何爱于邑，邑将焉往？"子大叔曰："若四国⑧何？"子产曰："非相违也，而相从也，四国何尤⑨焉？《郑书》⑩有之曰：'安定国家，必大焉先⑪。'姑先安大，以待其所归。"既⑫，伯石惧而归邑，卒与之。伯有⑬既死，使大史命伯石为卿，辞。大史退，则请命焉。复命之，又辞。如是三，乃受策入拜。子产是以恶其为人也，使次己位。

子产使都鄙有章⑭，上下有服⑮；田有封洫⑯，庐井有伍⑰。大人之忠俭者，从而与⑱之；泰侈者因而毙⑲之。

丰卷将祭，请田⑳焉。弗许，曰："唯君用鲜，众给而已。"

子张㉑怒，退而征役。子产奔晋，子皮止之，而逐丰卷。丰卷奔晋。子产请其田里㉒，三年而复之，反其田里及其入焉。

从政一年，舆人㉓诵之曰："取我衣冠而褚㉔之，取我田畴而伍㉕之。孰杀子产，吾其与之！"及三年，又诵之曰："我有子弟，子产诲之；我有田畴，子产殖之。子产而死，谁其嗣之？"

[注释]

①子皮：字罕虎，郑国上卿，执掌国政。子产：公孙侨的字。谥成，又称公孙成子，子国之子，郑国贤大夫。②为：治。③帅：同"率"。④相：辅佐，治理。⑤伯石：公孙段，字子石。⑥子大叔：游吉。⑦要（yāo）：求。⑧四国：四方邻国。⑨尤：责备。⑩《郑书》：郑国史书。⑪必大焉先："必先大"的倒装，"焉"为结构助词。大，大族。⑫既：不久。⑬伯有：即良霄，郑国前任执政，被国人攻杀。⑭都鄙：城乡。章：分别。⑮服：事，职。⑯封：疆界。洫：沟渠。⑰庐井：庐舍和水井。伍：五人为伍，士兵行列也为伍。这里指排列有序。⑱与：亲近。⑲毙：踣。⑳田：猎。㉑子张：丰卷的字。㉒里：居，住宅。㉓舆人：众人。㉔褚：贮。指交纳物税。㉕伍：通"赋"，收取田租。

[译文]

郑国子皮把国政交给子产。子产推辞说："国家很小而逼近大国，公族很大而受宠的人很多，没法治理好啊。"子皮说："我率领大家听从您，谁敢触犯您？您好好地辅治国政。国家不在于小，小国如能侍奉大国，国家就能宽缓和顺了。"

子产治理国政，有事需要伯石办理，赠送给他城邑。子太叔说："国家是大家的国家，为什么独独给他城邑？"子产说："人没有欲望实在是很难的。让他们的欲望都得到满足，去办理他们的事务，而要求他们办得成功。这不是因我办成的，难道在于他人吗？对城邑有什么舍不得的？它还能跑到哪里去吗？"子大叔说："那四方邻国怎么办？"子产说："这不是互相违背，而是相互顺从，四方邻国有什么可责怪的？《郑书》上说：'安定国家，大族优先。'姑且先使大族安定,看看他们的归属如何。"不久,伯石因害怕而交还城邑,子产最终还是给了他。伯有死后,郑简公让太史发布策命,以伯石为卿,伯石推辞了。太史退出,伯石就请太史重新发布策命。太史再次宣读策命,伯石又加推辞。这样进行了三次,伯石才接受策命,入朝拜谢。子产因此厌恶伯石的为人,让他居于仅次于自己的地位。

子产使城乡有别,上下各有职守;田地有边界沟洫,庐舍和水井排列有序。大夫中忠诚节俭的,听从他,亲近他;骄傲奢侈的,依法惩办他。

丰卷要举行祭祀,请求打猎取得祭品。子产不答应,说:"只有君王才能用新猎的动物,一般人普通的就行了。"丰卷发怒,回去后招集兵卒。子产要逃到晋国,子皮劝住他,赶走了丰卷。丰卷逃亡去了晋国。子产请求不要没收他的田地住宅,三年后让他回国,把田地住宅和收入都还给了他。

子产执政一年,众人传诵民谣说:"取走我的衣冠要收费,丈量我的田地要交税。谁杀子产?我要相会!"等到执政满三年,又传诵民谣说:"我有子弟,子产教导他;我有田地,子产增殖它;子产如逝世,谁来继承他?"

子产不毁乡校（襄公三十一年）

[题解]

子产通过乡校采集百姓意见，据此及时调整执政措施，为孔子所称赏。

郑人游于乡校①，以论执政。然明②谓子产曰："毁乡校何如？"子产曰："何为？夫人朝夕退而游焉，以议执政之善否③。其所善者，吾则行之；其所恶者，吾则改之，是吾师也。若之何毁之？我闻忠善以损怨，不闻作威以防怨。岂不遽止？然犹防川。大决所犯，伤人必多，吾不克救也。不如小决使道④，不如吾闻而药之也。"然明曰："蔑也今而后知吾子之信可事也。小人实不才，若果行此，其郑国实赖之，岂唯二三臣？"仲尼闻是语也，曰："以是观之，人谓子产不仁，吾不信也。"

[注释]

①乡校：乡里学校，也是乡人聚会议事的公共场所。②然明：郑大夫鬷(zōng)蔑的字。③善否(pǐ)：好与不好。④道：疏导。

[译文]

郑人常到乡校中聚游，谈论执政措施的得失。然明对子产说："把乡校毁弃掉，怎么样？"子产说："为什么？那些人早晚有空时到乡校游玩，来谈论执政措施的好坏。他们认为是好的，我就推行；他们所讨厌的，我就加以改正，这是我的老师啊。为什么要把乡校毁掉呢？我听说可以通过忠于为善来减少怨恨，没有听说可以通过行使威权来防止怨恨。难道不能立即制止谈论吗？然而就像防止河水一样。大的决口触犯得大，伤人必定很多，我来不及施救啊。不如用小的决口，使河水得以疏导，不如我听到谈论后，把它当做匡救过失的良药。"然明说："我自今以后知道您确实是可以成事的。小人实在没有才能，如果始终这样做下去，郑国确实需要依靠您，难道只是我们这些臣子需要您吗？"孔子听到这些话，说："由此看来，有人说子产不仁，我不相信。"

子产论学入政(襄公三十一年)

[题解]

子产主张"学而后入政",富于卓识。子皮采纳了他的建议,对他信任有加。

子皮欲使尹何为邑①。子产曰:"少,未知可否。"子皮曰:"愿②,吾爱之,不吾叛也。使夫③往而学焉,夫亦愈知治矣。"子产曰:"不可。人之爱,人求利之也。今吾子爱人则以政,犹未能操刀而使割也,其伤实多。子之爱人,伤之而已,其谁敢求爱于子?子于郑国,栋④也。栋折榱⑤崩,侨将厌⑥焉,敢不尽言?子有美锦⑦,不使人学制⑧焉。大官、大邑,身之所庇也,而使学者制焉,其为美锦不亦多乎?侨闻学而后入政,未闻以政学者也。若果行此,必有所害。譬如田猎,射御贯⑨则能获禽,若未尝登车射御,则败绩厌覆是惧,何暇思获?"子皮曰:"善哉!虎不敏。吾闻君子务知大者、远者,小人务知小者、近者。我,小人也。衣服附在吾身,我知而慎之;大官、大邑所以庇身也,我远而慢之。微子之言,吾不知也。他日我曰:子为郑国,我为吾家,以庇焉,其可也。今而后知不足。自今请,虽吾家,听子而行。"子产曰:"人心之不同如其面焉,吾岂敢谓子面如吾面乎？抑⑩心所谓危，亦以告也。"子皮以为忠，故委政焉，子产是以能为郑国。

[注释]

①尹何：子皮家臣。为邑：治理封邑。②愿：谨慎，老实。③夫：指尹何。下句"夫"字同。④栋：大梁。⑤榱（cuī）：椽。⑥厌：通"压"。子皮授子产政，子皮如果败落，子产自然受到牵连。⑦锦：有彩色花纹的绸缎。⑧制：裁。⑨贯：同"惯"，习惯。⑩抑：不过。转折连词。

[译文]

子皮要派尹何治理自己的封邑。子产说："年纪太轻，不知道能不能胜任。"子皮说："尹何老实谨慎，我喜爱他，他一定不会背叛我。让他去学习一下，他也就更能知道怎样治理了。"子产说："不行。一个人喜爱另一个人，总是谋求对这个人有利。现在您喜欢他就把邑政交给他，就好像让不能使刀的人去割东西，他受到的伤害只会更多。您对人的喜爱，只是伤害而已，还有谁敢寻求您的喜爱呢？您对郑国来说，是栋梁。栋梁折断了，椽子也会崩散，我也会被压在下面，怎敢不把话说完呢？您有美丽的绸缎，并不派人去学习怎样裁制。高高的官位和大大的封邑，是庇护您的所在，您却派人去学习治理，这不是把美丽的绸缎，看得比官位和封邑还重吗？我听说学习好了然后从政的，没有听说学着去从政的。如果这样做，一定会有所损害。就像打猎，射箭、驾车都习惯了，就能获得猎物；如果从来没有登车射箭、驾过车，就一心害怕翻车压着自己，哪有工夫想着获取猎物呢？"子皮说："说得好啊！我真是不聪敏。我听说君子一定知道什么是大的、远的，小人只知道什么是小的、近的。我，是小人啊。衣服穿在我身上，我知道并慎重对待它；高官和封邑是庇护我的所在，我却疏远、轻视它。没有您的话，我认识不到啊。从前我说，您治理郑国，我治理我的家，能让我有所庇护，这样就可以了。现在看来，我才知道这样是不够的。

从今天起,我请求即使是我的家事,也遵照您的意见去办理。"子产说:"人心的不同,就像他的面貌一样,我怎么敢说您的面貌就像我的面貌呢?只不过我心里觉得有危险,就把它告诉您了。"子皮认为子产非常忠诚,所以把政事委托给他,子产因此能治理郑国。

韩宣子聘鲁（昭公二年）

[题解]

韩宣子历聘鲁、齐、卫等国，观书知礼，观诗见志，观人察行，显示了过人的智慧与学识。

二年，春，晋侯使韩宣子来聘①，且告为政②，而来见，礼也。观书于大史氏③，见《易》、《象》与鲁《春秋》④，曰："周礼尽在鲁矣，吾乃今知周公之德与周之所以王也。"⑤公享之，季武子赋《绵》之卒章⑥。韩子赋《角弓》⑦。季武子拜，曰："敢拜子之弥缝⑧敝邑，寡君有望矣。"武子赋《节》⑨之卒章。既享，宴于季氏。有嘉树焉，宣子誉⑩之。武子曰："宿敢不封殖⑪此树，以无忘《角弓》。"遂赋《甘棠》⑫。宣子曰："起不堪也，无以及召公。"

宣子遂如齐纳币⑬。见子雅⑭。子雅召子旗⑮，使见宣子。宣子曰："非保家之主也，不臣。"见子尾⑯。子尾见强⑰，宣子谓之如子旗。大夫多笑之，唯晏子信之，曰："夫子，君子也。君子有信，其有以知之⑱矣。"

自齐聘于卫，卫侯享之。北宫文子赋《淇澳》⑲，宣子赋《木瓜》⑳。

[注释]

①晋侯使韩宣子来聘：昭公即位，晋平公派韩宣子（韩起）来聘问，以示修好。②为政：执政。去年赵武去世，韩起代之为执政，并任中军主帅。③大（tài）史氏：掌文献档案策书的官员。④《易》：《周易》。当时仅有卦辞、爻辞。《象》：鲁国历代政令，悬挂、收藏在象魏（又称象阙、魏阙、观）中。鲁《春秋》：鲁国史书。由鲁国史官记录的史料，与今《春秋》不同。"《春秋》"为列国史书之通名。⑤"周礼尽在鲁矣"二句：鲁为周公受封之国，周公功劳至大，所以保存有天子之礼制；其书当保存有周初文、武、周公之史事。乃今：于今。⑥季武子赋《绵》之卒章：《绵》，《诗·大雅》篇名。卒章云："虞、芮质厥成，文王蹶厥生。予曰有疏附，予曰有先后，予曰有奔奏，予曰有御侮。"疏附指率下亲上，先后指相道前后，奔奏指喻德宣誉，御侮指武臣折冲。季武子取文王有四辅，能绵绵致其兴盛之义，把晋侯比作文王，把韩宣子比作四辅。季武子，季孙宿，鲁正卿。⑦《角弓》：《诗·小雅》篇名。有句云："兄弟昏姻，无胥远矣。"宣子取其兄弟之国宜相亲近之义。⑧弥缝：弥补缝合缺漏。⑨《节》：即《节南山》，《诗·小雅》篇名。卒章云："家父作诵，以究王讻。式讹尔心，以畜万邦。"取有德可畜万邦之义。⑩誉：赞美。⑪封殖：培殖。⑫《甘棠》：《诗·召南》篇名。召公曾在甘棠树下休息，后人思念他，而爱惜此树。季武子把韩宣子比作召公，所以韩宣子说"不堪"（不能承受，担当不起）。⑬纳币：又称"纳征"，即纳聘礼。韩宣子为平公聘少姜。⑭子雅：公孙灶。⑮子旗：栾施，子雅之子。⑯子尾：公孙虿。⑰见强：让儿子高强拜见宣子。⑱有以知之：能知道这些，是有根据的。⑲北宫文子：名佗，卫相。《淇澳》：《诗·卫风》篇名，赞美卫武公的。把宣子比作武公。⑳《木瓜》：《诗·卫风》篇名。宣子取厚报以为好之义。

[译文]

二年春，晋平公派韩宣子来我国聘问，同时通告他执掌国政，而前来相见，这是合乎礼的。韩宣子到太史氏那儿参观藏书，见到了《易》、《象》与鲁《春秋》，说："周礼都在鲁国了，我今天才知道周公的德行和周朝能够成就王业的原因。"昭公设享礼招待韩宣子。季武子赋《绵》这首诗的最后一章。韩宣子赋《角弓》这首诗。季武子向他下拜，说："谨此拜谢您为敝邑弥补缝合缺漏，寡君有希望了。"季武子赋《节》这首诗的最后一章。享礼结束后，在季氏家里设宴。季氏家有棵好树，韩宣子赞美它。季武子说："我怎么敢不好好培植这棵树，以不忘记《角弓》的诗意。"于是就赋《甘棠》这首诗。韩宣子说："我可承受不起，哪里赶得上召公。"

韩宣子就到齐国为平公纳聘礼。他拜会子雅，子雅叫来儿子子旗，让他拜见韩宣子。韩宣子说："这位不是能保住家族的人，不像个臣子。"韩宣子去拜会子尾，子尾让儿子高强拜见宣子。宣子对高强的评价与对子旗的评价相同。齐国的大夫嘲笑他，只有晏子相信他的话，说："这位先生，是个君子啊。君子有信用，他知道这些，是有根据的。"

韩宣子从齐国去卫国聘问，卫襄公设享礼招待他。北宫文子赋《淇澳》这首诗，宣子回赋《木瓜》这首诗。

晏婴叔向论齐晋季世(昭公三年)

[题解]

晏婴、叔向是齐国、晋国的著名政治家,他们察微知著,判断出齐国、晋国正走向季世。

齐侯使晏婴请继室于晋①,曰:"寡君使婴曰:'寡人愿事君朝夕不倦,将奉质币以无失时②,则国家多难,是以不获③。不腆先君之適以备内官④,焜耀寡人之望⑤,则又无禄⑥,早世陨命,寡人失望。君若不忘先君之好,惠顾齐国,辱收⑦寡人,徼福于大公、丁公⑧,照临敝邑,镇抚其社稷,则犹有先君之適及遗姑姊妹若而人⑨。君若不弃敝邑,而辱使董振⑩择之,以备嫔嫱⑪,寡人之望也。'"韩宣子使叔向对曰:"寡君之愿也。寡君不能独任其社稷之事,未有伉俪,在缞绖⑫之中,是以未敢请。君有辱命,惠莫大焉。若惠顾敝邑,抚有晋国,赐之内主⑬,岂唯寡君,举群臣实受其贶⑭,其自唐叔⑮以下实宠嘉之。"

既成婚⑯,晏子受礼⑰,叔向从之宴⑱,相与语。叔向曰:"齐其何如?"晏子曰:"此季世⑲也,吾弗知⑳齐其为陈氏矣。公弃其民,而归于陈氏。齐旧四量㉑,豆、区、釜、钟。四升为豆,各自其四，以登于釜。㉒釜十则钟。陈氏三量皆登一焉，钟乃大矣。㉓以家量贷，而以公量收之。㉔山木如市，弗加于山；鱼、盐、蜃、蛤，弗加于海。民参其力，二入于公，而衣食其一。公聚朽蠹㉕，而三老㉖冻馁，国之诸市，屦贱踊贵㉗。民人痛疾，而或燠休之㉘。其爱之如父母，而归之如流水。欲无获民，将焉辟㉙之？箕伯、直柄、虞遂、伯戏㉚，其相胡公、大姬已在齐矣㉛。"

叔向曰："然，虽吾公室，今亦季世也。戎马不驾，卿无军行，公乘无人，卒列无长。㉜庶民罢㉝敝，而宫室滋㉞侈。道殣㉟相望，而女富溢尤㊱。民闻公命，如逃寇雠。栾、郤、胥、原、狐、续、庆、伯降在皂隶㊲，政在家门㊳，民无所依。君日不悛㊴，以乐慆忧㊵。公室之卑，其何日之有㊶？《谗鼎之铭》曰：'昧旦丕显㊷，后世犹怠。'况日不悛，其能久乎？"晏子曰："子将若何？"叔向曰："晋之公族尽矣。肸闻之，公室将卑，其宗族枝叶先落，则公室从之。肸之宗㊸十一族，唯羊舌氏在而已。肸又无子，公室无度，幸而得死，岂其㊹获祀？"

[注释]

①齐侯：齐景公。请继室：晋少姜于上一年去世，齐国请以女继之。②将：欲。质币：礼品。③不获：不能亲自前来。④腆：厚，多。先君之适：少姜为庄公嫡夫人所出。备内官：在内宫充数，谦辞。⑤熄：明。耀：照。⑥禄：福。⑦收：接纳。⑧徼：求。大公：齐太公姜尚。丁公：大公之子。⑨遗姑姊妹：父之姊妹。若而人：若干人。⑩董振：慎重。董，正。振，整。⑪嫔嫱：天子诸侯之姬妾。⑫缞（cuī）绖（dié）：丧服名。丈夫为妻守丧。少姜非嫡妻，此为外交辞令。⑬内主：正夫人为内官之主。⑭贶（kuàng）：赐。⑮唐叔：晋之始祖。⑯成婚：订婚完成。⑰受礼：受宾享之礼。⑱叔向：羊舌肸。从之宴：同他一起赴宴。⑲季世：衰世。⑳弗知：不保。㉑四量：四种量具。㉒"四升为豆"三句：即四升为一豆，四豆为一区，四区为一釜。自：用。四：四倍。登：进。㉓"陈氏三量皆登一焉"二句：陈氏三量（豆、区、釜）

各加其一，五豆为区，五区为釜，这样就钟大了。登：加。㉔"以家量贷"二句：公量每钟六百四十升，而家量每钟一千升，贷多收少。陈氏以此收买人心。㉕公聚朽蠹：齐君搜刮的东西太多，年久腐朽生虫。㉖三老：指年老致仕（退休）者，天子、诸侯加以赡养，以示孝悌。㉗屦：鞋。踊：假足。言其刑罚之酷之多。㉘懊：厚。休：赐。㉙辟：同"避"。㉚"箕伯、直柄"句：四人皆虞舜后代，陈氏先人。㉛其相胡公、大姬已在齐矣：意思是陈氏将有国，其祖先鬼神已与胡公一起在齐国。相，随。胡公，四人之后代，周始封陈氏之祖。大姬，胡公之妃。㉜"戎马不驾"四句：这四句讲晋国军备废弛。公乘：公室之车乘。㉝罢：同"疲"。㉞滋：更加。㉟殣（jìn）：饿死的人。㊱女：嬖宠之家。溢：益。尤：甚。㊲栾、郤、胥、原、狐、续、庆、伯：此八氏均为姬姓贵族，其先栾枝、郤缺、胥臣、先轸、狐偃为卿，续简伯、庆郑、伯宗为大夫。皂隶：贱役。㊳政在家门：政权落在韩、赵等几家大族手里。㊴悛（quān）：悔改。㊵以乐慆忧：通过寻欢作乐来度过忧患。慆（tāo），乐。《诗·唐风·蟋蟀》："日月其慆。"㊶何日之有：有何日？意即很快到来。㊷昧旦：清晨欲明未明之时。丕：语助词，无义。显：显赫。㊸宗：同祖为宗。㊹其：将。

[译文]

　　齐景公派晏婴请求把女子嫁给晋侯做继室，说："寡君派婴说：'寡人愿意侍奉君王，早晚不倦怠，想要奉献礼品，按时交纳，而因为国家多难，不能亲自前来。区区先君嫡女，在君王内宫充数，寡人感到荣耀，然而她又没有福分，过早去世，寡人为此失望。君王如果不忘记先君的友好关系，加恩顾念齐国，接纳寡人，求福于太公、丁公，光辉照耀敝邑，安定抚慰我们的国家，那么还有先君的嫡女及遗姑姐妹若干人。君王如果不抛弃敝邑，派使者谨慎地加以选择，以充姬妾，这是寡人的愿望。'"韩宣子派叔向回答说："这正是寡君的愿望。寡君不能够独自承担国家大事，没有正式配偶。目前还在丧期，所以不敢有所请求。君王有命令，没有比这更大的恩惠了。如果能加惠顾念敝邑，安抚晋国，赐给晋国正官夫人，哪里只是寡君，所有的臣子都受到了恩赐，从唐叔以下，都会尊敬赞美。"

订婚以后，晏子接受晋国的享礼。叔向随从他一起参加宴会，互相交谈。叔向问："齐国怎么样？"晏子说："到了末世了，我不敢担保，齐国恐怕要变成陈氏的了。国君抛弃了他的子民，子民们都去归附陈氏。齐国一向有四种量器：豆、区、釜、钟。四升为一豆，用四进位，升到一釜。十釜为一钟。陈氏的三种量器都加大一个基数，以五进位，他的钟就很大了。他放贷的时候用自家的量器，收回的时候用国家的量器。山上的树木运到市场，卖价与在山上一样。鱼、盐、蜃、蛤运到市场，卖价与在海边一样。百姓有三分劳力，二分为国家干活，一分为自己的衣食奔忙。国君聚敛的财物腐朽生虫，而三老却受冻挨饿。国内市场上，鞋子价低而假肢昂贵。百姓有了痛苦和疾病，而陈氏就厚加赏赐。陈氏爱护百姓像父母一样，民众归附他就像流水一样。他要不想得到百姓的拥护，又哪里能避得开？箕伯、直柄、虞遂、伯戏，他们跟随着胡公、太姬，已经来到齐国了。"

叔向说："是啊，即使是我们公室，现在也是末世了。战马不驾兵车，卿不率领军队，公室的战车没有将士，步兵行列缺乏官长。百姓疲敝，而官室更加奢侈。道路上饿死的人接连不断，而君王宠臣家里的财富多得放不下。百姓听见君王的命令，如同逃避仇敌一样。栾、郤、胥、原、狐、续、庆、伯这八家，地位下降，从事贱役。政事出于私门，百姓无所归依。国君没有一天想到悔改，用寻欢作乐来度过忧愁。公室的卑弱，还能等多久？逸鼎的铭文说：'黎明即起致力于声名显赫，子孙后代还会懈怠。'何况从来不思悔改，他能够长久吗？"晏子说："您打算怎么办？"叔向说："晋国的公族都完结了。我听说，公室将要卑弱，它的宗族像树的枝叶一样先陨落，然后公室跟着凋零。我这一宗共十一族，现在只有羊舌氏还在。我又没有儿子，公室没有法度，我如果有幸能得到善终，难道还将受到祭祀？"

晏子辞更宅（昭公三年）

[题解]

晏子自以为不能继承先人之德，而且不愿累及邻居，所以辞谢齐景公为其营建新宅的建议，并将住宅恢复旧貌，显示了卑柔自处的智慧。

初，景公欲更晏子之宅，曰："子之宅近市，湫隘嚣尘①，不可以居，请更诸爽垲者②。"辞曰："君之先臣③容焉，臣不足以嗣之，于臣侈矣。④且小人近市，朝夕得所求，小人之利也，敢烦里旅⑤？"公笑曰："子近市，识贵贱乎？"对曰："既利之，敢不识乎？"公曰："何贵？何贱？"于是景公繁于刑，有鬻⑥踊者，故对曰："踊贵，屦贱。"既已告于君，故与叔向语而称之⑦。景公为是省于刑。

君子曰："仁人之言，其利博哉！晏子一言，而齐侯省刑。《诗》曰：'君子如祉，乱庶遄已'⑧，其是之谓乎！"

及晏子如晋，公更其宅。反，则成矣。既拜，乃毁之，而为里室，皆如其旧，⑨则使宅人反之⑩，曰："谚曰：'非宅是卜，唯邻是卜。'二三子先卜邻矣。违卜不祥。君子不犯非礼，小人不犯不祥，古之制也。吾敢违诸⑪乎？"卒复其旧宅，公弗许；因陈桓子以请，乃许之。

[注释]

①湫(jiǎo)：下湿。隘：狭小。嚣：喧闹。②爽：明亮。垲(kǎi)：高而燥。③君之先臣：晏子称自己的祖先。④"臣不足以嗣之"二句：意思是我祖先居住在这里，我不足以继承父祖，而住在这里，对我而言还是过分的。⑤里旅：即司里、里人，掌卿大夫之家宅。⑥鬻(yù)：卖。⑦故与叔向语而称之：晏子和叔向谈踊贵屦贱，参上文《晏婴叔向论齐晋季世》。此句属补充交代前面传文背景。⑧"《诗》曰"二句：诗句见《诗·小雅·巧言》。祉：喜。遄：疾速。已：止。⑨"既拜"四句：晋景公拆了晏子邻居的房屋为晏子造屋，晏子再恢复原貌。⑩宅人：原住宅的主人，即邻居们。反之：返回住宅。⑪诸：之。

[译文]

起初，齐景公想更换晏子的住宅，对他说："你的住宅靠近闹市，潮湿狭小，喧闹多尘，不能居住，请让我给你换一座高敞明亮的。"晏子辞谢说："君王的先臣就住在这里，下臣不能继承先人的德行，住在这里，对下臣来说已经是很过分了。而且小人住得靠近闹市，早晚可以得到所要的东西，这是小人的便利啊，怎敢劳烦里旅？"景公笑着说："你靠近闹市，识得物品的贵贱吗？"晏子回答说："既然感到便利，怎会不知道呢？"景公说："什么东西贵？什么东西贱？"这时候齐景公刑罚繁苛，市面上有卖假腿的，晏子因此回答说："假腿昂贵，鞋子便宜。"晏子因为对景公说过这话，所以与叔向议论国事时举了这个事例。景公因此而减省了刑罚。

君子说："仁人的话，它的好处真广博啊！晏子一句话，而齐侯减省了刑罚。《诗》说：'君子如果喜悦，祸乱很快就停止。'说的就是这种情况吧！"

到了晏子去晋国，齐景公为他更换了新住宅。等他回国，房子已经落成了。晏子拜谢了景公之后，就把新居拆毁了，重新建好邻居的房屋，都同原先的一样，就让原来的邻居搬回来，说："谚语说：'不是占卜建住宅，而是占卜选邻居。'各位高邻原先都占卜选邻过。违反占卜的结果是不吉利的。君子不犯不合乎礼的事，小人不犯不吉利的事，这是自古以来的制度。我怎么敢违反它呢！"最后又恢复了自己旧宅的原貌，齐景公不允许；晏子通过陈桓子向景公请求，才获得准许。

苟利社稷，死生以之（昭公四年）

[题解]

子产实施丘赋制度，虽然遭到国人非议，但他以国家利益为重，坚持政策不变。

郑子产作丘赋①，国人谤②之，曰："其父死于路③，己为虿④尾，以令于国，国将若之何？"子宽⑤以告。子产曰："何害？苟利社稷，死生以⑥之。且吾闻为善者不改其度⑦，故能有济也。民不可逞⑧，度不可改。诗曰：'礼义不愆，何恤于人言？'⑨吾不迁⑩矣。"浑罕曰："国氏⑪其先亡乎！君子作法于凉⑫，其敝⑬犹贪。作法于贪，敝将若之何⑭？姬在列⑮者，蔡及曹、滕其先亡乎！偪而无礼。郑先卫亡，偪而无法⑯。政不率法⑰，而制于心。民各有心，何上⑱之有？"

[注释]

①丘赋：一种田赋。古时十六井为一丘，当出马一匹，牛三头。子产要增收田赋。②谤：毁谤。③其父死于路：襄公十年（前563年），子产之父国为尉止所杀。④虿（chài）：一种蝎子，后腹狭长如尾，末端有毒钩。⑤子宽：即浑罕，郑大夫。⑥以：由。⑦度：法制。⑧逞：纵。⑨"礼义不愆"二句：引诗为逸《诗》。愆：失。恤：忧。⑩迁：变更，改变。⑪国氏：指子产一族。郑国公孙常以父名为氏，子产父子国，故称国氏。⑫凉：薄，不厚

道。⑬敝：终，后果。⑭敝将若之何：指后果不堪设想。⑮列：列国。⑯"蔡及曹、滕其先亡乎"四句：蔡为楚所逼，曹、滕为宋所逼，郑、卫为晋与楚所逼。⑰政：政策。率：循。法：先代之法。⑱上：执政者。

[译文]

郑子产实施丘赋制度，国内的人毁谤他，说："他的父亲死在路上，他自己做蝎子的尾巴。他在国内发号施令，国家将会怎么样？"子宽把情况报告给子产。子产说："有什么妨害的？只要对国家有利，死生都由他去。而且我听说做善事的人不改变他的法制，所以能够获得成功。人民不可以满足，法度不可以更改。《诗》说：'在礼义上没有过失，何必担心别人的闲话。'我不会改变的。"子宽说："国氏也许要先灭亡了吧！君子制定法令尽管凉薄，它的后果还是贪婪。在贪婪的基础上制定法令，后果将会怎么样？姬姓列国，蔡国与曹国、滕国大概是先灭亡的国家吧！它们受到大国的逼迫而没有礼义。郑国比卫国先灭亡，因为郑国受到逼迫而没有法度。政令不沿循先代之法度，而凭自己的心意来决定；百姓各有各的心思，怎么会服从上面的人？"

叔向论刑书（昭公六年）

[题解]

郑国人明示刑法，铸之于鼎。叔向怀念先王以制议事，用义、政、礼、信、仁等教导百姓的做法，担心百姓知道刑法内容后，反而产生争竞之心，因此写信给子产，表示异议。

三月，郑人铸刑书①。叔向使诒②子产书，曰："始吾有虞③于子，今则已矣。昔先王议事以制④，不为刑辟⑤，惧民之有争心也。犹不可禁御，是故闲⑥之以义，纠⑦之以政，行之以礼，守之以信，奉⑧之以仁；制为禄位，以劝其从；⑨严断刑罚，以威其淫。⑩惧其未⑪也，故诲之以忠，耸之以行⑫，教之以务⑬，使之以和，临之以敬⑭，莅之以强⑮，断之以刚⑯；犹求圣哲之上⑰、明察之官⑱、忠信之长⑲、慈惠之师⑳，民于是乎可任使也，而不生祸乱。民知有辟，则不忌于上。并㉑有争心，以征于书，而徼幸㉒以成之，弗可为㉓矣。

"夏有乱政㉔，而作《禹刑》；商有乱政，而作《汤刑》；周有乱政，而作《九刑》：三辟㉕之兴，皆叔世㉖也。今吾子相郑国，作封洫，立谤政㉗，制参辟㉘，铸刑书，将以靖㉙民，不亦难乎？《诗》曰：'仪式刑文王之德，日靖四方。'㉚又曰：'仪刑文王，万邦作孚。'㉛如是，何辟之有？㉜民知争端㉝矣，将弃礼而征于书㉞，锥刀之末㉟，将尽争之。乱狱滋丰㊱，贿赂并行㊲。终子之世，郑其败乎？肸闻之：'国将亡，必多制㊳'，其此之谓乎！"

复书㊴曰："若㊵吾子之言——侨不才，不能及子孙，吾以救世也。既不承命㊶，敢㊷忘大惠！"

士文伯㊸曰："火㊹见，郑其火㊺乎！火未出㊻，而作火以铸刑器㊼，藏争辟焉㊽。火如㊾象之，不火何为？"

[注释]

①郑人铸刑书：铸刑书于鼎，以为国之常法。②诒：遗，给。③虞：望。④议事以制：度量事之轻重，而据以断其是非。议，通"仪"，度。制，断。⑤刑辟：刑法。辟，法。⑥闲：防备，限制。⑦纠：约束。《周礼·大司寇》："以五刑纠万民。"⑧奉：养。⑨"制为禄位"二句：立官品高下、俸禄厚薄的制度，来勉励顺从教诲者。⑩"严断刑罚"二句：严厉判刑，以威胁放纵者。⑪未：指未能奏效。⑫奖之以行：举善行加以奖励。《国语·楚语上》："教之《春秋》而为之奖善而抑恶焉，以戒劝其心。"奖，奖。⑬务：专业。⑭敬：严肃认真。⑮莅：临。强：威严。⑯断之以刚：有违犯者坚决制裁。⑰上：执政之卿。⑱官：主事之官。⑲长：乡长。⑳师：老师。㉑并：遍，咸。㉒徼幸：侥幸。㉓为：治。㉔有乱政：有违犯政令者。㉕三辟：指《禹刑》、《汤刑》、《九刑》三部刑律。㉖叔世：衰世。㉗立谤政：指作丘赋。参《子产作丘赋》一文。㉘参辟：刑法三篇，或其内容分为三大类。"参"同"三"。㉙靖：安。㉚"仪式刑"二句：引诗见《诗·周颂·我将》。仪、式、刑：都是"法（仿效）"的意思。"德"：今作"典"。㉛"仪刑文王"二句：引诗见《诗·大雅·文王》。孚：信。㉜"如是"二句：意谓不需法律。㉝争端：刑书。㉞征于书：征引刑法而争论。㉟锥刀之末：刑法的每个字句。锥刀，刻刑书之工具。㊱丰：繁多。㊲并：遍。㊳多制：多次改变政令。㊴复书：报书，回信。㊵若：顺。㊶承命：接受谏言。㊷敢：岂敢。㊸士文伯：士匄。㊹火：心宿。于周正五月出现。㊺火：火灾。㊻火未出：时为周正三月，故未出。㊼作火以铸刑器：铸鼎需用火。㊽藏争辟焉：刑书将启争端，故称刑

书为争辟,而藏于鼎。㊽如:而。

[译文]

三月,郑国人把刑法铸在鼎上。叔向派人送给子产一封信,信中说:"起初我对您寄予厚望,现在我不这么想了。从前先王度量事情轻重来判罪,不制定刑法,是害怕人民有争竞之心。还是不能禁止犯罪,所以用道义来防范,用政令来约束,用礼仪来奉行,用信用来保持,用仁爱来奉养;制定禄位,来勉励顺从的人;严格执行刑罚,来威慑放纵的人。担心还不能禁止犯罪,所以用忠诚加以教诲,举善行加以奖励,教给人们专门技术,用和悦使用他们,用敬重面对他们,用威严管理他们,用坚决的态度判定他们的罪行;还要访求圣明贤哲的卿相、明察事理的官员、忠诚守信的乡长、慈爱和惠的老师,百姓这才可以使用,而不会发生祸乱。百姓知道有法律,就对上没有忌讳。大家都有争竞之心,征引刑法作为根据,而侥幸能够成功,就不能治理了。

"夏朝有违犯政令的,所以制定了《禹刑》;商朝有违犯政令的,所以制定了《汤刑》;周朝有违犯政令的,所以制定了《九刑》。这三部刑法的产生,都是在各朝衰乱的时代。如今您辅佐郑国,划定田界水沟,实施受人诽谤的政事,制作三种刑法,把刑法铸在鼎上,准备用这样的办法安定人民,不也是很难的吗?《诗》说:'效法文王德行,每天抚治四方。'又说:'效法文王,万国信服。'像这样,要刑法干什么?人民知道了争端所在,将会抛弃礼仪而以刑法为依据。一字一句,都要尽力争论明白。触犯法律的案件日益增加,贿赂到处通行。在您活着的时候,郑国恐怕就要衰败了吧!我听说'国家将要灭亡,必然多定法令',说的就是这种情况吧!"

子产复信说:"顺着您所说的话——我没有才能,不能考虑到子孙后代,我只能用这个来挽救当前。既不能接受您的命令,又岂敢忘记您的大恩惠!"

士文伯说:"大火星出现,郑国岂非要有火灾吧!大火星还没出现,而用火来铸造刑器,藏入了引起争端的刑法。大火星如果象征这个东西,怎么不会发生火灾?"

孟僖子论孔丘（昭公七年）

[题解]

孟僖子以孔子世有明德，明习周礼，让孟懿子与南宫敬叔师事孔子。

九月，公至自楚①。孟僖子病不能相礼②，乃讲学之，苟能礼者从之。及其将死也③，召其大夫，曰："礼，人之干④也。无礼，无以立⑤。吾闻将有达⑥者曰孔丘，圣人之后也⑦，而灭于宋⑧。其祖弗父何以有宋而授厉公⑨；及正考父佐戴、武、宣⑩，三命兹益共⑪，故其鼎铭⑫云：'一命而偻，再命而伛，三命而俯，⑬循墙而走⑭，亦莫余敢侮。饘于是⑮，鬻⑯于是，以糊⑰余口。'其共也如是。臧孙纥⑱有言曰：'圣人有明德者，若不当世⑲，其后必有达人。'今其将在孔丘乎！我若获没⑳，必属说与何忌于夫子㉑，使事之，而学礼焉，以定其位㉒。"故孟懿子与南宫敬叔师事仲尼㉓。仲尼曰："能补过者，君子也。《诗》曰：'君子是则是效'㉔，孟僖子可则效已矣。"

[注释]

①公至自楚：鲁昭公于三月去了楚国。②孟僖子：仲孙貜，仲孙蔑之子，鲁国大夫，"三桓"之一。病：以……为病，不满意。"相"为衍文。③及其将死也：孟僖子卒于昭公二十七年。孟僖子死时，孔子年三十四岁。④干：主

干。⑤立：自立，立身。⑥达：闻达，得志。⑦圣人之后也：圣人指孔子先祖弗父何与正考父。⑧而灭于宋：孔子六代祖孔父嘉为宋华父督所杀，五代祖木金父遂奔鲁。⑨其祖弗父何以有宋而授厉公：弗父何为宋湣公嫡子，厉公兄。湣公卒，弟炀公熙立。湣公子鲋祀弑炀公，将立弗父何，何让，鲋祀立，是为厉公。⑩正考父：弗父何曾孙。戴、武、宣：宋国的三位国君。⑪三命兹益共：指位高益恭。三命，三位国君相继任命他担任上卿。兹，同"滋"，更加。共，同"恭"。⑫故其鼎铭：正考父庙中鼎。⑬"一命而偻"三句：偻、伛、俯：屈身恭敬之貌，程度依次加深。⑭循墙：避开道路中间。走：急趋为走，以示恭敬。⑮饘：糜，加米合煮之羹。是：指鼎。⑯鬻：粥。⑰糊：寄。⑱臧孙纥：即臧武仲。⑲若：虽。当世：为国君。⑳获没：得以寿终。㉑夫子：指孔子。㉒以定其位：知礼则位安。㉓孟懿子：即何忌。南宫敬叔：名阅。㉔君子是则是效：引诗见《诗·小雅·鹿鸣》。

[译文]

九月，昭公从楚国回国。孟僖子不满意自己不精通礼仪，于是学习礼仪，如果有精通礼仪的人就去跟他学。到孟僖子将要去世时，他召集了属下的大夫，说："礼，是人的主干，没有礼，就不能够立身。我听说有个将会闻达的人名叫孔丘，他是圣人的后代，家族在宋国灭亡了。他的祖先弗父何，应当做宋国的国君而让给了厉公。到了正考父，辅佐戴公、武公、宣公，做了三位国君任命的卿而更加恭敬。所以他的鼎上铭文说：'一命低下头，二命弓下身，三命弯下腰。靠墙快步走，也没人欺负。稠粥这里煮，稀粥这里煮，用来糊我口。'他就是这样的恭敬。臧孙纥有句话说：'圣人中具有完美的德行的，虽然不做国君，他的后代一定有闻达的人。'如今恐怕就应在孔丘身上吧？我如果得以善终，一定要把说与何忌托付给夫子，让他们侍奉夫子，向他学礼，以安定他们的职位。"所以孟懿子与南宫敬叔都拜孔子为师。孔子说："能够补救过错的人，就是君子。《诗》说：'取法效仿君子。'孟僖子是可以学习效仿的了。"

籍谈数典忘祖（昭公十五年）

[题解]

周景王指出籍谈数典忘祖，不能世其职守。叔向则指出，景王居丧不礼，也不会善终。

十二月，晋荀跞①如周，葬穆后，籍谈为介②。既葬，除丧，以③文伯宴，樽以鲁壶④。王曰："伯氏，诸侯皆有以镇抚王室⑤，晋独无有，何也？"文伯揖籍谈⑥。对曰："诸侯之封也，皆受明器⑦于王室，以镇抚其社稷，故能荐彝器于王⑧。晋居深山，戎狄之与邻，而远于王室，王灵⑨不及，拜戎⑩不暇，其何以献器？"

王曰："叔氏⑪，而忘诸乎⑫！叔父唐叔，成王之母弟也，其⑬反无分乎？密须⑭之鼓与其大路，文所以大蒐也⑮；阙巩⑯之甲，武所以克商也，唐叔受之，以处参虚⑰，匡有⑱戎狄。其后襄之二路⑲，戚钺、秬鬯⑳、彤弓、虎贲㉑，文公受之，以有南阳㉒之田，抚征东夏㉓，非分而何？夫有勋而不废，有绩而载㉔，奉之以土田㉕，抚之以彝器㉖，旌之以车服㉗，明之以文章㉘，子孙不忘，所谓福也。福祚之不登㉙，叔父焉在㉚？且昔而高祖孙伯黡司晋之典籍㉛，以为大政㉜，故曰籍氏。及辛有之二子董之晋㉝，于是乎有董史㉞。女，司典㉟之后也，何故忘之？"籍谈不能对。宾㊱出，王曰："籍父其㊲无后乎！数典㊳而忘其祖。"

籍谈归，以告叔向。叔向曰："王其不终乎！吾闻之：所乐必卒焉㊴。今王乐忧，若卒以忧，不可谓终㊵。王一岁而有三年之丧二㊶焉，于是乎以丧宾宴，又求彝器，乐忧甚矣，且非礼也。彝器之来，嘉功之由㊷，非由丧也。三年之丧，虽贵遂服㊸，礼也。王虽弗遂，宴乐以㊹早，亦非礼也。礼，王之大经㊺也。一动而失二礼㊻，无大经矣。言以考典㊼，典以志经。忘经㊽而多言，举典㊾，将焉用之？"

[注释]

①荀跞：晋大夫。②介：副使。③以：与。④樽以鲁壶：以鲁国所献之壶为樽。⑤皆有以镇抚王室：都有器物贡上以安定王室。镇、抚：安。《周礼》大宰之职，"以九贡致邦国之用"，其三为"器贡"，即所谓镇抚王室者。⑥文伯揖籍谈：文伯无辞，揖请籍谈回答。⑦明器：宝器。⑧荐：献。彝：宗庙所用青铜器。⑨灵：福。⑩拜戎：服戎，指与戎人周旋。拜，服。⑪叔氏：伯氏、叔氏为周王对同姓的通称。⑫而：尔。诸：之。⑬其：岂。⑭密须：即密，姞姓国，在今甘肃灵台县西。⑮文所以大蒐也：周文王伐密须，得其鼓与大路（车），即用来田猎检阅。⑯阙巩：周世侯伯之国，武王灭之，为周族卿之采邑。⑰参（shēn）虚：实沈之次，晋之分野。虚，次。⑱匡有：匡正而领有之。⑲襄之二路：周襄王赐给晋文公的大路与戎路。⑳戚钺：斧钺。戚，斧。秬（jù）鬯（chàng）：黑黍酒。秬，黑黍。鬯，香酒。㉑彤弓：漆成红色的弓。虎贲：勇士。㉒南阳：晋山之南，黄河之北，故称南阳。㉓抚征：或安抚，或征伐。东夏：晋所服齐、鲁、郑、宋诸国，均在晋之东，故称东夏。㉔有绩而载：书功于策。㉕土田：指南阳之地。㉖彝器：指斧钺之属。㉗旌：表彰，表扬。车服：指所赐路车及仪仗等。㉘明：彰显。文章：器物之上的彩饰，用以区别等级。㉙祚：福。登：记录，记载。㉚叔父焉在：指籍谈忘其世职。㉛高祖：远祖之通称。孙伯黡（yǎn）：籍谈九世祖。㉜大政：正卿。㉝辛有：周太史，平王时人。二子：次子。董：人名。㉞董史：董氏世为晋史

官。㉟司典：即孙伯黡。㊱宾：荀跞、籍谈。㊲其：殆。㊳数典：举典，列举典故。㊴所乐必卒焉：所乐何事，必以何事死。㊵终：善终，寿终。㊶丧二：太子寿、穆后之丧。㊷嘉功之由：由于嘉功。㊸遂服：指按礼服丧三年。遂，终，竟。㊹以：同"已"，太，甚。㊺经：礼。㊻失二礼：指以丧求器及早为宴乐。㊼考：稽考。典：典籍。㊽忘经：即失二礼。㊾举典：列举典籍。

[译文]

十二月，晋荀跞去周朝，参加穆后的葬礼，籍谈作为副使。安葬后，减换丧服，周景王与荀跞饮宴，用鲁国进贡的壶做酒器。景王问："伯父，诸侯都有礼器进贡，以安定王室，唯独晋国没有，这是什么缘故？"荀跞揖请籍谈回答。籍谈回答说："诸侯受封的时候，都在王室接受了宝器，用来镇抚自己的国家，所以能把彝器进贡给天子。晋国处在深山之中，与戎狄为邻，离王室很遥远。天子的威福不能到达，晋国与戎人周旋，都忙不过来，怎么能进贡彝器？"

周景王说："叔父，你忘记了吗？叔父唐叔，是成王的同母弟弟，难道反而没有分得赏赐的宝器吗？密须国的鼓，和它的大路，是文王得到后用来举行盛大的阅兵式的；阙巩国的皮甲，是武王得到后凭它战胜商纣的。唐叔接受了它们，住在参虚的分野，匡正戎狄。后来襄王赐给晋国大路、戎路、斧钺、黑黍香酒、红色的弓和勇士，文公接受了，保有南阳的田土，安抚、征伐东部诸侯，这些不是分得的宝器又是什么呢？有了勋劳而不废除，有了功绩就记载下来，用土地来奉养他，用彝器来安抚他，用车服来表彰他，用文章来显耀他，子孙不会忘记，这就是所谓的福啊。福祚都没有记住，叔父在哪里呢？而且从前你的远祖孙伯黡，掌管晋国的典籍，以主持国政，所以称为籍氏。等到辛有的次子董到了晋国，这时候才有了姓董的史官。你，是管理典籍的人的后代，为什么忘了呢？"籍谈无法回答。客人退席后，周景王说："籍父的后代恐怕不会长久吧！他列举出了典故而忘记了自己的祖宗。"

籍谈回国，把情况告诉叔向。叔向说："周王也许得不到善终了吧！我听说，所据以欢乐的，必为之而死。如今天子把忧愁当欢乐，如果因为忧愁而死，就不能算做寿终。天子在一年之内碰上了两次要服丧三年的丧事，在这时候因为丧事而和来宾饮宴，又求取彝器，是把忧愁当欢乐得太过分了，而且不合于礼。诸侯进贡彝器，是由于嘉奖功劳，不是由于丧事。服丧三年的丧事，即使地位尊贵的人也要服满丧期，这就是礼。天子即使不能做到，而宴乐得太早，也是不合乎礼的。礼，是天子奉行的重要规范，做一件事却违反了两项礼法规定，那就没有重要规范了。言语用来稽考典籍，典籍用来记载规范。忘记规范而多言语，即使备列典故，又有什么用？"

少皞氏以鸟名官（昭公十七年）

[题解]

郯子熟知上古史事，备举黄帝氏、炎帝氏、共工氏、太皞氏、少皞氏命名官职的原则。孔子因此向他学习。

秋，郯子①来朝，公与之宴。昭子②问焉，曰："少皞氏鸟名官③，何故也？"郯子曰："吾祖也，我知之。昔者黄帝氏以云纪④，故为云师而云名⑤；炎帝⑥氏以火纪，故为火师而火名；共工氏⑦以水纪，故为水师而水名；太皞氏⑧以龙纪，故为龙师而龙名。

"我高祖⑨少皞挚之立也，凤鸟适至，故纪于鸟，为鸟师而鸟名：凤鸟氏，历正也；⑩玄鸟氏，司分者也；⑪伯赵氏，司至者也；⑫青鸟氏，司启者也；⑬丹鸟氏，司闭者也；⑭祝鸠氏，司徒也；⑮鴡鸠氏，司马也；⑯鳲鸠氏，司空也；⑰爽鸠氏，司寇也；⑱鹘鸠氏，司事也。⑲五鸠，鸠民⑳者也。五雉为五工正㉑，利器用、正度量、夷民者也㉒。九扈㉓为九农正，扈㉔民无淫者也。自颛顼以来，不能纪远，乃纪于近㉕。为民师而命以民事㉖，则不能故也。"

仲尼闻之，见于郯子而学之。㉗既而告人曰："吾闻之：'天子失官,官学在四夷'㉘,犹信㉙。"

[注释]

①郯(tán)子:郯国之君。郯为己姓之国,黄帝子少昊之后,在今山东郯城县。②昭子:叔孙婼。③少皞氏鸟名官:少皞氏以鸟为官名。少皞氏,黄帝之子,名挚,字青阳,都于曲阜。④昔者黄帝氏以云记:据应劭的说法,黄帝受命有云瑞,所以以云纪事。春官为青云,夏官为缙云,秋官为白云,冬官为黑云,中官为黄云。黄帝为姬姓之祖。⑤故为云师而云名:意思是各官之长都用云为名。师,长。⑥炎帝:即神农氏,姜姓之祖。服虔认为,炎帝用火名官,春官为大火,夏官为鹑火,秋官为西火,冬官为北火,中官为中火。⑦共工氏:共工以诸侯霸九州,在神农之前,太皞之后。共工以水名官,春官为东水,夏官为南水,秋官为西水,冬官为北水,中官为中水(据服虔说)。⑧太皞氏:即伏羲氏,风姓之祖,以龙名官,春官为青龙氏,夏官为赤龙氏,秋官为白龙氏,冬官为黑龙氏,中官为黄龙氏(据服虔说)。⑨高祖:远祖、始祖。⑩"凤鸟氏"二句:凤鸟知天时,所以用来命名历正之官。⑪"玄鸟氏"二句:玄鸟即燕子。燕子春分来,冬分去,所以用为司分之官。分:春分、秋分。⑫"伯赵氏"二句:伯赵:即伯劳,又名博劳、䴂。至:夏至、冬至。⑬"青鸟氏"二句:青鸟:即仓庚,俗称黄莺。启:指立春、立夏。⑭"丹鸟氏"二句:丹鸟:今名锦鸡、天鸡。闭:指立秋、立冬。⑮"祝鸠氏"二句:祝鸠即鷦鸠、鵓鸠,性孝,所以用来命名司徒之官。司徒:主教民。⑯"鴡鸠氏"二句:鴡鸠又叫王鴡、鹗,属雕类,较猛武,所以用来命名司马之官,主法制。⑰"鸤鸠氏"二句:鸤鸠,讲究平均,所以用来命名司空之官,以平水土。⑱"爽鸠氏"二句:爽鸠,即鹰,凶猛,所以用来命名司寇之官,主盗贼。⑲"鹘鸠氏"二句:鹘鸠又叫鶌鸠、鹘鸼,春来冬去,主农事。⑳鸠民:聚集民众。㉑五雉:杜预以为雉有五种,西方叫鷷雉,东方叫鶅雉,南方叫翟雉,伊、洛之南叫翬雉。五工正:五工之长。贾逵等认为五工是指攻木之工、抟埴之工、攻金之工、攻皮之工、设五色之工。㉒"利器用"句:孔颖达认为:"雉声近夷,雉训夷,夷为平,故以雉名工正之官,使其利便民之器用,正丈尺之度,斗斛之量,所以平均下民也。"夷,平。㉓九扈:指扈鸟有九种。扈,又作雇、鳸,鸟名。㉔扈:止。㉕"自颛顼以来"三句:从颛顼以

下,不能用远物别其官,只能以就近之事为名。颛顼:黄帝之孙,昌意之子,继少皞而有天下,号青阳氏。㉖为民师而命以民事:颛顼之官名有南正、火正等,不再用祥瑞作为官名。㉗"仲尼闻之"二句:此时孔子年二十七。㉘"天子失官"二句:根据石经,衍一"官"字。失官:官失其职。学在四夷:学散在四方。㉙信:真。

[译文]

秋,郯子前来我国朝见,昭公与他一起饮宴。昭子向他请教,说:"少皞氏用鸟名作为官名,是什么缘故?"郯子说:"他是我的祖先,我知道。从前黄帝氏用云记事,所以设置各部门官长用云来命名。炎帝氏用火记事,所以设置各部门官长用火来命名。共工氏用水记事,所以设置各部门官长用水来命名。太皞氏用龙记事,所以设置各部门官长用龙来命名。

"我们祖先少皞氏挚即位的时候,凤凰正好飞来,所以用鸟记事,设置各部门官长用鸟来命名。凤鸟氏,是历正。玄鸟氏,掌管春分、秋分。伯赵氏,掌管夏至、冬至。青鸟氏,掌管立春、立夏。丹鸟氏,掌管立秋、立冬。祝鸠氏,就是司徒。鴡鸠氏,就是司马。鸤鸠氏,就是司空。爽鸠氏,就是司寇。鹘鸠氏,就是司事。这五鸠,是聚集百姓的官。五雉,是管理五种工艺的官,是改善生活用具、统一度量、让百姓得到平均的官员。九扈,是管理九项农事的官,是制止百姓不让他们放纵的官员。自从颛顼以来,不能记述远古的事,就从近代事开始记述。做百姓的官长而用百姓的事来命名,那就不能照过去的情况办事了。"

孔子听说后,就去拜见郯子,向他学习。不久后他告诉别人说:"我听说'天子的百官失去职守,学问保存在四方小国',这话确实不错。"

晏子论祝史荐信(昭公二十年)

[题解]

晏子指出,祝、史荐信与君王德行有关,只有修明德行,鬼神才能降福,去除病患。

齐侯疥①,遂痁②,期而不瘳③。诸侯之宾问疾者多在。梁丘据与裔款言于公曰④:"吾事鬼神丰,于先君有加矣。今君疾病,为诸侯忧,是祝、史之罪也。诸侯不知,其谓我不敬,君盍诛于祝固、史嚚以辞宾⑤?"公说,告晏子。晏子曰:"日⑥宋之盟,屈建问范会之德于赵武⑦。赵武曰:'夫子之家事治;言于晋国,竭情无私。其祝、史祭祀,陈信不愧;其家事无猜,其祝、史不祈。⑧'建以语康王。康王曰:'神、人无怨,宜夫子之光辅五君⑨以为诸侯主也。'"

公曰:"据与款谓寡人能事鬼神,故欲诛于祝、史,子称是语,何故?"⑩对曰:"若有德之君,外内不废⑪,上下无怨⑫,动无违事⑬,其祝、史荐信⑭,无愧心矣。是以鬼神用⑮飨,国受其福,祝、史与⑯焉。其所以蕃祉老寿者⑰,为信君使也,其言忠信于鬼神。其适遇淫君⑱,外内颇邪⑲,上下怨疾,动作辟⑳违,从㉑欲厌私,高台深池,撞钟舞女。斩刈㉒民力,输掠㉓其聚,以成其违，不恤后人。暴虐淫从㉔，肆行非度，无所还忌㉕，不思谤讟㉖，不惮鬼神。神怒民痛，无悛㉗于心。其祝、史荐信，是言罪㉘也；其盖失数美㉙，是矫诬也㉚。进退无辞，则虚以求媚。是以鬼神不飨其国以祸之，祝、史与焉。所以夭昏孤疾者，为暴君使也，其言僭嫚㉛于鬼神。"

公曰："然则若之何？"对曰："不可为也。山林之木，衡鹿㉜守之；泽之萑㉝蒲，舟鲛㉞守之；薮之薪蒸㉟，虞候㊱守之；海之盐、蜃，祈望㊲守之。县鄙之人，入从㊳其政；偪介之关㊴，暴征㊵其私；承嗣大夫㊶，强易其贿㊷。布常无艺㊸，征敛无度；宫室日更，淫乐不违㊹。内宠之妾，肆夺于市；外宠之臣，僭令㊺于鄙。私欲养求㊻，不给则应㊼。民人苦病，夫妇皆诅。祝有益也，诅亦有损。聊、摄以东㊽，姑、尤以西㊾，其为人也多矣。虽其善祝，岂能胜亿兆人之诅？君若欲诛于祝、史，修德而后可。"公说，使有司宽政，毁关，去禁，薄敛，已责㊿。

[注释]

①疥：疥疮。②遂：且，又。痁（shān）：疟疾。③期（jī）：周年。瘳（chōu）：痊愈。④梁丘据、裔款：齐大夫，景公宠臣。⑤辞宾：辞谢来问疾之宾，作个交代。⑥日：往日，从前。宋盟在襄公二十七年（前546年）。⑦屈建：楚令尹。范会：士会。赵武：即赵文子，晋卿。⑧"其家事无猜"二句：家无猜疑之事，所以祝、史无求于鬼神。⑨五君：晋文公、襄公、灵公、成公、景公。⑩"据与款谓寡人能事鬼神"四句：齐景公怀疑晏子答非所问，所以追问他。⑪外内不废：外指国事，内指宫中之事。⑫上下无怨：上下指人，神。⑬违事：违礼之事。⑭荐信：陈述实情。荐，进，进言。⑮用：因。⑯与：与受国福。⑰蕃：繁衍。祉：多福。⑱其：若，如果。⑲颇邪：偏颇邪恶。⑳辟：邪僻。㉑从：同"纵"。㉒斩刈：斩杀，消耗，不蓄养。㉓输掠：掠夺。输，通"输"，取。㉔淫从：放纵。㉕还忌：顾忌。还，顾。㉖思：容。谤讟（dú）：诽谤，非议。㉗悛：悔改。㉘言罪：言君之罪。㉙盖：掩盖。数：列举。㉚矫诬：欺诬，欺骗。㉛僭嫚：欺诈轻侮。㉜衡鹿：

管理山林的官员。㉝萑(huán)：苇。㉞舟鲛：管理水泽的官员。㉟薮：丛林。薪蒸：薪柴。粗者曰薪，细者曰蒸。㊱虞候：官名。㊲祈望：官名。知潮汐。㊳从：管理。㊴偪介之关：指靠近国都的关卡。介，原作"尒"，即"迩"字。㊵暴征：过度征收。㊶承嗣大夫：世袭大夫。㊷强易其贿：强买强卖。贿，财货。㊸布常无艺：公布政令毫无规矩可言。常，政令。艺，准则。㊹违：离。㊺僭令：假传政令。㊻养：供给口食的奉养之物。求：玩好之物。㊼应：应之以罪。㊽聊、摄：齐西部边界。㊾姑、尤：齐东部边界。㊿责：通"债"。

[译文]

齐景公得了疥疮，又患上了疟疾，过了一年还没有痊愈，诸侯派来问候病情的宾客有很多。梁丘据与裔款对齐景公说："我们祭祀鬼神很丰厚，比先君时有所增加。现在君王病得很重，成为诸侯担忧的事情，这是祝、史的罪过。诸侯不知道这个情况，他们认为我们对鬼神不够恭敬。君王您何不杀了祝固、史嚚来辞谢众宾？"齐景公很高兴，告诉了晏子。晏子说："从前在宋国的盟会，屈建向赵武询问士会的德行。赵武说：'他老先生家族的事情治理得很好，在晋国说话，直言不讳而没有私心。他的祝、史在祭祀时，陈述实情而没有愧心，他的家事中没有可猜疑的，他的祝史也不用向鬼神祈求。'屈建把这话告诉楚康王。康王说：'神和人都没有怨恨，他老先生辅佐五位国君成为诸侯盟主是应该的。'"

齐景公说："梁丘据与裔款说寡人能够侍奉鬼神，所以想杀死祝、史。您举出这些话，是为什么？"晏子回答说："如果是有德行的君王，国家的事和官内的事都没有荒废，上下之间没有怨恨，行为没有违背礼的要求，他的祝、史陈述实情，就没有惭愧之心。因此鬼神享用祭品，国家受到鬼神所降的福禄，祝、史也跟着受福。他们所以繁衍有福、健康长寿，是因为他们是诚实君主的使者，他们的话对鬼神忠实有信。他们如果恰好碰上放纵的国君，国家的事和官内的事偏颇邪恶，上下之间怨恨痛恶，行为乖僻背礼，放纵欲望,满足私心,建筑高台,挖掘深池,撞击钟鼓,欢歌艳舞,消耗民力,掠夺他们的财产,因此铸成错误行为,从不体恤后代。残暴放纵,胡作非为没有限度,无所顾忌,不考虑怨谤,不敬畏鬼神。神灵愤怒,人民痛恨,而心中不思改悔。他的祝、史陈述实情,这就是在报告君主的罪过。他们掩盖过失、列举好事,这就是虚伪欺诈。真假都不能陈述,就只好用虚假的话讨好鬼神。因此鬼神不享用他们国家的祭品而降下灾祸,祝、史也跟着倒霉。他们之所以短命患病,是因为他们是暴君的使者,他们的话对鬼神欺诈轻慢。"

齐景公说:"那么,该怎么做呢?"晏子回答说:"没有办法了。山林的树木,衡鹿看守着;泽地里的芦苇蒲草,舟鲛守卫着;草野中的柴草,虞候守卫着;大海里的盐与蜃,祈望守卫着。偏僻地方的人,进来管理政务;靠近国都的关卡,过度征税;世袭的大夫,强买强卖。发布的政令没有规矩,横征暴敛没有节制;宫室不断更新,荒淫纵乐不肯离去。宫内的宠妾,在市场上肆意掠夺;外面的宠臣,在边境上假传政令。奉养自己、追求玩好,不能满足就作为罪过。民众痛苦困乏,夫妇都在诅咒。祝祷有好处,诅咒也有损害。聊、摄以东,姑、尤以西,人口多得很。虽然他们善于祝祷,又怎能比得过亿兆人的诅咒?君王如果想要杀死祝、史,只有修明德行然后才可以。"齐景公很高兴,命令有关部门放宽政令,拆毁关卡,解除禁令,减轻赋税,减免拖欠的租税。

晏子论同与和（昭公二十年）

[题解]

晏子向齐景公陈述"同"与"和"的区别，指出其"古而无死，其乐若何"观点的荒谬。

齐侯至自田，晏子侍于遄台①，子犹②驰而造焉。公曰："唯据与我和夫！"晏子对曰："据亦③同也，焉得为和④？"公曰："和与同异乎？"对曰："异。和如羹焉，水、火、醯、醢、盐、梅⑤，以烹鱼肉，燀⑥之以薪，宰夫和之，齐⑦之以味，济⑧其不及，以泄其过⑨。君子食之，以平其心。君臣亦然。君所谓可而有否焉⑩，臣献其否以成其可；君所谓否而有可焉⑪，臣献其可以去其否，是以政平而不干⑫，民无争心。故《诗》曰：'亦有和羹，既戒既平。鬷嘏无言，时靡有争。'⑬先王之济五味、和五声也⑭，以平其心，成其政也。声亦如味，一气，二体，三类，四物，五声，六律，七音，八风，九歌⑮，以相成也；清浊、小大、短长、疾徐、哀乐、刚柔、迟速、高下、出入、周⑯疏，以相济也。君子听之，以平其心。心平，德和。故《诗》曰：'德音不瑕。'⑰今据不然。君所谓可，据亦曰可；君所谓否，据亦曰否。若以水济水，谁能食之？若琴瑟之专壹⑱，谁能听之？同之不可也如是。"

饮酒乐。公曰："古而⑲无死，其乐若何！"晏子对曰："古而无死，则古之乐也，君何得焉？昔爽鸠氏⑳始居此地，季萴㉑因之，有逢伯陵㉒因之，蒲姑氏㉓因之，而后大公㉔因之。古若无死，爽鸠氏之乐，非君所愿也。"

[注释]

①遄台：在今山东临淄附近。②子犹：梁丘据，景公宠臣。③亦：只，不过。④和：和协。⑤醯（xī）：醋。醢（hǎi）：酱。⑥燀（chǎn）：炊，烧煮。⑦齐（jì）：调和。⑧济：增益。⑨以：而。泄：减。⑩君所谓可而有否焉：可中有不可。⑪君所谓否而有可焉：不可中有可。⑫干：犯。⑬"亦有和羹"四句：引诗见《诗·商颂·烈祖》。和羹：调和之羹。戒：告诫（宰夫）。鬷（zōng）嘏：即奏格。奏，献羹。格，神至。无言：无所指责。⑭五味：辛、酸、咸、苦、甘。五声：宫、商、角、徵、羽。比喻政事。⑮二体：舞分文、武。三类：《风》、《雅》、《颂》。四物：四方之物。六律：黄钟、大蔟、姑洗、蕤宾、夷则、无射。七音：五声加上变宫、变徵，即今之音阶。八风：八方之风。九歌：九功之德皆可歌。六府三事为九功。⑯周：密。⑰德音不瑕：引诗见《诗·豳风·狼跋》。⑱专壹：只用一个音。⑲而：如果。⑳爽鸠氏：少皞氏之司寇。㉑季萴（cè）：虞、夏时期的诸侯，代爽鸠氏者。㉒有逢伯陵：即逢伯陵，殷时诸侯，姜姓。有，名词词头，无义。㉓蒲姑氏：殷、周之间代逢伯陵为诸侯者。蒲姑，也作"薄姑"。㉔大公：姜太公。

[译文]

齐景公从打猎的地方回来，晏子在遄台那里侍立。梁丘据驱车前来。齐景公说："只有梁丘据与我和协啊！"晏子回答说："梁丘据只是相同罢了，哪里算得上和协？"齐景公说："和协与相同有区别吗？"晏子回答："有区别。和协如同做羹，用水、火、醋、酱、盐、梅来烹调鱼肉，用柴草来烧。宰夫加以调和，使味道适中，味道太淡就加作料，味道太浓就加水冲淡。君子吃这种羹，使内心平静。君臣之间也是如此。国君所认为行而其中有不行的，臣下就指出它不行的部分使行的部分更加完善；国君所认为不行而其中有行的，臣下就指出它行的部分而去掉不行的部分，因此政事平和而不违反礼仪，百姓没有争竞之心。所以《诗》说：'还有调和的美羹，告诫厨师把味儿调匀。神灵来享无指责，时势太平无抢争。'先王调匀五味，和谐五声，用来平静自己的心情，成就他的政事。声音也像味道一样，是由一气、二体、三类、四物、五声、六律、七音、八风、九歌相互组成的，是由清浊、大小、长短、疾徐、哀乐、刚柔、快慢、高低、出入、疏密互相调剂的。君子听它们，用来平静自己的心情。心情平静了，道德便能和谐。所以《诗》上说：'德音没有疏缺。'现在梁丘据不是这样。君王认为行的，梁丘据也说行。君王认为不行的，梁丘据也说不行。就像拿水来调和水，谁愿意吃它？就像琴瑟只发出一种音调，谁愿意听它？不应该相同的道理和这是一样的。"

饮酒很快乐。齐景公说："从古至今，人如果不会死，他们的欢乐会怎么样啊！"晏子回答说："从古至今如果没有死，那是古人的快乐，君王能得到什么呢？从前爽鸠氏开始居住在这里，季荝因袭他，有逢伯陵因袭季荝，蒲姑氏因袭有逢伯陵，然后太公因袭蒲姑氏。古人如果没有死，爽鸠氏的快乐，不是君王所愿望的。"

子产论为政(昭公二十年)

[题解]

子产将如何实行宽和与严厉的政策告诫子大叔。孔子称赞子产为"古之遗爱"。

郑子产①有疾,谓子大叔②曰:"我死,子必为政。唯有德者能以宽服民,其次莫如猛。③夫火烈,民望而畏之,故鲜死焉;水懦弱,民狎而玩之④,则多死焉,故宽难。"疾数月而卒。

大叔为政,不忍猛而宽。郑国多盗,取人于萑苻之泽⑤。大叔悔之,曰:"吾早从夫子,不及此。"兴徒兵以攻萑苻之盗,尽杀之,盗少止。

仲尼曰:"善哉!政宽则民慢,慢则纠之以猛。猛则民残,残则施之以宽。宽以济猛,猛以济宽,政是以和。《诗》曰:'民亦劳止,汔可小康;惠此中国,以绥四方'⑥,施之以宽也。'毋从诡随,以谨无良;式遏寇虐,惨不畏明'⑦,纠之以猛也。'柔远能⑧迩,以定我王',平之以和也。又曰:'不竞不絿,不刚不柔,布政优优,百禄是遒'⑨,和之至也。"

及子产卒,仲尼闻之,出涕曰:"古之遗爱⑩也。"

[注释]

①子产：公孙侨，郑国执政。②子大叔：游吉。③宽、猛：分别指政策的宽和与严厉。④狎：轻。翫：同"玩"，轻忽。⑤取人：疑为"聚"字之误。萑（huán）苻（fú）：泽名。⑥"民亦劳止"四句：引诗见《诗·大雅·民劳》。止：句末语气助词。汔：几，庶几。中国：指中原各国。绥：安。⑦"毋从诡随"四句：毋从：今本《诗经》作"无纵"。诡随：不顾是非而妄随人者。谨：约束。无良：不善。式：助动词，应。遏：止。寇虐：暴虐。憯：曾。明：明法。⑧能：柔，安。⑨"不竞不絿"四句：引诗见《诗·商颂·长发》。竞：强。絿：缓。优优：宽裕的样子。遒：聚。⑩爱：仁。指子产的仁爱，有古人遗风。

[译文]

郑子产患病，对子太叔说："我死后，你一定会担任执政。只有有德行的人才能够用宽和的政策使百姓服从，其次就不如用严厉的政策。火性猛烈，百姓看到就害怕它，所以很少有死于火的。水性软弱，百姓就轻慢地玩弄它，因此死于水的很多。因此施行宽和的政策很难。"病了几个月后去世了。

子太叔担任执政，不忍心用严厉的政策而施行宽和的政策。郑国盗贼很多，聚集在萑苻大泽中。子太叔后悔了，说："我如果早些听从他老人家的话，不会走到这个地步。"发动步兵攻打萑苻的盗贼，把他们全部杀光。国内盗贼收敛了许多。

孔子说："真好啊！政策宽和了百姓就怠慢，怠慢了就采用严厉的政策加以纠正。政策严厉了百姓就会遭到残害，百姓遭到残害就应该施行宽和的政策。宽和用来调剂严厉，严厉用来调剂宽和，政事因此得到调和。《诗》说：'百姓多么劳苦，大概可以小康。赐惠中原各国，以此安定四方。'这是说施行宽和的政策。'莫听狡诈之言，约束不善之辈。制止侵夺与暴虐，他们从不畏明法。'这是说用严厉来纠正宽和。'怀柔远近各地，用来安定君王。'这是说用政策调和使政事得以和谐。又说：'不相争也不急躁，不强硬也不柔弱。施行政令很宽和，各种福禄聚身上。'这是和协的顶点。"

等子产去世，孔子听说后，流泪说："他具有古人仁爱的遗风啊！"

赵简子问礼(昭公二十五年)

[题解]

子产指出,礼取法于天地之性,成为人伦日用的准则,因此是"天之经、地之义、民之行"。

子大叔见赵简子①,简子问揖让、周旋之礼焉。对曰:"是仪也,非礼也。"简子曰:"敢问何谓礼?"对曰:"吉也闻诸先大夫子产曰:夫礼,天之经②也,地之义也,民之行也。天地之经,而民实则③之。则天之明,因地之性,生其六气④,用其五行⑤。气为五味⑥,发为五色⑦,章为五声⑧。淫⑨则昏乱,民失其性。是故为礼⑩以奉之:为六畜、五牲、三牺⑪,以奉五味;为九文、六采、五章⑫,以奉五色;为九歌、八风、七音、六律⑬,以奉五声。为君臣上下,以则地义;⑭为夫妇外内,以经二物;⑮为父子、兄弟、姑姊、甥舅、婚媾、姻亚⑯,以象天明,为政事、庸力、行务⑰,以从四时;为刑罚威狱,使民畏忌,以类其震曜杀戮⑱;为温慈惠和,以效天之生殖长育。民有好恶、喜怒、哀乐,生于六气,⑲是故审则宜类,以制六志。⑳哀有哭泣,乐有歌舞,喜有施舍,怒有战斗;喜生于好,怒生于恶。是故审行信令㉑,祸福赏罚,以制死生。生,好物也;死,恶物也。㉒好物，乐也；恶物，哀也。哀乐不失[23]，乃能协于天地之性，是以长久。"简子曰："甚哉，礼之大也！"对曰："礼，上下之纪、天地之经纬[24]也，民之所以生也，是以先王尚之。故人之能自曲直以赴礼者[25]，谓之成人。大，不亦宜乎！"简子曰："鞅也，请终身守此言也。"

[注释]

①子大叔：游吉，郑大夫。赵简子：即赵鞅，又名志父、赵孟，晋卿。②经：常，常道。③则：仿效。④生：养。六气：阴、阳、风、雨、晦、明。⑤五行：金、木、水、火、土。⑥气为五味：五行之气，入口变为五味。五味，酸、咸、辛、苦、甘。⑦五色：青、黄、赤、白、黑。⑧五声：宫、商、角、徵、羽。⑨淫：过度。⑩为礼：制礼。⑪六畜：马、牛、羊、鸡、犬、豕。五牲：牛、羊、豕、犬、鸡。三牺：牛、羊、豕。祭天、地、宗庙不用犬、鸡。⑫九文：九种文彩，即龙、山、华（花）虫、火（半圆形像火）、宗彝（虎与蜼），这五者画于衣上；藻（水草）、粉米（白米）、黼（斧形，刀白身黑）、黻（两弓相背之形），四者绣于裳上。六采：六种色彩，青与白、赤与黑、玄与黄相间。五章：青与赤谓之文，赤与白谓之章，白与黑谓之黼，黑与青谓之黻，五色具备谓之绣。⑬九歌：九功之德可歌者。六府、三事为九功。六府指水、火、金、木、土、谷，三事指正德、利用、厚生。八风：八方之风。七音：五声加上变商、变徵。六律：黄钟、大蔟、蕤宾、夷则、无射。⑭"为君臣上下"二句：君臣有上下尊卑，如同地有高下不等。⑮"为夫妇外内"二句：夫主外，妇主内，取法阴阳。外内即夫妇。经：法。二物指阴阳。⑯昏媾：婚姻关系。姻：婿家，女之所因，故曰姻。亚：又作"娅"，两婿相谓叫亚，今叫连襟。⑰政事：在君为政，在臣为事。庸力：民功曰庸，治功曰力。行务：行其德教，务其时要。行为日常工作，务为一时措施。⑱类：效法。震：雷震。曜：电曜。雷、电均可致人于死地。⑲"民有好恶、喜怒、哀乐"二句：六者皆禀阴阳、风雨、晦明之气。⑳"是故审则宜类"二句：为礼以制好恶、喜怒、哀乐六志，使不过节。㉑审：慎。信令：使政令申信于国人。㉒好物：爱好的事。恶物：厌恶的事。㉓不失：不失于礼。㉔天地之经纬：如同说"天经地义"。㉕故人之能自曲直以赴礼者：意思是，有人委屈其

情以赴礼，有人本其情性以赴礼。

[译文]

　　子太叔晋见赵简子，赵简子向他询问揖让、周旋之礼。子太叔回答说："这是仪，不是礼。"赵简子说："敢问什么叫做礼？"子太叔回答说："我游吉曾经听到先大夫子产说：'礼，是上天的规范，大地的准则，百姓行动的依据。'天地的规范，百姓就加以效法。效法上天的明亮，依据大地的本性，生出了六气，使用五行。气是五种味道，表现为五种颜色，显示为五种声音。过了头就昏乱，百姓就失掉本性。因此制定了礼用来使它有所遵循，制定了六畜、五牲、三牺，以使五味有所遵循；制定了九文、六采、五章，以使五色有所遵循；制定了九歌、八风、七音、六律，以使五声有所遵循。制定了君臣上下的关系，以效法大地的准则；制定了夫妇内外的关系，以取法阴阳；制定了父子、兄弟、姑姊、甥舅、翁婿、连襟的关系，以象征上天的光明；制定了政策政令、事务管理、行动措施，以随顺四时；制定了刑罚、牢狱让百姓害怕，以模仿雷电的杀戮；制定了温和慈祥的措施，以效法上天的生长万物。百姓有好恶、喜怒、哀乐，它们从六气中生成，所以要审慎地效法、适当地模仿，以制约六志。哀痛有哭泣，欢乐有歌舞，高兴有施舍，愤怒有战斗；高兴从爱好派生，愤怒从讨厌派生。所以要使行动审慎，使命令有信用，用祸福赏罚，制约死生。生，是人们喜好的事物；死，是人们讨厌的事物。喜好的事物，是欢乐；讨厌的事物，是哀伤。哀伤欢乐不失于礼，就能协调天地的本性，因此能够长久。"赵简子说："礼的宏大到了极点啦！"子太叔回答说："礼，是上下的纲纪、天地的准则，百姓所据以生存的，因此先王尊崇它。所以人们能够从各种途径达到礼的，就叫做成人。它的宏大，不也是适宜的吗？"赵简子说："我赵鞅啊，请求终身遵守这些话。"

王子朝奔楚(昭公二十六年)

[题解]

周王室内乱,王子朝奔楚。他通告诸侯,历陈周史,为自己的行为辩护。

冬,十月丙申,王起师于滑①。辛丑,在郊②,遂次于尸③。十一月辛酉,晋师④克巩。召伯盈逐王子朝⑤,王子朝及召氏之族、毛伯得、尹氏固、南宫嚚奉周之典籍以奔楚⑥。阴忌奔莒以叛⑦。召伯逆王于尸,及刘子、单子盟⑧。遂军围泽⑨,次于堤上⑩。癸酉,王入于成周。甲戌,盟于襄宫⑪。晋师使成公般⑫戍成周而还。十二月癸未,王入于庄宫⑬。

王子朝使告于诸侯曰:"昔武王克殷,成王靖四方⑭,康王息民,并建母弟,以蕃屏周,亦曰:'吾无专享文、武之功⑮,且为后人之迷败倾覆而溺入于难,则振救之。'至于夷王⑯,王愆⑰于厥身,诸侯莫不并走其望,以祈王身。⑱至于厉王,王心戾虐,万民弗忍⑲,居王于彘⑳。诸侯释位,以间王政。㉑宣王㉒有志,而后效官㉓。至于幽王㉔,天不吊周,王昏不若,用愆厥位。㉕携王奸命㉖,诸侯替㉗之,而建王嗣,用迁郏鄏㉘——则是兄弟之能用力于王室也。至于惠王㉙,天不靖周,生颓祸心,㉚施于叔带㉛。惠、襄辟难,越㉜去王都。则有晋、郑咸黜不端㉝,以绥定王家。则是兄弟之能率先王之命也。在定王六年[34]，秦人降妖[35]，曰：'周其有髭王[36]，亦克能修其职，诸侯服享[37]，二世共职[38]。王室其有间王位[39]，诸侯不图[40]，而受其乱灾[41]。'至于灵王，生而有髭。王甚神圣，无恶于诸侯。灵王、景王克终其世。

"今王室乱，单旗、刘狄剥乱天下[42]，壹行不若[43]，谓'先王何常之有，唯余心所命，其谁敢讨之'[44]，帅群不吊[45]之人，以行乱于王室。侵欲无厌，规求[46]无度，贯渎鬼神[47]，慢[48]弃刑法，倍奸[49]齐盟，傲很[50]威仪，矫诬先王[51]。晋为不道，是摄是赞[52]，思肆其罔极[53]。兹不穀震荡播越[54]，窜在荆蛮，未有攸厎[55]。若我一二兄弟甥舅奖顺天法[56]，无助狡猾[57]，以从先王之命，毋速天罚[58]，赦[59]图不穀，则所愿也。敢尽布其腹心及先王之经[60]，而诸侯实深图之[61]。

"昔先王之命曰：'王后无适，则择立长。年钧以德，德钧以卜。'[62]王不立爱，公卿无私，古之制也。穆后及太子寿早夭即世[63]，单、刘赞私立少，以间[64]先王。亦唯伯仲叔季图之[65]！"

闵马父闻子朝之辞，曰："文辞以行礼也。子朝干景之命[66]，远[67]晋之大，以专其志，无礼甚矣，文辞何为？"

[注释]

①王：周敬王，名匄，周悼王同母弟。起师：起兵，兴兵。②郊：王子朝之邑，在今河南巩义西南。③尸：即尸氏，在今河南偃师市西。④晋师：由知跞、赵鞅率领。⑤召伯盈：即召简公，庄公之子。本来拥护王子朝，此时叛之。王子朝：周景王庶长子。景王崩，嫡子王子猛继位为悼王，王子朝率旧官等作乱，为尹氏等拥立于王城。⑥毛伯得、尹氏固、南宫嚚（yín）：皆王子朝之党。⑦阴忌：王子朝之党。莒：周邑。⑧刘子、单子：周敬王大臣。⑨圄泽：周地，在今河南洛阳市东。⑩堤上：周地。⑪襄宫：周襄王之庙。⑫成公般：晋大夫。⑬庄宫：庄王之宫，在王城内。⑭成王靖四方：指成王平定武庚、管、蔡之乱。⑮吾无专享文、武之功：无专享，所以并建母弟。⑯夷王：

厉王父。⑰怼：恶疾。⑱"诸侯莫不并走其望"二句：诸侯遍祭名山大川，为王祈福。望：所望祀之山川。⑲弗忍：不堪忍受。⑳彘：在今山西霍州。㉑释位：离开职位。间：参与。指共伯和执政。㉒宣王：厉王之子。㉓效官：使登天子之位。㉔幽王：宣王之子。㉕"天不吊周"三句：指上天不保佑周朝，使王昏乱不顺，失去王位。吊：恤。若：顺。怼：失。㉖携王：王子余臣，为虢公翰立为王，与平王并立，后为晋文侯所杀。以其本非嫡子，故称携王。㉗替：废。㉘郏鄏：今河南洛阳市。㉙惠王：平王六世孙。㉚"天不靖周"二句：颓于庄公十九年（前675年）作乱，惠王被迫到郑国。颓：惠王庶叔。㉛施（yì）：延。叔带：惠王子，襄王弟。僖公二十四年，叔带作乱，襄王奔氾地。㉜越：播越，流亡。㉝则有晋、郑咸黜不端：晋文公杀叔带，郑厉公杀子颓。咸，皆。黜，去，除。㉞定王：襄王孙。六年：公元前601年。㉟降妖：精怪附体。㊱髭（zī）王：有须之王。髭为口上之须。㊲服享：服从而进贡。㊳二世：灵王（定王孙）、景王（灵王子）。共：同"恭"。㊴有间王位：指悼王猛、敬王。㊵诸侯不图：指晋、鲁、宋、卫诸国。㊶而受其乱灾：以上几句为王子朝假借秦人之口，为自己开脱。㊷单旗：单穆公。刘狄：刘蚠。剽：扰乱，与"乱"同义。㊸壹：专。若：善。㊹"先王何常之有"三句：王子朝述单、刘之意，谓天子之立，古无成法，惟我所命，无人敢讨。㊺不吊：不淑，不善，不祥。㊻规求：谋求。㊼贯：习惯。渎：亵渎，侮慢。㊽慢：轻慢。㊾倍奸：背而触犯之。倍，同"背"。㊿傲很：轻视。很，不听从。㊶矫诬：诬蔑。先王：指景王。㊷摄、赞：佐助。㊸肆：放。罔极：无限度，没有准则。罔，无。极，法。㊹兹：此，今。震荡：动摇。播越：流亡。㊺攸：所。厎（zhǐ）：止。㊻兄弟：指同姓诸侯。甥舅：指异姓诸侯。奖：助。㊼狡猾：指作乱之人。㊽速：使加速。天罚：与上文"诸侯不图，而受其乱灾"相应。㊾赦：置，放弃。㊿先王之经：即先王之命。㉛而：汝，你们。㉜"昔先王之命曰"五句：襄公三十一年《传》载穆叔之言云："大子死，有母弟则立之，无则立长。年钧择贤，义钧则卜，古之道也。"王子朝只言立长，不言母弟，以周敬王为王猛母弟，自己则年长。钧：同"均"。㉝即世：去世。㉞间：干，犯。㉟亦：语助词，无义。伯仲叔季：泛指各国诸侯。㊱干景之命：冒犯了景王的命令。景王虽然爱王子朝，但已立王子猛为太子。㊲远：疏远。

[译文]

冬十月十六日,周敬王在滑地起兵。二十一日,到达郊邑,接着进驻尸邑。十一月十一日,晋军攻占巩邑。召伯盈驱逐王子朝,王子朝与召氏的族人、毛伯得、尹氏固、南宫嚚护奉周朝的典籍逃往楚国。阴忌逃到莒邑叛变。召伯到尸邑迎接周敬王,与刘子、单子盟誓。于是驻军在围泽,推进到堤上。二十三日,敬王进入成周。二十四日,在襄王庙里盟誓。晋军派成公般戍守周地,就回去了。十二月初四日,敬王进入庄宫。

王子朝派人通告诸侯,说:"从前武王战胜商朝,成王安定四方,康王与民休息,都分封母弟,来拱卫周朝。还说:'我不能单独安享文王、武王的功业,同时为了后人荒淫败坏而使国家陷入危难时,就可以来救护他。'到了夷王,王恶疾缠身。诸侯没有不奔走祭祀境内名山大川的,为王身体健康祈祷。到了厉王,他的内心乖戾暴虐,百姓不堪忍受,让他住到彘地。诸侯各自离开他们的君位,来参与周王室的政事。宣王志向通达,诸侯就把天子的权位奉还给他。到了幽王,上天不保佑周朝,幽王昏乱不顺,因此而失去他的王位。携王违背天命,诸侯废弃他,而立了王位继承人,因此迁都郏鄏——这就是由于兄弟之国能够为王室效力啊。到了惠王,上天不保佑周朝,生下王子颓包藏祸心,延及于叔带。惠王、襄王出逃避难,离开了国都。这时候就有晋国、郑国来除掉这些作乱的人,来安定周王室。这就是由于兄弟之国能够奉行先王的命令。在定王六年,秦国有人降下妖孽,说:'周朝会有个生来就有胡子的天子,也能够修明自己的职分,诸侯顺服而享有国家,前后两代能恭守职位。王室中有人窥伺王位,诸侯不为王室图谋,而受到动乱与灾祸。'到了灵王,生下来就有胡子。灵王十分神敏圣明,没有对诸侯做什么不好的事情。灵王、景王,都能善始善终。

"现在王室混乱,单旗、刘狄扰乱天下,专行不善,认为:'先王哪有什么常规？只要我心里想立谁就立谁，谁敢声讨我？'率领一群不善之徒，在王室中制造混乱。他们侵吞的欲望没有满足的时候，贪婪的索求没有限度，一贯亵渎鬼神，轻视抛弃刑法，违背触犯盟约，轻视礼仪，诬蔑先王。晋国行无道之事，却支持帮助它，放纵它没有准则的行为。现在不穀动荡流亡，逃窜在荆蛮之地，没有安身之处。如果我的一二位兄弟甥舅能顺从上天的法则，不去帮助不法之徒，以服从先王的命令，不要加速招来上天的惩罚，除去我的忧患而为我图谋，这是我所希望的。谨此完全披露我的心意和先王的命令，你们这些诸侯认真地考虑一下！

"从前先王的命令说：'王后没有嫡子，就立庶子中年长的。年龄相同的便衡量他的德行，德行相同就通过占卜来选定。'天子不立自己偏爱的人，公卿没有私心，这是古代的制度。穆后与太子寿早年去世，单子、刘子偏私立年少的为君，以违反先王的制度，请诸侯们好好考虑一下！"

闵马父听说了王子朝的这番话，说："文辞是用来实行礼的。子朝违背了景王的命令，疏远晋国这个大国，一心想做天子，非常无礼，要文辞有什么用？"

晏子论禳彗星（昭公二十六年）

[题解]

晏子认为君王德行的好坏是能否消除灾祸的决定性因素，而不在于是否禳祭彗星。

齐有彗星，齐侯使禳①之。晏子曰："无益也，祇取诬焉②。天道不谄③，不贰④其命，若之何禳之？且天之有彗也，以除秽⑤也。君无秽德，又何禳焉？若德之秽，禳之何损？《诗》曰：'惟此文王，小心翼翼。昭事上帝，聿怀多福。厥德不回，以受方国。'⑥君无违德，方国将至，何患于彗？诗曰：'我无所监，夏后及商。用乱之故，民卒流亡。'⑦若德回乱，民将流亡，祝、史之为，无能补也。"公说，乃止。

[注释]

①禳：一种祭祀，行之以求消灾。②祇：适。诬：欺，罔。③谄：疑。又作"谙"。④贰：改变。⑤除秽：清除秽物。彗星俗名扫帚星。⑥"惟此文王"六句：引诗见《诗·大雅·大明》。翼翼：恭敬的样子。聿：句首语助词。怀：思。"怀多福"即《大雅·假乐》"干禄百福"之意，以德受福。回：违。以受方国：四方之国前来归附。⑦"我无所监"四句：引诗为逸《诗》文句。监：通"鉴"，以夏、商之乱作为镜鉴。

[译文]

齐国有彗星出现，齐景公派人举行禳祭，以图消除灾祸。晏子说："这样做没有什么益处，只能招徕欺罔。天道不能怀疑，不能改变它的命令，怎么能去祭祷？而且天上出现彗星，是为了扫除污秽。君王没有污秽的德行，又祭祷什么呢？如果德行污秽，祭祷了又怎会减少？《诗》说：'就是这位文王，做事小心恭敬。明白侍奉上帝，能够得到赐福。德行不违天命，各国都来归附。'君王没有违背上天的德行，各国将会前来归附，为什么要担心出现彗星？《诗》说：'我没有什么要借鉴，除非是夏后和殷商。因为政事混乱的缘故，百姓最终都要流亡。'如果德行违背上天而混乱，百姓将会流亡，祝、史的祷告，是不能补救的。"齐景公认为他说得好，就停止了禳祭。

晏子论礼可以为国（昭公二十六年）

[题解]

晏子认为，用礼治国，上下有序，家齐国治，为用最大。

齐侯与晏子坐于路寝①。公叹曰："美哉室！其谁有此乎②！"晏子曰："敢问何谓也？"公曰："吾以为在德。"对曰："如君之言，其陈氏③乎！陈氏虽无大德，而有施于民。④豆、区、釜、钟之数，其取之公也薄，其施之民也厚。公厚敛焉，陈氏厚施焉，民归之矣。《诗》曰：'虽无德与女，式歌且舞。'⑤陈氏之施，民歌舞之矣。后世若少惰，陈氏而⑥不亡，则国其国也已。"公曰："善哉！是可若何？"对曰："唯礼可以已⑦之。在礼，家施不及国，民不迁，农不移，工贾不变⑧，士不滥⑨，官不滔⑩，大夫不收公利⑪。"公曰："善哉！我不能矣。吾今而后知礼之可以为国也。"对曰："礼之可以为国也久矣，与天地并。君令臣共⑫，父慈子孝，兄爱弟敬，夫和妻柔，姑慈妇听⑬，礼也。君令而不违，臣共而不贰；父慈而教，子孝而箴⑭；兄爱而友，弟敬而顺；夫和而义，妻柔而正；姑慈而从，妇听而婉：礼之善物也。"公曰："善哉，寡人今而后闻此礼之上也！"对曰："先王所禀⑮于天地以为其民也，是以先王上之。"

[注释]

①路寝：天子、诸侯之正寝，也是处理政事的场所。②其谁有此乎：意思是自己死后谁当有此。其，将。③陈氏：田完的子孙。④"陈氏虽无大德"二句：陈氏有施于民的举措，参见《晏婴叔向论齐晋季世》一文。⑤"虽无德与女"二句：引诗见《诗·小雅·车辖》。式：用。⑥而：如果。表假设。⑦已：止，终结。⑧不变：守其常业。⑨不滥：不失其职。⑩慆：怠慢。⑪不收公利：不从公家谋取利益。⑫共：同"恭"，恭敬。⑬姑：丈夫的母亲，婆婆。妇：儿媳。⑭箴：谏。⑮禀：受。

[译文]

齐景公与晏子坐在路寝里。景公感叹说："多美丽的屋子啊，谁将会拥有它呢？"晏子说："请问君王是怎么认为的？"景公说："我认为将落在有德行的人手中。"晏子说："按照君王的说法，恐怕是陈氏了！陈氏虽然没有大的德行，但对百姓有所施予。豆、区、釜、钟的容量，他从公田中征收时用小的，向百姓施舍时用大的。公室征收多，陈氏施舍多，百姓就会归向他。《诗》说：'虽然没有美德给你，还是要唱歌和跳舞。'陈氏的施舍，百姓已经为之歌舞了。您的后代如果稍有懈怠，陈氏假如没有灭亡，那么国家就成了陈氏的了。"景公说："说得好啊！这样该怎么办？"晏子回答说："只有礼可以阻止这样的事发生。按礼，家族的施舍不能扩充到国内，百姓不迁移，农民不搬迁，工匠商人不改行，士不失职守，官员不怠慢，大夫不谋取公家的利益。"景公说："说得好啊！我是不能做到了。我从现在开始知道礼可以用来治理国家了。"晏子回答说："礼可以用来治理国家已经由来已久了，和天地同在。君王发令，臣下恭从；父亲慈爱，儿子孝顺；哥哥仁爱，弟弟恭敬；丈夫和顺，妻子温柔；婆婆仁慈，媳妇顺从。这就是礼。君王的命令没有错失，臣下恭从而无二心，父亲慈爱而能教导，儿子孝顺而多规劝，哥哥仁爱而友善，弟弟恭敬而顺服，丈夫和顺而正义,妻子温柔而正派,婆婆仁慈而不固执,儿媳顺从而温婉,这是礼中的好现象。"景公说:"说得好啊!寡人从现在开始才听到礼应当加以崇尚啊。"晏子回答说:"先王从天地那儿禀受了礼,用来治理他的百姓,所以先王崇尚礼。"

鱄设诸刺王僚（昭公二十七年）

[题解]

吴公子光趁吴军与楚军相争，内部空虚，派鱄设诸刺杀了吴王僚，自立为王。

吴子欲因楚丧而伐之①，使公子掩余、公子烛庸帅师围潜②，使延州来季子聘于上国③，遂聘于晋，以观诸侯。楚莠尹然、王尹麇帅师救潜④，左司马沈尹戌帅都君子与王马之属以济师⑤，与吴师遇于穷⑥，令尹子常以舟师及沙汭⑦而还。左尹郤宛、工尹寿帅师至于潜⑧，吴师不能退⑨。吴公子光⑩曰："此时也⑪，弗可失也。"告鱄设诸⑫曰："上国有言曰：'不索⑬，何获？'我，王嗣也，⑭吾欲求之。事若克，季子虽至，不吾废也。"鱄设诸曰："王可弑也。母老子弱⑮，是无若我何。"光曰："我，尔身也。"

夏，四月，光伏甲于堀室⑯而享王。王使甲坐于道及其门。门、阶、户、席，皆王亲也，夹之以铍⑰。羞者献体改服于门外⑱。执羞者坐行⑲而入，执铍者夹承之，及体⑳，以相授㉑也。光伪足疾，入于堀室。鱄设诸寘剑于鱼中以进，抽剑刺王，铍交于胸，遂弑王。阖庐㉒以其子为卿。

季子至，曰："苟先君无废祀，民人无废主，社稷有奉，国家无倾，乃吾君也，吾谁敢怨？哀死事生㉓，以待天命。非我生乱，立者从之，先人之道也。"复命哭墓㉔，复位而待㉕。吴公子掩余奔徐㉖，公子烛庸奔钟吾㉗。楚师闻吴乱而还。

[注释]

①吴子：吴王僚。楚丧：楚平王死。②掩余、烛庸：为吴王僚同母弟。潜：楚地，今安徽霍山东北三十里。③延州来季子：公子季札，吴王寿梦之子，本封延陵，后封州来，所以叫延州来。上国：指中原诸侯国。④莠尹、王尹：官名。然、麋：人名。⑤都君子：由都邑士人组成的亲军。王马：为王养马的官员。济师：增援。济，益。⑥穷：楚地，今安徽霍邱县西南。⑦沙汭：楚地，今安徽怀远县东北。⑧左尹、工尹：官名。⑨吴师不能退：在穷地、潜地的楚军夹击吴军，使吴军进退两难。⑩公子光：吴王诸樊子。⑪此时也：指现在正是刺杀吴王僚的大好时机。⑫鱄设诸：吴勇士。《史记·吴太伯世家》、《刺客列传》均作"专诸"。⑬索：求。⑭"我"二句：吴王寿梦有四子：诸樊、馀祭、馀眛、季札。季札贤，辞王位，于是诸樊、馀祭、馀眛相继为王。吴王僚为王馀眛之庶兄（《史记》称为其子），公子光为王诸樊之子。⑮母老子弱：指自己母老子小，有赡养、抚养的义务在身。⑯堀（kū）室：地下室。⑰铍（pī）：一种兵器，剑属。⑱羞者：进献食物的人。羞，食物。献体：解衣裸身。改服：改换服装。⑲坐行：膝行。⑳及体：铍之锋刃及于羞者身体。㉑相授：将食物转付王之侍从。㉒阖庐：即公子光。㉓哀死事生：死者指吴王僚，生者指公子光。㉔复命哭墓：到吴王僚墓前复命并哭之。㉕复位而待：回复本位等待王（公子光）命。㉖徐：嬴姓之国，今安徽泗县西北。㉗钟吾：国名，今江苏宿迁东北。

[译文]

吴王僚想趁楚国有丧事的时机攻打他们，派公子掩余、公子烛庸率领军队包围潜邑，派延州来季子到中原各诸侯国聘问，于是季子到晋国聘问，以观察诸侯的态度。楚莠尹然、王尹麋率领军队救援潜邑。左司马沈尹戌率领都邑士人组成的亲军及为王养马的部属前去增援，与吴军在穷地相遇。令尹子常率领水军到达了沙汭后便回兵。左尹郤宛、工尹寿率领军队到达潜邑，吴军受阻，无法退却。吴公子光说："现在正当其时，不可失去。"就对鱄设诸说："中原各国有这样一句话：'不去寻求，哪有收获？'我，是国君的继承人，我想要谋求王位。事情如果成功，季子即使回国，也不会废除我。"鱄设诸说："君王是可以杀掉的。只是我母老儿幼，这样我拿他们怎么办？"公子光说："我，就是你。"

夏四月，公子光在家中地下室埋伏好甲士，设享礼宴请吴王。吴王派甲士遍布道路两边，从宫中直到公子光家门。大门、台阶、内室门、酒席边都是吴王的亲兵，两边又站满了持铍的军士。上菜的人要在门外脱光衣服，改换服装，膝行入内，两边的甲士用铍夹着他，几乎顶着身体，这样才把菜献上酒席。公子光假装有足疾，躲进了地下室。鱄设诸把剑藏在鱼肚子里进献，抽剑猛刺吴王，两边甲士的铍交叉刺中他的胸膛，于是杀死了吴王。公子光即位后任命鱄设诸的儿子为卿。

季子回国，说："如果先君没有废弃祭祀，民众没有失掉君主，社稷之神有人供奉，国家没有被倾覆，他就是我的君王。我敢怨恨谁呢？哀悼死者，侍奉生者，以等待天命。祸乱不是由我产生的，谁做国君我就服从谁，这是祖先的常法。"于是到吴王僚的墓前汇报出使情况，大哭了一场，回到原来官位上，等待命令。吴公子掩余逃往徐国，公子烛庸逃往钟吾。楚军听说吴国有内乱，就收兵而回。

楚郤宛之难（昭公二十七年）

[题解]

楚国令尹子常听信费无极的谗言，杀死了郤宛等良臣。在沈尹戌的劝告下，子常诛杀了费无极等。

郤宛直而和，国人说之。鄢将师为右领①，与费无极比而恶之②。令尹子常贿③而信谗，无极谮郤宛焉，谓子常曰："子恶④欲饮子酒。"又谓子恶："令尹欲饮酒于子氏⑤。"子恶曰："我，贱人也，不足以辱令尹。令尹将必⑥来辱，为惠已甚，吾无以酬⑦之，若何？"无极曰："令尹好甲兵，子出之，吾择焉。"取五甲五兵⑧，曰："寘诸门。令尹至，必观之，而从以酬⑨之。"及飨日，帷诸门左⑩。无极谓令尹曰："吾几祸子。子恶将为子⑪不利，甲在门矣。子必无往！且此役⑫也，吴可以得志，子恶取赂焉而还；又误群帅，使退其师，曰：'乘乱不祥。'吴乘我丧，我乘其乱，⑬不亦可乎？"令尹使视郤氏，则有甲焉。不往，召鄢将师而告之。将师退，遂令攻郤氏，且爇⑭之。子恶闻之，遂自杀也。国人弗爇，令曰："不爇郤氏，与之同罪。"或取一编菅⑮焉，或取一秉⑯秆焉，国人投之，遂弗爇也。令尹炮⑰之，尽灭郤氏之族党，杀阳令终与其弟完及佗，与晋陈⑱及其子弟。晋陈之族呼于国曰："鄢氏、费氏自以为王，专祸楚国，弱寡王室，蒙王与令尹以自利也，令尹尽信之矣，国将如何？"令尹病之。

……

楚郤宛之难，国言⑲未已，进胙者莫不谤令尹⑳。沈尹戌言于子常曰："夫左尹与中厩尹㉑，莫知其罪，而子杀之，以兴谤讟㉒，至于今不已。戌也惑之：仁者杀人以掩谤，犹弗为也。今吾子杀人以兴谤，而弗图，不亦异乎！夫无极，楚之谗人也，民莫不知。去朝吴㉓，出蔡侯朱㉔，丧太子建㉕，杀连尹奢㉖，屏王之耳目，使不聪明。不然，平王之温惠共俭，有过成、庄，无不及焉。所以不获诸侯，迩㉗无极也。今又杀三不辜㉘，以兴大谤，几及子矣。子而不图，将焉用之？夫鄢将师矫子之命，以灭三族——国之良也，而不愆位㉙。吴新有君，疆埸㉚日骇。楚国若有大事，子其危哉！知者除谗以自安也，今子爱谗以自危也，甚矣，其惑也！"子常曰："是瓦㉛之罪，敢不良图㉜！"九月己未，子常杀费无极与鄢将师，尽灭其族，以说于国。谤言乃止。

[注释]

①右领：官名。②比：勾结，阿党。恶之：憎恶郤宛。③赇：贪求贿赂。④子恶：郤宛。⑤子氏：子恶家里。⑥将必：如果。⑦酬：报。⑧五甲五兵：五领甲衣，五种兵器。⑨而：你。从：因。⑩帷诸门左：在门左边设置帷帐，其中藏有五甲五兵。⑪为子：对您。为，于。⑫此役：指本年春天郤宛救潜之役。⑬我丧：指楚国有平王之死。其乱：吴国有公子光刺吴王僚之乱。⑭蓺（ruò）：烧。⑮菅：一种草本植物。⑯秉：把。⑰炮：焚烧。⑱晋陈：楚大夫。⑲言：谤言，非议。⑳进胙者：指卿大夫。大夫在祭祀后要归胙于国君。胙，祭肉。谤：指责。㉑左尹：郤宛。中厩尹：阳令终。㉒谤讟：诽谤，非议。㉓去朝吴：使朝吴离开楚国到郑国。朝吴，人名。㉔出蔡侯朱：赶走蔡侯朱而立东国。㉕丧：亡，出奔。太子建奔宋。㉖连尹奢：伍奢。㉗迩：近，亲近。㉘三不辜：郤宛、阳令终与晋陈。㉙愆位：在位无失。㉚疆埸（yì）：边界。

㉛瓦:子常,姓囊名瓦。㉜良图:仔细谋划。

[译文]

郤宛为人正直而温和,国人都喜欢他。鄢将师任右领,与费无极勾结为奸而憎恶郤宛。令尹子常贪财而又轻信谗言。费无极诬陷郤宛,对子常说:"郤宛想请您喝酒。"又对郤宛说:"令尹想到你家来喝酒。"郤宛说:"我,地位低下,不足以让令尹屈尊前来。令尹如果一定要屈尊前来,对我的恩惠实在太大了,我没什么可以酬报他的,怎么办?"费无极说:"令尹喜欢皮甲与兵器,你拿出来,我来挑选。"选了五领皮甲与五种兵器,说:"放在门口,令尹来了一定会观看,你就乘机送给他。"到了请客那天,郤宛把皮甲与兵器放在门左边的帷帐里。费无极对子常说:"我差点儿害了您。郤宛打算对你不利,皮甲已经放在门口了。您一定不要去!再说今春的那次战役,吴兵本来可以战胜,郤宛收取了吴国的贿赂就撤回了;又煽动其他将帅,让他们各自退兵,说:'乘敌国内乱而攻打他们,不吉利。'吴国乘我国有丧事而来进攻,我们乘他们国内动乱而去攻打,不都是可以的吗?"子常派人到郤宛家查看动静,果然有皮甲在家门口。子常没去郤宛家赴宴,召见了鄢将师,把这事告诉了他。鄢将师退下后,就下令攻打郤氏,并命令放火焚烧。郤宛听说后,就自杀了。国人不肯放火,鄢将师下令说:"不放火烧郤氏家的,与郤氏同罪。"有的人拿来了一些菅草,有的人拿来了一把秸秆,国人把这些东西扔掉了,因此没有烧起来。子常派人烧了郤氏家,把郤氏的同族同党全都消灭了,杀死了阳令终与他的弟弟完与佗,以及晋陈和他的子弟们。晋陈的族人在都城中大声喊叫说:"鄢氏、费氏以君王自居,专权而祸害楚国,削弱和孤立王室,蒙骗楚王与令尹,为自己谋取私利,令尹完全信任他们了,国家将要怎么办?"子常听了十分担心。

……

楚国郤宛遭难，国内非议不断，凡有资格向国君进献胙肉的人没有不指责令尹子常的。沈尹戌对子常说："左尹与中厩尹，没有人知道他们犯了什么罪，而您杀了他们，招致谤言非议，一直到现在还没有平息。我心中很疑惑：仁慈的人为了掩盖指责而杀人，尚且不肯做。如今您杀了人来招致谤言，却不加考虑，这不是很奇怪吗？那个费无极，是楚国的谄佞小人，百姓没有不知道的。他使朝吴离开楚国，赶走蔡侯朱，使太子建流亡，杀害连尹伍奢，蒙蔽君王的耳目，使君王听不见也看不到。如果不是这样的话，以平王的仁和慈善、恭敬克俭，超过了成王、庄王，而没有比不上他们的。平王之所以不能获得诸侯的拥护，就是因为亲近费无极的缘故。如今又杀死了三位无辜的人，挑起百姓极大的不满，几乎要到您身上了。您如果不认真考虑，准备在哪里使用他们？那个鄢将师假传您的命令，灭亡了三族——这三族是国家的忠良，在位时没有什么过失。吴国新近立了国君，边界上一天比一天紧张。楚国如果发生战争，您就危险了！聪明人除掉奸邪小人来使自己安全，现在您却喜爱奸邪小人使自己危险，您昏愦糊涂得太过分了！"子常说："这是我的罪过，哪敢不好好谋划一下！"九月十四日，子常杀死费无极与鄢将师，把他们的宗族全都消灭了，以取悦于国人。诽谤的言论这才平息了。

伍员教吴病楚（昭公三十年）

[题解]

伍员为吴国定计，使楚国疲于奔命。

吴子问于伍员曰①："初而②言伐楚，余知其可也，而恐其使余往也，又恶人之有余之功也。③今余将自有之矣④。伐楚何如⑤？"对曰："楚执政众而乖，莫适任患⑥。若为三师以肄⑦焉，一师至，彼必皆出。彼出则归，彼归则出，楚必道敝。亟肄以罢之，多方以误之。既罢而后以三军继之，必大克之。"阖庐从之。楚于是乎始病。

[注释]

①吴子：吴王阖闾。伍员：伍子胥，楚大夫伍奢次子。昭公二十年（前522年），楚平王杀了伍奢，伍员逃往吴国。②而：你。事见昭公二十年《传》。③其、人：指吴王僚。④今余将自有之矣：自有伐楚之功。⑤伐楚何如：问伐楚的战略战术。⑥莫适任患：没有敢于承担责任者。⑦肄：通"肆"，突然袭击。

[译文]

吴王阖庐问伍员说："当初你说攻打楚国，我知道这事能够成功，但是恐怕他派我去，又不愿意他占了我的功劳。现在我将自己承受这功劳了。怎样去攻打楚国?"伍员回答说:"楚国执政的人多而相互不和,没有人敢于承担责任。如果组建三支军队去袭扰他们,一支军队到了,他们必然倾巢出动迎战。他们出兵我们就撤退,他们撤退我们就进军,楚军必然在道路上疲于奔命。多次袭扰他们以使他们疲劳,通过多种方法使他们失误。他们疲劳后我们再让三军接着进攻,一定能获得大胜。"阖庐听从了伍员的建议。楚国从此开始为吴所累。

召陵之盟(定公四年)

[题解]

召陵之盟,卫国祝佗援引周朝分封成例,说服苌弘、刘文公等在举行仪式时将卫国排在蔡国之前。

四年,春,三月,刘文公合诸侯于召陵①,谋伐楚也。晋荀寅求货②于蔡侯,弗得,言于范献子③曰:"国家方危,诸侯方贰,将以袭敌,不亦难乎!水潦方降,疾疟方起,中山④不服,弃盟取怨⑤,无损于楚,而失中山,不如辞蔡侯。吾自方城以来⑥,楚未可以得志⑦,祇取勤焉⑧。"乃辞蔡侯⑨。

晋人假羽旄⑩于郑,郑人与之。明日,或旆以会⑪。晋于是乎失诸侯⑫。

将会,卫子行敬子⑬言于灵公曰:"会同难⑭,啧有烦言⑮,莫之治也。其使祝佗⑯从!"公曰:"善。"乃使子鱼。子鱼辞,曰:"臣展四体⑰,以率旧职⑱,犹惧不给而烦刑书⑲。若又共⑳二,徼㉑大罪也。且夫祝,社稷之常隶㉒也。社稷不动,祝不出竟㉓,官之制㉔也。君以军行,祓社、衅鼓㉕,祝奉以从㉖,于是乎出竟。若嘉好之事㉗,君行师㉘从,卿行旅㉙从,臣无事焉。"公曰:"行也。"

及皋鼬㉚，将长蔡于卫㉛。卫侯使祝佗私于苌弘㉜曰："闻诸道路，不知信否。若闻蔡将先卫，信乎？"苌弘曰："信。蔡叔，康叔之兄也，㉝先卫，不亦可乎？"

[注释]

①刘文公：刘蚠，又称刘子、刘卷。经云："三月，公会刘子、晋侯、宋公、蔡侯、卫侯、陈子、郑伯、许男、曹伯、莒子、邾子、顿子、胡子、滕子、薛伯、杞伯、小邾子、齐国夏于召陵，侵楚。"召（shào）陵：地名，今河南偃城东。②货：财物。③范献子：即士鞅。④中山：即鲜虞，战国时为中山国。⑤弃盟取怨：晋、楚同盟，伐之则取怨于楚国。⑥吾自方城以来：襄公十六年（前557年），晋败楚，侵方城。⑦楚未可以得志：未可得志于楚，即未能在对楚的战争中得到好处。⑧祗：适。勤：劳。意思是不过兴师动众，劳民伤财。⑨乃辞蔡侯：蔡昭侯朝楚，楚令尹子常索求无度，蔡昭侯不与，因而被留在楚国达三年之久。蔡昭侯设计归国，发誓不再朝楚，派子元与大夫之子到晋国为质，请求伐楚。⑩羽旄：羽毛。⑪或：有人。旆：用羽毛装饰旗帜。⑫晋于是乎失诸侯：襄公十四年（前559年），晋曾向齐国借羽毛不还，现在又向郑借，并立即使用，又不能归还郑国，因此失去诸侯的信任。⑬子行敬子：卫大夫。⑭会同难：指诸侯会盟，很难得到适宜的结果。⑮啧：大呼，怒争。烦言：争论不休。⑯祝佗：晋太祝，名佗，字子鱼，有辩才。⑰展四体：即从事工作。⑱率：循。旧职：继承先人之职。⑲不给：不给命，完不成任务。烦刑书：获罪。⑳共：同"供"，供职。㉑徼：获。㉒隶：贱职。㉓竟：同"境"，国境。㉔官之制：即职官之法规。㉕祓社：在宗庙举行除凶之礼。衅鼓：一种祭祀，杀牲，以血涂鼓等。㉖祝奉以从：指奉社主跟从。㉗嘉好之事：指朝会。㉘师：二千五百人。㉙旅：五百人。㉚及皋鼬：指将要进行盟誓。㉛长蔡于卫：使蔡先于卫歃血。㉜苌弘：周大夫。㉝"蔡叔"二句：蔡叔、康叔分别是蔡、卫二国始封之君。苌弘以蔡叔、康叔二人长幼为序，故蔡先于卫。

[译文]

四年春三月，刘文公在召陵会合诸侯，这是为了商议攻打楚国。晋国的荀寅向蔡昭侯索取财物，没有得到，就对范献子说：

"国家正在危急之中,诸侯目前离心离德,要在这种情况下袭击敌人,不是太困难了吗?大雨下个不停,疟疾正在肆虐,中山国不肯臣服,背弃盟约而招致仇怨,对楚国没有什么损害,而我国却失去中山国,还不如拒绝蔡昭侯。我国自从方城一战以来,没能在对楚国的战争中得到好处,不过是劳师伤财而已。"晋国于是拒绝了蔡昭侯的请求。

晋国人向郑国借羽旄,郑国人给了他们。第二天,晋国人用羽旄装饰旌旗,参加会议。晋国因此而失去了诸侯的拥护。

将要举行会议,卫国子行敬子对卫灵公说:"凡是朝会很难达成一致意见,总是因分歧而争论不休,没有办法解决。还是让祝佗跟着您去吧。"灵公说:"好。"于是让祝佗随行。祝佗说:"下臣忙碌不停,继承先人的职务,尚且担心完不成任务而受到处罚。如果再兼供第二种职责,就是犯了大罪了。再说太祝,是为社稷神所配备的贱职。社稷不动,太祝不出国境,这是官制所规定的。国君率领军队出征,祭祀社神,用牺牲的血涂鼓,太祝奉社主跟从,这时候才能走出国境。如果是参加朝会,国君出去有一师人跟从,卿出去有一旅人跟从,这里没有臣什么事儿。"灵公说:"你还是跟我去吧。"

到达皋鼬,晋国打算让蔡国先于卫国歃血。卫灵公派祝佗私下去问苌弘说:"听路上人传言,不知是否真实。听说蔡国在卫国之前歃血,是真的吗?"苌弘说:"不错。蔡叔是康叔的哥哥,蔡国在卫国前面,不是顺理成章的吗?"

子鱼曰:"以先王观之,则尚德也。昔武王克商,成王定之,选建明德①,以蕃屏周。故周公相王室,以尹②天下,于周为睦③。

"分鲁公以大路、大旂④,夏后氏之璜④,封父之繁弱⑥,殷民六族，条氏、徐氏、萧氏、索氏、长勺氏、尾勺氏，使帅其宗氏⑦，辑其分族⑧，将其类丑⑨，以法则周公⑩。用即命于周⑪。是使之职事于鲁，以昭周公之明德。分之土田陪敦、祝、宗、卜、史⑫，备物、典策⑬，官司、彝器⑭；因商奄⑮之民，命以《伯禽》而封于少皞之虚⑯。

[注释]

①选建明德：选拔有明德的人，建立国家。②尹：治。③睦：亲厚。④鲁公：周公旦之子伯禽。大路：金路，以铜为饰的车。大旂：画有蛟龙的大旗，与大路相对应。⑤夏后氏：夏朝。夏后为国号。璜：半圭曰璋，半璧曰璜，夏朝珍器。⑥封父：姜姓之国，夏代诸侯，汴州封丘封父亭为其都。至周失国，为齐大夫。繁弱：古代的一种良弓。⑦宗氏：大宗之族，即嫡长房之族。⑧辑：集合。分族：小宗之族。⑨类丑：同类，指附属六族之奴隶。⑩法则周公：放弃殷商之法命，服从周公之法命。⑪用：因。即命：受命。⑫土田：山川，指领地。陪敦：附庸，附属小国。祝：太祝。宗：宗人，掌礼之官。卜：太卜，掌龟卜之官。史：太史，掌载籍、祭祀、星历等事。⑬备物：即服物，包括所服所佩之物，以及所用之礼仪。备，通"服"。典策：指典籍简册。⑭官司：百官。指封鲁时所赐官员。彝器：包括祭祀所用器在内的常用器物。⑮商奄：奄国，商之诸侯，其地在曲阜奄里。⑯《伯禽》：即《伯禽之命》，同《康诰》、《唐诰》一样为《周书》篇目，今亡。少皞之虚：指曲阜。

[译文]

祝佗说："用先王的标准来看，崇尚的是德行。从前武王战胜殷商，成王平定天下，选拔明德的人分封建国，让他们拱卫保护成周。所以周公辅佐王室，以治理天下，诸侯对周亲近和睦。

"分赐给鲁公大路、大旂，夏后氏的璜玉，封父的繁弱弓，还有殷商的六族子民，即条氏、徐氏、萧氏、索氏、长勺氏、尾勺氏，让他们率领大宗之族，集合小宗之族，统领所部奴隶，服从周公的法度，因此而服从周朝的命令。这是让他在鲁国行使职权，以光大周公美好的德行。分赐给鲁公田地、附庸小国，太祝、宗人、太卜、太史、服物礼仪、典籍简策，各级官员，常用彝器，安抚商奄百姓，用《伯禽》来训诫他，而把他封在少皞的故地。

"分康叔以大路、少帛、𦀆茷、旃旌、大吕①，殷民七族，陶氏、施氏、繁氏、锜氏、樊氏、饥氏、终葵氏；②封畛土略③，自武父以南及圃田之北竟④，取于有阎⑤之土以共王职；取于相土之东都以会王之东蒐⑥。聃季⑦授土，陶叔⑧授民，命以《康诰》而封于殷虚⑨。皆启以商政⑩，疆以周索⑪。

"分唐叔以大路、密须之鼓、阙巩、沽洗⑫，怀姓⑬九宗，职官五正⑭。命以《唐诰》而封于夏虚⑮，启以夏政，疆以戎索⑯。

[注释]

①康叔：名封，周武王同母少弟，卫始封之君。少帛：小白，旗名。𦀆（qiàn）茷（pèi）：大红旗。𦀆，大红色。茷，旆，旗。旃、旌：均为帛制之旗，无饰者为旃，用羽饰者为旌。大吕：钟名。②"殷民七族"二句：以上各族，可能是从事陶、旌旗、马缨、釜、篱笆、锥等器物制作的匠人家族。③封畛、土略：均指所封土地的疆界。畛、略，疆界。④武父：卫国的北部边界。圃田：即原圃，郑地，与卫邻。⑤有阎：卫之朝宿邑，在今河南洛阳市附近。⑥相土之东都：今河南商丘。相土为殷商之祖。会王之东蒐：便于周王东巡时助祭泰山。蒐，巡守。⑦聃季：冉季载，周公弟，为司空。⑧陶叔：曹叔振铎，为司徒。⑨殷虚：朝歌，在今河南淇县。⑩启以商政：居殷故地，因其风俗，沿用其政。启，开。⑪疆以周索：疆理土地用周法。索，法。⑫唐叔：名虞，成王弟，晋始封之君。密须：国名，在今甘肃灵台县。阙巩：地名，产铠甲。沽洗：也作"姑洗"，钟名。⑬怀姓：唐之余民，隗姓的一支。⑭职官五正：五官之长。⑮夏虚：大夏，今山西太原。⑯疆以戎索：太原近戎，故疆理土地用戎法。

[译文]

"分赐给康叔大路、少帛旗、大红旗、旃旌、大吕，以及殷商的七族子民，即陶氏、施氏、繁氏、倚氏、樊史、饥氏、终葵氏；

封疆定界，从武父以南到圃田的北境，取得了有阎氏的土地，来履行王室任命的职务；取得了相土的东都，以协助天子到东方巡视。聃季授给他土地，陶叔授给他百姓，用《康诰》来训诫他，而把他封在殷商的故都。鲁公与康叔都沿用商朝的政事，而按照周朝的法制来区划土地。

"分赐给唐叔大路、密须国的鼓、阙巩产的皮甲、沽洗钟，还给了怀姓的九族子民，五正的职官。用《唐诰》来训诫他，而把他封在夏朝的故都，沿用夏朝的政事，而按照戎人的法制来区划土地。

"三者皆叔也①，而有令德，故昭之以分物②。不然，文、武、成、康之伯犹多③，而不获是分也，唯不尚年也。管、蔡启商，惎间王室④，王于是乎杀管叔而蔡蔡叔⑤，以车七乘、徒七十人⑥。其子蔡仲改行帅⑦德，周公举之，以为己卿士⑧，见诸王，而命之以蔡⑨。其命书云：'王曰：胡⑩！无若尔考之违王命也！'若之何其使蔡先卫也？武王之母弟八人，周公为大宰，康叔为司寇，聃季为司空，五叔⑪无官，岂尚年哉？曹，文之昭也⑫；晋⑬，武之穆也。曹为伯甸⑭，非尚年也。今将尚之，是反先王也。晋文公为践土之盟⑮，卫成公不在，夷叔⑯，其母弟也，犹先蔡⑰。其载书云：'王若曰：晋重、鲁申、卫武、蔡甲午、郑捷、齐潘、宋王臣、莒期。'⑱藏在周府，可覆视也。吾子欲复文、武之略⑲，而不正其德，将如之何？"

苌弘说，告刘子，与范献子谋之，乃长卫侯于盟。

[注释]

①三者皆叔也：周公、康叔为武王之弟，唐叔为成王之弟，所以说"皆叔也"。②昭之以分物：以分物昭其德。昭，显。③"文、武、成、康"句：文、武、成、康四王年长于周公、康叔、唐叔的兄弟还有很多。④惎（jì）：

谋。间：犯。⑤"王于是乎杀管叔"句：管叔、蔡叔与纣王子武庚作乱，周公诛武庚，杀管叔，流放了蔡叔。前一"蔡"字为"放逐"之意。⑥以车七乘、徒七十人：流放蔡叔时给他的。⑦帅：同"率"，循。⑧卿士：担任王朝卿士，作为助手。⑨命之以蔡：任命他为蔡侯。⑩胡：蔡仲之名。⑪五叔：管叔鲜、蔡叔度、成叔武、霍叔处、毛叔聃。⑫曹：曹叔振铎封国。文之昭也：文王于周世次为穆，故其子辈（如武王）为昭，其孙辈（如下文之唐叔）复为穆。⑬晋：唐叔虞初封于唐，后世改为晋。⑭曹为伯甸：以伯爵而居甸服。王畿外方五百里为侯服，又外方五百里为甸服。曹地为今山东定陶，离王畿较远。⑮践土之盟：僖公二十八年（前632年），晋文公与诸侯在践土会盟。⑯夷叔：武叔，成公之弟，代表卫国与盟。⑰先蔡：先于蔡。⑱"王若曰"句：以上诸人分别是晋文公、鲁僖公、卫叔武、蔡庄侯、郑文公、齐昭公、宋成公、莒兹丕公。后三人为异姓。⑲略：道，法度。

[译文]

"这三个人都是天子的弟弟，而有美好的德行，所以通过赏赐他们宝物来显扬他们。如果不这样，文王、武王、成王、康王的兄长还有很多，而没有得到这样的赏赐，这就是因为不崇尚年龄的缘故。管叔、蔡叔沿用商朝旧政，企图加害王室。天子因此杀死了管叔，而放逐了蔡叔，给蔡叔七辆车子，七十个徒役。蔡叔的儿子蔡仲，改恶行善，周公举荐他，让他担任卿士协助自己，把他引见给天子，而任命他为蔡侯。他的任命书上说：'天子说：胡，你不要像你父亲一样违背天子的命令！'怎么能让蔡国排在卫国前面呢？武王的同母弟弟有八个人，周公为太宰，康叔为司寇，聃季为司空，其他五人没有官职，难道是崇尚年龄的结果吗？曹国，是文王的后代；晋国，是武王的后代。曹国以伯爵做甸服内的诸侯，也是不崇尚年龄的缘故。现在准备尊崇他，这就违背了先王的规矩。晋文公召集在践土的盟会，卫成公没到，夷叔，是成公的同母弟，仍然排在蔡国的前面。盟书上说：'天子说：晋重、鲁申、卫武、蔡甲午、郑捷、齐潘、宋王臣、莒期。'盟书藏在周朝的府库里，可以拿出来核对。您要想恢复文王、武王的法度，却不端正自己的德行，将要怎么办？"

苌弘听了很高兴，告诉了刘子，与范献子商议，于是在结盟时让卫国排在蔡国之前。

吴楚相争(定公四年)

[题解]

吴楚相争,吴军在柏举之战中大败楚军,攻入郢都,追击楚昭王。

沈①人不会于召陵,晋人使蔡伐之。夏,蔡灭沈。秋,楚为沈故,围蔡。伍员为吴行人以谋楚。楚之杀郤宛也②,伯氏之族出③。伯州犁之孙嚭为吴大宰以谋楚。楚自昭王即位,无岁不有吴师,蔡侯因④之,以其子干与其大夫之子为质于吴。

冬,蔡侯、吴子、唐侯伐楚。舍舟于淮汭⑤,自豫章⑥与楚夹汉。左司马戌谓子常曰⑦:"子沿汉而与之上下,我悉方城⑧外以毁其舟,还塞大隧、直辕、冥厄⑨。子济汉而伐之,我自后击之,必大败。"既谋而行。武城黑⑩谓子常曰:"吴用木也,我用革也,不可久也,⑪不如速战。"史皇⑫谓子常:"楚人恶子而好司马⑬。若司马毁吴舟于淮,塞城口⑭而入,是独克吴也。子必速战!不然,不免。"乃济汉而陈,自小别至于大别⑮。三战,子常知不可,欲奔。史皇曰:"安,求其事;难而逃之,将何所入?子必死之,初罪必尽说。⑯"

[注释]

①沈:姬姓之国,成王封叔父季载于沈,又称聃国。②楚之杀郤宛也:

在昭公二十七年（前515年），参《楚郤宛之难》。③伯氏之族出：伯氏之族为郤宛之党。④因：依恃。⑤舍舟于淮汭：吴军乘舟从淮河前来，过了蔡境即舍之。淮汭，淮水边。⑥豫章：地名，在淮河以南、长江以北。⑦左司马戌：沈尹戌，担任左司马。子常：楚令尹囊瓦的字。⑧方城：淮河以南，汉江、长江以北，今桐柏山、大别山一带，楚国统称为方城。⑨大隧、直辕、冥厄：汉水以东的三座险要隘道，分别为今天的九里关、武胜关、平靖关。冥厄又称黾塞。⑩武城黑：武城大夫，名黑。武城，在今河南信阳市东北。⑪"吴用木也"三句：木、革指战车所用材质。用革须用胶，逢雨即浸，不可持久。⑫史皇：楚大夫。⑬司马：沈尹戌。⑭城口：前面三座隘道的总称。⑮小别：山名，在今湖北汉川东南。大别：山名，今安徽霍邱县西南之安阳山。今统属于大别山。⑯"子必死之"二句：意思是必须与吴死战，才能开脱受贿致敌之罪。说（tuō）：通"脱"，开脱。

[译文]

　　沈国人没有参加召陵之盟，晋国让蔡国讨伐它。夏，蔡国灭亡了沈国。秋，楚国为了沈国被灭的缘故，派兵包围了蔡国。伍员作为吴国的行人而谋划对付楚国。楚国杀死郤宛的时候，伯氏的族人逃离楚国。伯州犁的孙子伯嚭担任吴国的太宰，谋划对付楚国。楚国自昭王继位以来，没有哪一年没有吴军的进攻。蔡昭侯依恃这一点，把他的儿子干和大夫的儿子派到吴国当人质。

　　冬，蔡昭侯、吴王阖庐、唐成公攻打楚国。在淮水边上弃舟登岸，从豫章进发与楚军隔着汉水对峙。左司马沈尹戌对子常说："您沿着汉水与他们上下周旋，我带领方城外的全部人马去毁掉他们的船只，再回兵堵塞大隧、直辕、冥厄。您渡过汉水攻打他们，我从后面夹攻，一定能大败他们。"谋划好后就出发了。武城黑对子常说："吴军战车是用木头做的，我军战车是用皮革蒙的，不能持久，不如迅速决战。"史皇对子常说："楚国人憎恶您而爱戴司马。如果司马在淮水边毁坏了吴军的船只，堵塞了隘口而回兵，这就成了他独自战胜了吴军。您一定要迅速决战！如果不这样，就不能免于罪责。"子常于是渡过汉水，摆开阵势，从小别山直到大别山。交战了三次，子常知道不能获胜，想要逃回。史皇说："国家平安，您就谋求执掌政权；国家有难，您却逃走，打算逃到哪里去？您一定要拼死作战，过去所犯的罪过一定会全部开脱掉。"

十一月庚午，二师陈于柏举①。阖庐之弟夫概王晨请于阖庐曰："楚瓦不仁，其臣莫有死志。先伐之，其卒必奔；而后大师继之，必克。"弗许。夫概王曰："所谓'臣义而行，不待命'者，其此之谓也。今日我死，楚②可入也。"以其属五千先击子常之卒。子常之卒奔，楚师乱，吴师大败之。子常奔郑。史皇以其乘广③死。吴从楚师，及清发④，将击之。夫概王曰："困兽犹斗，况人乎？若知不免而致死，必败我。若使先济者知免，后者慕之，蔑有斗心矣。半济而后可击也。"从之，又败之。楚人为食，吴人及之，奔。食而从之，败诸雍澨⑤。五战，及郢。

己卯，楚子取其妹季芈畀我以出⑥，涉雎⑦。鍼尹固与王同舟，王使执燧象以奔吴师⑧。

庚辰，吴入郢，以班处宫⑨。子山⑩处令尹之宫，夫概王欲攻之，惧而去之，夫概王入之。

左司马戌及息⑪而还，败吴师于雍澨，伤。初，司马臣阖庐，故耻为禽焉，⑫谓其臣曰："谁能免吾首⑬？"吴句卑⑭曰："臣贱，可乎？"司马曰："我实失子⑮，可哉！"三战皆伤，曰："吾不可用也已。"句卑布裳，刭⑯而裹之，藏其身，而以其首免。

[注释]

①柏举：今湖北麻城东北。②楚：楚都郢。③乘广：王或主帅战车。④清发：水名，在今湖北安陆县。⑤雍澨：水名，在今湖北京山县。⑥季芈畀我：季是排行，芈是楚姓，畀我是名。⑦雎：水名，今沮水。⑧执：迫使。燧

象:尾上系有火炬的战象,火炬点燃后,象负痛前冲。⑨以班处宫:按爵位等级、尊卑次序,住在楚国君的宫室。⑩子山:吴王阖庐之子。⑪息:地名,在今河南息县西南。⑫"初"三句:左司马沈尹戌曾为吴臣,故以被吴所擒为耻。⑬免吾首:使吾首及尸不为吴所获。⑭吴句卑:追随司马的吴人,名句卑。⑮我实失子:以前不知子之贤。⑯刲:割。

[译文]

十一月十八日,两军在柏举摆开阵势。阖庐的弟弟夫概王早晨向阖庐请命说:"楚国的囊瓦不行仁义,他的部下没有拼死作战的决心。先攻打他们,他们的士兵一定会逃窜;随后大军追上去,一定能战胜他们。"阖庐不答应。夫概王说:"所谓'臣下看到合于道义的事就去做,不必等待命令',说的就是这种情况吧。今天我拼命死战,楚国都城是能够攻进去的。"带着他的部属五千人,率先攻击子常的军队。子常的军队逃跑,楚军大乱,吴军大败楚军。子常逃往郑国。史皇乘着子常的战车战死。吴军追击楚军,追到清发那里,准备发动攻击。夫概王说:"被困的野兽还要争斗,何况是人呢?如果他们知道不能幸免而拼命抵抗,一定会打败我们。如果让先渡过河去的人知道可以逃脱,后边的人羡慕他们争着渡河,就没有斗志了。等他们渡过一半之后,就可以攻击了。"阖庐听从了他的建议,又打败了楚军。楚军做饭,吴军追了上去,楚军逃跑,吴军吃了楚军做的饭后继续追击,又在雍澨打败了楚军。接战五次之后,追到郢都。

二十七日,楚昭王带着他的妹妹季芈畀我逃出郢都,渡过睢水。鍼尹固与昭王同乘一条船,昭王命令他驱赶燧象冲入吴军。

二十八日,吴军进入郢都,按照爵位等级、尊卑次序住在楚国君臣的宫室。子山住在令尹子常的宫室,夫概王打算攻打他,子山害怕,离开了子常的宫室,夫概王住了进去。

左司马戌到达了息地而回兵,在雍澨打败了吴军,受了伤。起初，司马曾经做过吴王阖庐的臣子，所以耻于被吴军俘虏，对他的部下说："谁能让吴军得不到我的头？"吴句卑说："下臣地位卑贱，行吗？"司马说："我过去竟失去您，您可以的啊！"又与吴军交战三次，每次都负了伤，说："我已经没有用了。"句卑铺开裙子，割下司马的头包裹好，把他的身子藏起来，带着头逃走了。

楚子涉雎，济江，入于云中①。王寝，盗攻之，以戈击王，王孙由于以背受之，中肩。王奔郧②。钟建③负季芈以从。由于徐苏而从。郧公辛④之弟怀将弑王，曰："平王杀吾父，我杀其子，不亦可乎？"辛曰："君讨臣，谁敢雠之？君命，天也。若死天命，将谁雠？《诗》曰：'柔亦不茹，刚亦不吐。不侮矜寡，不畏强御'⑤，唯仁者能之。违强陵弱，非勇也；乘人之约⑥，非仁也；灭宗废祀⑦，非孝也；动无令名，非知也。必犯是，余将杀女。"斗辛与其弟巢以王奔随⑧。吴人从之，谓随人曰："周之子孙在汉川者，楚实尽之。⑨天诱其衷⑩，致罚于楚，而君又窜⑪之，周室何罪？君若顾报周室，施及寡人，以奖⑫天衷，君之惠也。汉阳之田，君实有之。"楚子在公宫之北，吴人在其南。子期⑬似王，逃王⑭，而己为王⑮，曰："以我与之，王必免。"随人卜与之，不吉，乃辞吴曰："以随之辟⑯小，而密迩于楚，楚实存之。世有盟誓，至于今未改。若难而弃之，何以事君？执事之患不唯一人⑰，若鸠⑱楚竟，敢不听命？"吴人乃退。鳎金⑲初宦于子期氏，实与随人要言⑳。王使见㉑，辞，曰："不敢以约为利㉒。"王割子期之心㉓以与随人盟。

[注释]

①云中：云梦泽在江南的部分。②郧：楚邑，在今湖北安陆。③钟建：楚大夫。④郧公辛：斗辛，蔓成然之子。昭公十四年（前528年），楚平王杀蔓成然。⑤"柔亦不茹"四句：引诗见《诗·大雅·烝民》。茹：食。吐：

弃。矜（guān）：同"鳏"，老而无妻。寡：老而无夫。⑥约：指昭王正处于困境之中。⑦灭宗废祀：弑君罪应灭宗。⑧随：姬姓国名，在今湖北随州。⑨"周之子孙在汉川者"二句：吴与随均为姬姓之国，故作此言。⑩诱：启。衷：内心。⑪窜：藏匿。⑫奖：成。⑬子期：公子结，昭王兄。⑭逃王：使王逃走。⑮而己为王：穿上楚王的衣服。⑯辟：同"僻"。⑰一人：指楚王。意思是患在楚众。⑱鸠：集，安抚。⑲锁（lǜ）金：子期家臣。⑳要言：约言，相约不把楚王献给吴人。㉑王使见：楚王准备把子期视作王臣，并使其与吴人盟。㉒不敢以约为利：不敢以楚王之困约谋取私利。㉓割子期之心：割破子期心前皮肤取血。

[译文]

　　楚昭王徒步蹚过睢水，渡过长江，进入云梦泽的江南地区。昭王睡觉时，有盗贼攻击他，用戈击打昭王，王孙由于用背挡住戈，被击中肩膀。昭王逃到郧地，钟建背着季芈跟着他，王孙由于慢慢苏醒后也跟了上来。郧公辛的弟弟怀打算杀死昭王，说："平王杀了我的父亲，我杀他的儿子，不也是可以的吗？"斗辛说："君王诛讨臣下，谁敢仇视他？君王的命令就是上天的意志。如果死于上天的命令，你准备仇恨谁？《诗》上说：'柔软的不吃，坚硬的不吐。不欺侮鳏寡，不害怕强暴。'这只有仁德的人能够做到。躲避强者，欺侮弱者，这不是勇；乘人之危，这不是仁；灭亡宗族，废弃祭祀，这不是孝；举动没有正当的名义，这不是智。如果一定要这样做，我就会杀了你。"斗辛与他的弟弟巢带着楚昭王逃到随国。吴国人尾随追击，对随国人说："在汉川的周朝子孙，楚国消灭得很干净。上天垂示天意，惩罚楚国，而君王又把楚昭王藏了起来。周室有什么罪过？君王如果能顾念周室之恩，延伸到寡人身上，以完成上天的心意，这是君王的恩惠。汉阳的土地，全归君王所有。"楚昭王在公宫的北面，吴国人在他的南面。子期长得很像昭王，就让昭王逃走，自己装扮成楚昭王，说："把我交给他们，君王一定能免于祸难。"随人占卜，看看是否要交出子期，不吉利，就向吴人推辞说:"因为随国是僻处一隅的小国,又紧挨着楚国,是楚国保存了我们,世代都有盟誓,一直到现在没有改变。如果楚国有了危难而抛弃他们,又靠什么来侍奉君王?执事所担心的不只是楚昭王一个人,如果能安定楚国边境,我们岂敢不听从你们的命令?"吴国人就撤退了。镶金起初在子期氏那里做家臣,曾与随国人约定不把楚王交出。楚昭王让他进见,他推辞了,说:"不敢因为君王处在困境中而图谋私利。"楚昭王割破子期心口取血与随国人盟誓。

申包胥乞秦师复楚（定公四年、五年）

[题解]

申包胥到秦国乞师，哭了七天七夜，打动了秦哀公，派兵救楚。吴王内有夫差之乱，外有越国之患，与楚交战失利，被迫回国。

初，伍员与申包胥①友。其亡也，谓申包胥曰："我必复②楚国。"申包胥曰："勉之！子能复之，我必能兴之。"及昭王在随，申包胥如秦乞师，曰："吴为封豕、长蛇③，以荐④食上国，虐始于楚。寡君失守社稷，越⑤在草莽，使下臣告急，曰：'夷德无厌，若邻于君，⑥疆场⑦之患也。逮⑧吴之未定，君其取分焉⑨。若楚之遂亡，君之土也。若以君灵抚⑩之，世以事君。'"秦伯使辞焉，曰："寡人闻命矣。子姑就馆，将图而告。"对曰："寡君越在草莽，未获所伏⑪，下臣何敢即安？"立，依于庭墙而哭，日夜不绝声，勺饮不入口七日。秦哀公为之赋《无衣》⑫。九顿首而坐。秦师乃出。

……

[注释]

①申包胥：楚大夫。②复：通"覆"，倾覆，灭亡。③封豕、长蛇：毒害百姓的大野猪、长蛇。④荐：数，屡次。⑤越：流亡。⑥"夷德无厌"二

句:吴国若全部占领楚国,就与秦国接壤。⑦疆埸(yì):疆界。⑧逮:乘。⑨君其取分焉:与吴共分楚地。⑩抚:存恤。⑪伏:同"处",居处。⑫《无衣》:《诗·秦风》诗篇。诗云:"岂曰无衣?与子同袍。王于兴师,修我戈矛,与子同仇!岂曰无衣?与子同泽。王于兴师,修我矛戟,与子偕作!岂曰无衣?与子同裳。王于兴师,修我甲兵,与子偕行!"秦哀公取同仇敌忾之义,表示将要出兵相救。

[译文]

起初,伍员与申包胥是朋友。伍员出逃时,对申包胥说:"我一定要灭亡楚国。"申包胥说:"努力吧!您能灭亡它,我一定能复兴它。"到了楚昭王流亡随国,申包胥就到秦国请求出兵,说:"吴国就像大野猪、长蛇一样,多次吞食上国,为害是从楚国开始的。寡君没能守住社稷,流亡在荒野中,派下臣来告急,说:'夷人的本性贪得无厌,如果成为君王的邻国,就是边境上的祸患。趁吴国还没有安定下来,君王可以来分割楚国的土地。如果楚国就此灭亡,这里就是君王的土地了。如果托君王的福能存恤楚国,楚国将世代侍奉君王。'"秦哀公派人辞谢,说:"寡人听到命令了。您暂且在馆舍安顿下来,我们要商量一下然后告诉您。"申包胥回答说:"寡君流落荒野,还没得到安定的居所,下臣怎么敢到安逸的地方休息?"站在那儿,靠着庭院的墙而哭,日夜不停,七天不喝一口水。秦哀公为他赋《无衣》诗,他叩头九次然后坐下。秦军于是出动。

……

申包胥以秦师至。秦子蒲、子虎帅车五百乘以救楚。子蒲曰:"吾未知吴道①。"使楚人先与吴人战,而自稷②会之,大败夫概王于沂③。吴人获薳射④于柏举,其子帅奔徒以从子西⑤,败吴师于军祥⑥。

秋七月，子期、子蒲灭唐⑦。九月，夫概王归，自立也，以与王战，而败，奔楚，为棠溪氏。

吴师败楚师于雍澨⑧。秦师又败吴师。吴师居麇⑨，子期将焚之，子西曰："父兄亲暴骨焉⑩，不能收，又焚之，不可。"子期曰："国亡矣，死者若有知也，可以歆旧祀⑪？岂惮焚之？"焚之，而又战，吴师败。又战于公壻之溪⑫，吴师大败，吴子乃归。

[注释]

①道：战法战术。②稷：地名，在今河南桐柏县境内。③沂：地名，在今河南正阳县境内。④蒍（wěi）射：楚大夫。⑤奔徒：溃散的士卒。子西：公子申。⑥军祥：地名，在今湖北随州西南。⑦唐：国名，在今湖北枣阳市东南唐县镇。⑧吴师败楚师于雍澨：楚国趁吴国内乱而进攻，结果战败。⑨麇：地名，在雍澨附近。⑩父兄亲暴骨焉：吴楚相争，在麇地死者甚众。⑪可：通"何"。歆：享。⑫公壻之溪：地名。

[译文]

申包胥带着秦军回国，秦子蒲、子虎率领五百辆兵车去救援楚国。子蒲说："我不了解吴军的战术。"让楚国人先与吴国人交战，自己率兵从稷地与楚军会师，在沂地大败夫概王。吴国人在柏举擒获了蒍射，他的儿子带着溃败的士卒跟随子西，在军祥打败了吴军。

秋七月，子期、子蒲灭亡了唐国。九月夫概王回国，自立为王，与吴王阖庐交战，被打败，逃到楚国，就是后来的堂溪氏。

吴军在雍澨打败楚军，秦军又打败吴军。吴军驻扎在麇邑，子期打算纵火焚城，子西说："父兄亲戚的尸骨暴露在那里，不能收拾，又焚烧他们，这样不可以。"子期说："国家如果灭亡了，死去的人如果有知觉，到哪里去享受以往的祭祀？哪里还怕被焚烧？"放火烧城，又接着交战，吴军战败。又在公壻之溪交战，吴军大败，吴王就回国了。

夹谷之会(定公十年)

[题解]

夹谷之会,孔子挫败了齐国劫持定公的图谋,制止了野外设享礼的轻薄行为,齐国因此归还了土地。

夏,公会齐侯于祝其①,实夹谷。孔丘相②,犁弥③言于齐侯曰:"孔丘知礼而无勇,若使莱人④以兵劫鲁侯,必得志焉。"齐侯从之。孔丘以公退,曰:"士兵之⑤!两君合好,而裔夷之俘以兵乱之⑥,非齐君所以命诸侯也。裔不谋夏,夷不乱华,俘不干⑦盟,兵不偪好——于神为不祥⑧,于德为愆⑨义,于人为失礼,君必不然。"齐侯闻之,遽辟之⑩。

将盟,齐人加于载书⑪曰:"齐师出竟而不以甲车三百乘从我者,有如此盟!"孔丘使兹无还揖对⑫,曰:"而不反我汶阳之田⑬,吾以共命者亦如之!"

齐侯将享公。孔丘谓梁丘据曰:"齐、鲁之故⑭,吾子何不闻焉?事既成矣,而又享之,是勤⑮执事也。且牺、象不出门⑯,嘉乐不野合⑰。飨而既具⑱,是弃礼也⑲;若其不具,用秕稗也。⑳用秕稗,君辱;弃礼,名恶。子盍图之!夫享,所以昭德也。不昭,不如其已也。"乃不果享。

齐人来归郓、讙、龟阴之田。

[注释]

①祝其：即夹谷，地名，今山东莱芜县夹谷峪。这几句是在解释经文："夏，公会齐侯于夹谷。"②孔丘相：孔丘相礼。孔子时任鲁卿。鲁卿本由公族担任，而鲁有阳虎之乱，孔子得由庶姓破格用为卿。③犁弥：齐大夫。④莱人：齐国所灭莱夷之人，原在今山东烟台地区，后流散到莱芜一带。⑤士兵之：命令鲁国将士攻击莱人。⑥裔：华夏以外之地。夷：华夏以外之人。俘：莱人原为齐俘。⑦干：犯。⑧于神为不祥：盟将告神，犯之不善。⑨愆：失。⑩遽：急。辟：同"避"。⑪载书：盟书。下面一句为齐单方面所加。⑫兹无还：鲁大夫。揖：进。⑬汶阳之田：在今山东泰安市西南。⑭故：旧典。⑮勤：劳烦。⑯牺、象：牺尊、象尊，酒器。⑰嘉乐：钟、磬。不野合：不奏于野。⑱飨而既具：行飨礼而牺、象、嘉乐尽备。既，尽。⑲是弃礼也：在夹谷举行，所以叫弃礼。诸侯相见，享礼应庙里举行。⑳"若其不具"二句：如果牺、象、嘉乐不备，又像秕稗一样轻薄不敬。

[译文]

夏，定公与齐景公在祝其相会，祝其也就是夹谷。孔丘相礼。犁弥对景公说："孔丘懂得礼而缺乏勇，如果派莱人拿着武器劫持鲁侯，一定可以如愿以偿。"齐景公听从了他的建议。孔丘带着定公退出，说："将士们攻上去！两国国君合好，而边远夷人俘虏拿着武器来捣乱，这不是齐国国君用来命令诸侯的行为。边远地区不能图谋中原，夷人不能扰乱华人，俘虏不能冒犯盟会，武器不能用来威逼友好——这样对于神灵是不善，对于德行是丧失道义，对于人是失礼，君王一定不会这样做。"齐景公听到了，急忙撤走了夷人。

将要举行盟誓时，齐国人在盟书上加了一句话说："齐军出境，而鲁国不派出三百辆兵车跟随我们，有盟誓为证！"孔丘让兹无还上前回答说："你们不归还我们汶阳的土地，让我们用来供应齐国的需要，也有盟誓为证！"

齐景公打算设享礼招待定公。孔丘对梁丘据说:"齐、鲁过去的典礼,您为什么没听说过呢?盟会已经结束了,而又设享礼,这是劳烦执事啊。而且牺尊、象尊不应出国门,钟磬不在野外合奏。在野外设享礼如果全部具备这些,这就是抛弃了礼法;如果不具备这些,就像秕谷稗草一样轻微不郑重。像秕谷稗草一样,君王就会蒙受耻辱;抛弃礼法,名声就会不好。您何不考虑一下!享礼,是用来显扬德行的。不能显扬德行,还不如不用它。"于是最终没有设享礼。

齐国人来我国归还郓、讙、龟阴的土地。

吴越相争(定公十四年、哀公元年)

[题解]

吴越相争,吴王阖庐受伤而亡,夫差打败越国,不听劝告,接受了越国的求和。陈国逢滑指出,国家兴亡,在于能否亲民。楚国子西指出夫差骄傲奢侈,将自取败亡。

吴伐越①,越子勾践御之,陈于槜李②。勾践患吴之整也,使死士再禽焉③,不动。使罪人三行,属剑于颈,而辞曰:"二君有治④,臣奸旗鼓⑤。不敏于君之行前,不敢逃刑,敢归⑥死。"遂自刭也。师属之目,越子因而伐之,大败之。灵姑浮⑦以戈击阖庐,阖庐伤将指⑧,取其一屦⑨。还,卒于陉,去槜李七里。

夫差⑩使人立于庭,苟出入,必谓己曰:"夫差!而忘越王之杀而父乎?"则对曰:"唯。不敢忘!"三年乃报越。

……

[注释]

①吴伐越:定公五年,越王允常乘吴国内空虚而伐之。十四年,允常死,勾(又作"句")践即位,吴国因此起兵报复。②槜李:越地,在今浙江嘉兴南。③死士:敢死之士。再禽:两次冲击吴军,欲擒吴兵。④有治:治军旅,

用兵。⑤奸旗鼓：违犯军令。⑥归：自首。⑦灵姑浮：越大夫。⑧将指：指足之拇指。手之中指也称将。⑨取其一屦（jù）：因伤足而弃鞋。屦，履，鞋。⑩夫差：阖庐嗣子，继位为王。

[译文]

吴国攻打越国，越王勾践率兵抵抗，两军在欈李对阵。勾践对吴军阵容严整感到担心，派敢死之士两次冲击吴军，想抓回士兵，吴军保持不动。又派罪犯排成三行，把剑放在脖子上，而致辞说："两国国君用兵，下臣违反了军令，在君王的阵前显示出无能，不敢逃避刑罚，谨此自首而死。"说完就自杀了。吴军将士都盯着看。越王勾践乘机攻击吴军，大败吴军。灵姑浮用戈击打阖庐，阖庐伤了大脚趾，灵姑浮得到了他的一只鞋。吴王撤回，死在陉地，离欈李有七里。

夫差派人站在庭院里，只要出入，一定让他对自己说："夫差，你忘记了越王杀死你的父亲了吗？"自己就回应道："是。不敢忘记！"到了第三年，就向越国报了仇。

……

吴王夫差败越于夫椒①，报欈李也。遂入越。越子以甲楯五千保于会稽②，使大夫种因吴大宰嚭以行成③。吴子将许之。伍员曰："不可。臣闻之：'树德莫如滋④，去疾莫如尽。'昔有过浇杀斟灌以伐斟鄩⑤，灭夏后相⑥，后缗方娠⑦，逃出自窦，归于有仍⑧，生少康焉⑨。为仍牧正⑩，惎⑪浇能戒之。浇使椒⑫求之，逃奔有虞⑬，为之庖正⑭，以除其害。虞思于是妻之以二姚⑮，而邑诸纶⑯，有田一成⑰，有众一旅⑱。能布其德，而兆⑲其谋，以收夏众，抚其官职；使女艾谍浇⑳，使季杼诱豷㉑。遂灭过、戈㉒，复禹之绩，祀夏配天，不失旧物。今吴不如过，而越大于少康，或将丰之㉓，不亦难乎㉔！勾践能亲而务施，施不失人㉕，亲不弃劳㉖。与我同壤，而世为仇雠。于是乎克而弗取，将又存之，违天而长寇雠，后虽悔之，不可食已。姬㉗之衰也，日可俟也。介在蛮夷㉘，而长寇雠，以是求伯㉙，必不行矣。"弗听。退而告人曰："越十年生聚㉚，而十年教训㉛，二十年之外，吴其为沼㉜乎！"三月，越及吴平。吴入越，不书，吴不告庆、越不告败也。㉝

……

[注释]

①夫椒：越地，今浙江绍兴北。②甲楯五千：披甲持盾的五千士卒。保：守。会稽：山名，在今绍兴市东南。③大夫种：姓文，字禽，名种，楚之南郢人，平王时曾为宛令。行成：求和。④滋：益。⑤有过（guō）：国名，在今山东莱州市西北。浇（ào）：寒浞之子。寒浞杀羿，纳其妻而生浇，封于过。斟灌、斟鄩（xún）：夏代诸侯国名。前者在今河南范县北，后者在今河南偃师市东北。这里指斟灌之君。⑥夏后相：夏启之孙，失国后依附二斟，为浇所灭。⑦后缗：夏后相之妻，有仍氏女。方娠：怀有身孕。⑧有仍：国名，在今山东济宁市。⑨生少康焉：少康为遗腹子。⑩牧正：牧官之长。⑪惎（jì）：毒，恨，戒备。⑫椒：浇臣。⑬有虞：国名，在今河南虞城县西南。⑭庖正：掌饮食之官。⑮虞思：有虞酋长之名，姚姓。以二女妻之，故称二姚。⑯纶：在今虞城县东南。⑰成：方十里。⑱旅：五百人。⑲兆：始。⑳使女艾谍浇：派女艾到浇那里做间谍。㉑季杼：少康子。豷：浇之弟。㉒戈：豷之国。㉓或将丰之：或者天将使其强大。㉔不亦难乎：吴、越讲和，吴国将难为。㉕施不失人：所施恩惠，皆得其人。㉖亲不弃劳：有功劳者不弃而亲近之。㉗姬：吴姓，指吴。㉘介在蛮夷：吴在楚、越之间。㉙求伯：求霸。伯，通"霸"。㉚生聚：繁衍人口，积累财富。㉛教训：教导百姓，训练士卒。㉜沼：污池。指吴宫室被坏为沼。㉝"吴入越"三句：这几句是用来解释《春秋》为什么没有相应的记载。

[译文]

吴王夫差在夫椒打败越军，报了槜李战役之仇。于是攻入越国。越王带着披甲持盾的士卒五千人坚守会稽山，派大夫种通过吴太宰嚭求和，夫差打算同意。伍员说："不可。臣听说树立德行最好能不断增益，去除毒害最好能彻底干净。从前有过浇杀死斟灌国君而攻打斟鄩，灭了夏后相。后缗正好有身孕，从小洞里逃了出去，回到有仍国，生下了少康。少康担任有仍国的牧官之长，仇恨浇，能警惕戒备他。浇派椒寻找少康，少康逃跑到有虞国，做了庖正，避免受到伤害。虞思因此把两个女儿嫁给他，把他封在纶邑，有十里见方的土地及五百名部下。少康能够广施恩德，开始实施自己的计谋，聚集夏朝旧部，安抚他的官员。派女艾到浇那儿做间谍，派季杼去引诱豷。于是灭了过国、戈国，恢复了禹的业绩。奉祀夏朝的祖先同时祭祀上天，维护了原有的规模。现在吴国比不上过国，而越国比少康的国家还大，上天或者让它强大起来，不也是吴国的灾难吗？勾践能够亲近别人而致力于施予恩惠。施予恩惠而得其人，亲近而不放弃有功劳的人。越国与我们同处一块土地而世代为仇敌，在这种情况下战胜了他们而不占据，打算又让他们存在下去，这样违反天意而使仇敌强大，今后即使后悔，也无法补救了。姬姓的衰亡，时日屈指可数了。我们处在蛮夷之间，却使仇敌强大，靠这个谋求霸主的地位，一定行不通。"夫差不肯听从。伍员退下来告诉别人说："越国用十年时间繁衍人口，积累财富，又用十年时间教导百姓，训练士卒，二十年后，吴国恐怕要变成池沼了吧！"三月，越国与吴国讲和。吴国攻入越国，《春秋》不予记载，是因为吴国没来报告胜利、越国也没来报告战败的缘故。

……

吴之入楚也①，使召陈怀公。怀公朝国人而问焉，曰："欲与楚者右，欲与吴者左。陈人从田，无田从党②。"逢滑当公而进③，曰："臣闻：国之兴也以福，其亡也以祸。今吴未有福，楚未有祸，楚未可弃，吴未可从。而晋，盟主也；若以晋辞吴，若何？"公曰："国胜君亡④，非祸而何？"对曰："国之有是多矣，何必不复？小国犹复，况大国乎？臣闻：国之兴也，视民如伤，是其福也；其亡也，以民为土芥，是其祸也。楚虽无德，亦不艾⑤杀其民。吴日敝于兵，暴骨如莽，而未见德焉。天其或者正训楚也，祸之适吴，其何日之有？"陈侯从之。及夫差克越，乃修先君之怨⑥。秋，八月，吴侵陈，修旧怨也。

……

[注释]

①吴之入楚也：定公四年，吴王阖庐攻入楚国。参《吴楚相争》一文。②从党：从其所党。③逢滑：陈大夫。当公：正对着陈怀公，即不左不右。④国胜君亡：楚为吴所胜，昭王流亡。⑤艾：同"刈"，割。⑥乃修先君之怨：吴王阖庐召陈怀公，不应，于夫差则为先君之怨。

[译文]

吴军攻入楚国的时候，派人召见陈怀公。怀公召集国人征求意见，说："想要依附楚国的站在右边，想要依附吴国的站在左边。都城里的人有田地的按田地所在方向站，没有田地的和亲族站在一起。"逢滑正对着怀公，上前说："臣听说，国家的兴起是因为福分，国家的衰亡是由于祸难。现在吴国没有福分，楚国没有祸难，楚国还不能抛弃，吴国还不能依从。而晋国是盟主，如果以服从晋国作为理由来拒绝吴国，怎么样？"陈怀公说："楚国为吴战败，国君逃亡，这不是祸难是什么？"逢滑回答说："国家碰到这种情况的有很多，为什么一定不能恢复？小国尚且能恢复，何况是大国呢？臣听说，国家兴起的时候，国君对待人民就如同对待受伤害的人，这就是它的福分；国家衰亡的时候，国君对待人民就如同对待泥土草芥，这就是它的祸难。楚国虽然没有德行，但也不残害它的子民。吴国因连年战争而疲敝，暴露的尸骨多如杂草，而又没有表现出有什么德行。上天也许正是在给楚国教训,祸难降临吴国,时间还会长吗?"陈怀公听从了他的话。等到夫差战胜越国,于是重提先君留下的怨仇。秋八月,吴国侵袭陈国,这是为了重算旧怨。

……

吴师在陈,楚大夫皆惧,曰:"阖庐惟能用其民,以败我于柏举。今闻其嗣又甚焉,将若之何?"子西曰:"二三子恤不相睦①,无患吴矣。昔阖庐食不二味,居②不重席,室不崇坛③,器不彤镂④,宫室不观⑤,舟车不饰;衣服财用,择不取费⑥。在国,天有灾疠⑦,亲巡孤寡而共其乏困。在军,熟食者分而后敢食,其所尝⑧者,卒乘与焉。勤恤其民,而与之劳逸,是以民不罢劳,死知不旷⑨。吾先大夫子常易⑩之,所以败我也。今闻夫差,次有台榭陂池焉,宿有妃嫱嫔御焉⑪;一日之行,所欲必成,玩好必从;珍异是聚,观乐是务;视民如雠,而用之日新⑫。夫先自败也已,安能败我?"

[注释]

①恤不相睦:担心不相互团结。②居:坐。古人席地而坐。③室不崇坛:古代贵族起屋,必先筑坛,高于平地,然后在上面起屋。④器不彤镂:器物上不漆红色,不雕花纹。⑤不观:不筑楼台亭阁。⑥择不取费:选取坚厚,不尚细靡。⑦疠:流行病疫。⑧所尝:甘珍之食。⑨死知不旷:知道不空死,必有抚恤。旷,空。⑩易:反。⑪妃嫱:内宫之贵者。嫔御:内宫之贱者。⑫用之日新:役使之事接连不断,如同以前未曾征用过。

[译文]

吴军在陈国,楚国的大夫们都感到恐惧,说:"正因为阖庐能够使用他的百姓,所以在柏举打败了我们。现在听说他的继承人比他做得还要好,该怎样准备对付他?"子西说:"各位只应该担心互相不团结,用不着担心吴国了。过去阖庐吃饭不用两个菜,坐着不铺两层席子，房屋不建在高坛上，器物不漆色彩、不饰雕镂，宫室中不造楼台亭阁，船和车不加装饰，衣服和用具选择实用而不讲究华丽。在国内，发生天灾或流行疾病，他亲自探视孤寡而救济他们。在军队中，他等士兵们分食了熟食后才敢食用，他吃的美味佳肴，士卒们都有一份。他勤恳地抚恤他的子民，而和他们同甘共苦，因此民众不感到疲劳，为他而死知道会有补偿。我们先大夫子常正和他做法相反，所以他打败了我们。如今听说夫差居住地有楼台水榭、流水池塘，睡觉有妃嫱宫女。即使出外一天，想要的东西也一定要得到，玩好的东西一定要带上。积聚珍宝异物，致力于游观玩乐，把百姓看成是仇敌，使用他们一天也不间断。这是他自己先使自己失败了，哪里能打败我们？"

楚昭王不祭河（哀公六年）

[题解]

楚昭王根据礼制，不轻信占卜，受到孔子的称赞。

是岁也，有云如众赤鸟，夹日以飞三日。楚子使问诸周大史①。周大史曰："其当王身乎！若禜②之，可移于令尹、司马。"王曰："除腹心之疾，而寘诸股肱，③何益？不穀不有大过，天其夭诸？有罪受罚，又焉移之？"遂弗禜。

初，昭王有疾，卜曰："河为祟。"王弗祭。大夫请祭诸郊④。王曰："三代命祀⑤，祭不越望⑥。江、汉、雎、漳，楚之望也。祸福之至，不是过也。不穀虽不德，河非所获罪也。"遂弗祭。

孔子曰："楚昭王知大道矣。其不失国也，宜哉！《夏书》曰：'惟彼陶唐，帅彼天常，有此冀方。今失其行，乱其纪纲，乃灭而亡。'⑦又曰：'允出兹在兹⑧。'由己率常，可矣。"

[注释]

①周大史：周王室的太史。②禜（yǒng）：禳祭。③"除腹心之疾"二句：腹心为昭王自喻，股肱喻令尹、司马。④大夫请祭诸郊：于郊野祭黄河河神。⑤命祀：王命规定的祭祀。⑥不越望：不越境，只祭境内名山大川。

⑦"惟彼陶唐"六句：引文为逸《书》之文，被辑入伪《古文尚书·五子之歌》。天常：上天制定的恒道。冀方：中国。⑧允出兹在兹：引文为逸《书》之文，被辑入伪《古文尚书·大禹谟》。

[译文]

这一年，天上有云像一群红色的鸟，夹着太阳飞翔了三天。楚昭王派人去问周太史，周太史说："那恐怕要应验在昭王身上吧！如果进行禳祭，还可以转移到令尹、司马身上。"昭王说："消除腹心的疾病，而移到大腿、胳膊上，有什么好处？不穀没有大过，上天难道会让我夭折？有罪就受到惩罚，又哪能移走呢？"就没有进行禳祭。

起初，楚昭王有病，占卜的结果说："黄河神在作祟。"昭王不肯祭祀。大夫请求在郊外祭祀黄河神。昭王说："三代时规定的祭祀制度，举行祭祀不超过本国的山川。长江、汉水、睢水、漳水，是楚国应该祭祀的河川。祸福的到来，不会超过这些地方。不穀虽然没有德行，黄河神不是我所得罪的。"就没有祭祀。

孔子说："楚昭王明白大道理了！他没有失去国家，是应当的！《夏书》说：'只有那位陶唐氏，遵循上天永恒的道理，拥有这中原的地方。现在没走正道上，毁坏了治国的纪纲，于是就被人灭亡。'又说：'拿出了什么就得到什么。'根据自己的需要来遵循天道，是可以的。"

孔子自卫返鲁(哀公十一年)

[题解]

孔子在卫,以其政乱而返鲁,主张按礼征税,不能贪得无厌。

冬,卫大叔疾出奔宋①。初,疾娶于宋子朝②,其娣嬖③。子朝出④,孔文子使疾出其妻⑤,而妻之⑥。疾使侍人诱其初妻之娣寘于犁⑦,而为之一宫,如二妻。文子怒,欲攻之,仲尼止之。遂夺其妻⑧。或淫于外州,外州人夺之轩⑨以献。耻是二者⑩,故出。卫人立遗⑪,使室孔姞⑫。疾臣向魋⑬,纳美珠焉⑭,与之城锄⑮。宋公求珠,魋不与,由是得罪。及桓氏⑯出,城锄人攻大叔疾,卫庄公复之⑰,使处巢,死焉,殡于郧,葬于少禘⑱。

……

孔文子之将攻大叔也,访于仲尼。仲尼曰:"胡簋⑲之事,则尝学之矣;甲兵之事,未之闻也。"退,命驾而行,曰:"鸟则⑳择木,木岂能择鸟?"文子遽止之曰:"圉岂敢度㉑其私,访卫国之难也。"将止,鲁人以币召之,乃归。

季孙欲以田赋㉒,使冉有访诸仲尼。仲尼曰:"丘不识也。"三发,卒曰:"子为国老㉓,待子而行,若之何子之不言也?"仲尼不对㉔,而私于冉有曰:"君子之行㉕也,度于礼:施取其厚,事举其中，敛从其薄。如是，则以丘亦足矣。若不度于礼，而贪冒[26]无厌，则虽以田赋，将又不足。且子季孙若欲行而法，则周公之典在；若欲苟而行，又何访焉？"弗听。

[注释]

①卫大叔疾出奔宋：《经》云："卫世叔齐出奔宋。"大叔疾，即世叔齐。②宋子朝：宋人仕齐为大夫者，名朝。③其娣嬖：大叔疾娶其女。娣，妻之妹。④出：出奔，逃亡。⑤孔文子：卫卿，名圉。出其妻：休妻与娣。⑥妻之：把自己的女儿嫁给他。⑦犁：卫邑，在今河南范县。⑧遂夺其妻：孔文子接回了自己的女儿。⑨轩：太叔齐所乘之车。⑩二者：夺妻与夺轩。⑪遗：大叔疾之弟。⑫孔姞：文子女，大叔疾妻，即其嫂。⑬臣向魋：做宋国向魋的臣子。⑭纳：进献。⑮城鉏：在今河南滑县东。⑯桓氏：向魋。出奔事在哀公十四年（前481年）。⑰复之：使其还卫。⑱巢、郓、少禘：都是卫地。⑲胡簋（guǐ）：即簋（fǔ）簋。簋为盛稻粱之器，方形。簋为盛黍稷之器，圆形。⑳则：能。㉑度：谋。㉒季孙欲以田赋：原为丘赋，现在想改为田赋。㉓国老：国之尊者。㉔不对：不正式回答。㉕行：行政事。㉖贪冒：贪婪。

[译文]

　　冬，卫太叔疾出逃到宋国。起初，太叔疾娶宋子朝的女儿为妻，对她的妹妹十分宠爱。子朝逃亡后，孔文子让太叔疾休了自己的妻子，而把女儿嫁给他。太叔疾派随从诱使前妻的妹妹，安置在犁地，而为她造了一座宫室，就像有两个妻子一样。孔文子大怒，想攻打太叔疾，孔子劝阻了他。孔文子就强行接回了他的女儿。太叔疾又与外州女子通奸，外州人夺了他的车子献上来。太叔疾为这两件事而感到羞耻，所以出逃。卫国人立遗做继承人，让他娶孔姞为妻。太叔疾做了宋国向魋的臣子，向他进献名贵的珍珠，向魋把城鉏给了他。宋公索要珍珠，向魋不肯给，因此得罪了国君。等到向魋出逃，城鉏人围攻太叔疾，卫庄公让他回国，让他住在巢地，死在那里，棺材停放在郓地，葬在少禘。

……

孔文子准备攻打太叔疾时,去征求孔子的意见。孔子说:"祭祀的事情,我曾经学过;打仗的事情,我没有听说过。"退下后,叫人驾车就走,说:"鸟要选择树木,树木怎么能选择鸟?"孔文子急忙劝阻他,说:"我怎么敢为个人谋划,我问的是卫国的祸难啊。"孔子准备不走了,这时鲁国人用礼物召回他,他就回国了。

　　季孙想按田亩征税,派冉求征求孔子的意见。孔子说:"我不懂这事。"冉有连问三次,最后说:"您是国家的元老,等着您的意见来执行,为什么您不说呢?"孔子不正式回答,而是私下里对冉求说:"君子执行政事,根据礼来衡量:施舍要力求丰厚,办事要选择适中,征税则尽量轻薄。如果这样,按丘征税也就足够了。如果不根据礼来衡量,而贪得无厌,那么即使按田亩征税,将来又会不足。再说季孙如果想办事合乎法制,那么有周公的典章在;如果想苟且行事,又征求什么意见呢?"季孙不听。

黄池之会（哀公十三年）

[题解]

晋、吴先后为诸侯霸主，在黄池之会上争先。子服景伯说服吴人释放自己。

秋七月辛丑盟①，吴、晋争先②。吴人曰："于周室，我为长。"③晋人曰："于姬姓，我为伯④。"赵鞅呼司马寅曰⑤："日旰⑥矣，大事未成，二臣之罪也。建鼓整列，二臣死之，长幼必可知也。⑦"对曰："请姑视之。"反，曰："肉食者无墨⑧。今吴王有墨，国胜⑨乎？太子死乎？且夷德轻，不忍久，请少待之。"乃先晋人。

吴人将以公见晋侯，子服景伯⑩对使者曰："王合诸侯，则伯帅侯牧以见于王；伯合诸侯，则侯帅子、男以见于伯。自王以下，朝聘玉帛不同；故敝邑之职贡于吴，有丰于晋，无不及焉，以为伯也。今诸侯会，而君将以寡君见晋君，则晋成为伯矣，敝邑将改职贡：鲁赋于吴八百乘，若为子、男，则将半邾以属于吴，而如邾以事晋。且执事以伯召诸侯，而以侯终之，何利之有焉？"吴人乃止。既而悔之，将囚景伯。景伯曰："何也立后于鲁矣，将以二乘与六人从⑪，迟速唯命。"遂囚以还。及户牖⑫，谓太宰曰:"鲁将以十月上辛⑬有事于上帝、先王,季辛⑭而毕,何世有职焉⑮,自襄以来,未之改也。若不会,祝宗将曰'吴实然',且谓鲁不共,而执其贱者七人⑯,何损焉?"大宰嚭言于王曰:"无损于鲁,而祇为名⑰,不如归之。"乃归景伯。

[注释]

①盟:结盟。这年夏天,鲁哀公、单平公、晋定公、吴王夫差在黄池相会。黄池,在今河南封丘县南。②争先:在仪式上争先歃血。③"于周室"二句:吴为太伯之后,故称长。太伯为文王大伯父。④伯:霸。晋文公、襄公、悼公、平公,均为诸侯霸主。⑤赵鞅:即赵简子,又名志父、赵孟,晋卿。司马寅:晋大夫。⑥旰(gàn):晚,迟。⑦"建鼓整列"三句:赵鞅摆出开战架势,以逼吴人。⑧肉食者:大夫以上的人。墨:气色晦暗。⑨国胜:国为敌所胜,即战败。⑩子服景伯:鲁大夫,姓子服,名何,字伯,谥景。⑪将以二乘与六人从:一乘三人,二乘六人。⑫户牖:宋邑,在今河南兰考县东北。⑬上辛:第一个辛日。吴人迷信鬼神,景伯编出谎话,以恐吓吴人。⑭季辛:最后一个辛日。⑮何世有职焉:指子服氏世共祭事。⑯而执其贱者七人:二乘六人与景伯共七人,都不是卿。⑰祇为名:只能成其恶名。

[译文]

秋七月初六日结盟时,吴国、晋国都争着要先歃血。吴国人说:"在周室中,我们是长兄。"晋国人说:"在姬姓国中,我们是霸主。"赵鞅召唤司马寅说:"天晚了,盟事还没完成,是我们两个做臣子的罪过。击起战鼓整顿队伍,我们俩战斗到死,先后次序一定见分晓。"司马寅说:"请暂且让我观察一下。"回来,说:"吃肉的人气色不会晦暗。现在吴王气色晦暗,是他的国家被打败了吗?太子死了吗?再说夷人德性轻浮,不能长期忍耐,请再等一会儿。"于是吴国人让晋国人先歃血。

吴国人打算带着鲁哀公进见晋定公,子服景伯对吴国使者说:"周天子会合诸侯,那么盟主率领诸侯进见天子;盟主会合诸侯,那么侯率领子、男进见盟主。从周天子以下,朝聘时所献的玉帛也各不相同，所以敝邑进贡给吴国的，要比给晋国的丰厚，而没有比不上它的，因为是把吴国当做盟主。现在诸侯相会，而君王打算带领寡君去见晋君，那么晋国就成了盟主了，敝邑将改变进贡的数量：鲁国进贡给吴国八百辆战车，如果被当做子、男，那就要按邾国战车的半数进贡给吴国，而按邾国战车的实数进贡给晋国。再说执事作为盟主召集诸侯，却以侯的身份结束盟会，这有什么好处呢？"吴国人就没那样做。不久又后悔了，打算拘禁子服景伯。景伯说："我已经在鲁国立了继承人了，打算带着两辆车与六个人跟你们走，早走还是晚走听候你们的命令。"吴国人就拘禁了景伯，押回国。到达户牖时，景伯对太宰嚭说："鲁国准备在十月的第一个辛日祭祀上帝与先王，最后一个辛日完毕。我世代在祭祀中都有职事，从襄公以来，没有改变过。如果我不参加，祝宗将会祝告说：'这是吴国造成的。'而且贵国认为鲁国不恭敬，却只抓了我们七个地位低下的人，这对鲁国有什么损害呢？"大宰嚭对吴王说："对鲁国没有损害，而只给自己带来坏名声，还不如放了他们。"于是放景伯回国。

孔子请伐齐（哀公十四年）

[题解]

齐国陈恒弑其君，孔子谏鲁伐齐，知其不可而为之。

甲午，齐陈恒①弑其君壬于舒州。孔丘三日齐②，而请伐齐三。公曰："鲁为齐弱久矣，子之伐之，将若之何？"对曰："陈恒弑其君，民之不与者半。以鲁之众加齐之半，可克也。"公曰："子告季孙③。"孔子辞，退而告人曰："吾以从大夫之后也，故不敢不言。"

[注释]

①陈恒：即陈成子，齐大夫。②齐：通"斋"，斋戒。③季孙：季康子，名肥，把持鲁政。

[译文]

六月初五日，齐国的陈成子在舒州杀死他的国君壬。孔子斋戒了三日，三次请求攻打齐国。哀公说："鲁国被齐国削弱已很久了，您要攻打他们，准备怎么办？"孔子回答说："陈恒杀死他的国君，百姓有一半人不支持他。以鲁国的民众加上齐国的一半人，是可以战胜的。"哀公说："您去告诉季孙。"孔子辞谢，退下来告诉别人说："我因为曾经列在大夫末位，所以不敢不说。"

勾践灭吴(哀公十三年、十七年、十九年、二十年、二十二年)

[题解]

吴越累年相争,越王勾践最终灭亡了吴国。

六月丙子①,越子伐吴,为二隧②,畴无余、讴阳自南方③,先及郊④。吴太子友、王子地、王孙弥庸、寿于姚自泓⑤上观之。弥庸见姑蔑⑥之旗,曰:"吾父之旗也⑦。不可以见雠而弗杀也。"太子曰:"战而不克,将亡国,请待之。"弥庸不可,属⑧徒五千,王子地助之。乙酉,战,弥庸获畴无余,地获讴阳。越子至,王子地守。丙戌,复战,大败吴师,获太子友、王孙弥庸、寿于姚。丁亥,入吴。吴人告败于王。王恶其闻⑨也,自刭七人于幕下。

……

三月⑩,越子伐吴,吴子御之笠泽⑪,夹水而陈。越子为左右句卒⑫,使夜或左或右,鼓噪而进;吴师分以御之。越子以三军潜涉,当吴中军而鼓之,吴师大乱,遂败之。

……

十九年春,越人侵楚,以误吴⑬也。夏,楚公子庆、公孙宽追越师,至冥⑭,不及,乃还。

……

吴公子庆忌骤谏吴子曰⑮："不改⑯，必亡。"弗听。出居于艾⑰，遂适楚。闻越将伐吴，冬，请归平越⑱，遂归。欲除不忠者以说于越。吴人杀之。

十一月，越围吴，赵孟降于丧食⑲。楚隆⑳曰："三年之丧，亲昵之极也，主㉑又降之，无乃有故乎？"赵孟曰："黄池之役㉒，先主与吴王有质㉓，曰：'好恶同之。'今越围吴，嗣子不废旧业而敌之㉔，非晋之所能及也，吾是以为降。"楚隆曰："若使吴王知之，若何？"赵孟曰："可乎？"隆曰："请尝之。"乃往，先造于越军，曰："吴犯间上国多矣㉕，闻君亲讨焉，诸夏之人莫不欣喜，唯恐君志之不从㉖，请入视之。"许之。告于吴王曰："寡君之老无恤使陪臣隆㉗，敢展谢其不共：黄池之役，君之先臣志父得承齐盟㉘，曰'好恶同之'。今君在难，无恤不敢惮劳，非晋国之所能及也，使陪臣敢展布之。"王拜稽首曰："寡人不佞，不能事越，以为大夫㉙忧，拜命之辱。"与之一箪珠，使问㉚赵孟曰："勾践将生忧寡人，寡人死之不得㉛矣。"王曰："溺人必笑，吾将有问也。史黯何以得为君子？"对曰："黯也进不见恶，退无谤言。"王曰："宜哉！"

……

冬十一月丁卯㉜，越灭吴，请使吴王居甬东㉝。辞曰："孤老矣，焉能事君？"乃缢。越人以归㉞。

[注释]

①六月丙子：哀公十三年（前482年）六月十一日。②二隧：两支队伍。③畴无余、讴阳：越大夫。④郊：吴都郊外。⑤泓：水名。泓上即横山，在今江苏吴县西南。⑥姑蔑：越地，今浙江衢县。⑦吾父之旗也：越人虏其父，故得其旗。⑧属：会，集合。⑨恶其闻：不想让吴国战败的消息传布出去。"其"指"越入吴"。⑩三月：哀公十七年三月。⑪笠泽：水名，今吴淞

江。⑫左右句（gōu）卒：左右两支迂回部队。句，迂曲。⑬误吴：麻痹吴国，使其不加戒备。⑭冥：越地，今安徽广德与浙江长兴之间。⑮吴公子庆忌骤谏吴子曰：时为哀公二十年。骤，屡次。⑯不改：如果不改变当时的政策。⑰艾：吴邑，在今江西修水西。⑱平越：与越和解。⑲赵孟：即赵襄子，名无恤，赵鞅之子。降于丧食：赵孟为父简子守丧，降饮食等级；现在吴国被围而不能救，因此再降饮食等级。⑳楚隆：襄子家臣。㉑主：卿大夫之称。㉒黄池之役：参《黄池之会》一文。㉓先主：先大夫，指其父赵鞅。质：盟约。㉔嗣子：赵孟自称。敌：当，担当旧业。㉕犯、间：冒犯。㉖不从：不能实现。㉗老：卿大夫之称。陪臣：臣之家臣称陪臣。㉘先臣志父：赵鞅。齐：通"斋"。盟誓必斋戒，故称"斋盟"。㉙大夫：指赵孟。㉚问：以物赠人曰问。㉛死之不得：不得其死，即不得善终。㉜冬十一月丁卯：襄公二十二年冬十一月二十七日。㉝甬东：今浙江定海之翁山。㉞以归：带着吴王的尸体回国。

[译文]

六月十一日，越王攻打吴国，兵分两路。畴无余、讴阳率队从南方出发，先期到达吴都郊外。吴太子友、王子地、王孙弥庸、寿于姚在泓水边上察看形势。弥庸看见姑蔑人的旗帜，说："这是我父亲的旗帜。我不能眼见仇人而不去杀死他们。"太子友说："交战如果不胜，将会亡国。请等待一下吧。"弥庸不听，召集部下五千人出战，王子地协助他。二十日，两军交战，弥庸擒获了畴无余，王子地擒获了讴阳。越王率军赶到，王子地守城。二十一日，两军再战，越军大败吴军，擒获了太子友、王孙弥庸、寿于姚。二十二日，越军攻入吴都。吴国人向吴王夫差报告战败的消息。吴王恐怕诸侯知道，亲手把七个来报信的人杀死在帐幕里。

……

三月，越王攻打吴国。吴王在笠泽抵御，两军隔河摆开阵势。越王分兵设左右两支迂回部队，让他们在夜里或左或右，轮番击鼓呐喊着进攻。吴军分兵抵御。越王带领三军悄悄渡河，对着吴国中军击鼓进攻，吴军大乱，就打败了吴军。

……

十九年春，越人入侵楚国，是为了麻痹吴国。夏，楚公子庆、公孙宽追击越军，到了冥地，没有赶上，就回国了。

……

吴国公子庆忌多次劝谏吴王夫差，说："不改变政令，一定会灭亡。"吴王不听。庆忌出居在艾地，又去了楚国。他听说越国打算攻打吴国，冬，请求回国去与越国讲和，于是回国。他想除掉不忠的人来取悦越国。吴国人把他杀了。

十一月，越国包围了吴国，赵孟再次降低了丧食的标准。楚隆说："服丧三年，寄托哀思达到极致。您又降低丧食标准，恐怕是有原因的吧？"赵孟说："黄池之会，先父与吴王有盟约，说：'好恶相同。'现在越国包围了吴国，我想不废弃过去的誓言而承担责任，却又不是晋国所能办到的，我因此要降低饮食标准。"楚隆说："如果让吴王知道您的心意，怎么样？"赵孟说："办得到吗？"楚隆说："请试试看。"于是前往，先到越军中，说："吴国冒犯上国已经多次了，听说君王亲自讨伐它，中原国家的人无不欢欣鼓舞，唯恐君王的愿望不能实现。请让我进吴国去看看。"越王同意了。楚隆告诉吴王说："寡君的卿无恤，派陪臣隆前来，谨此为了他的不恭敬而告罪：黄池那次盟会，寡君的先臣志父得以参加盟誓，说：'好恶相同。'现在君王有了危难，无恤不敢害怕劳苦，不是晋国的力量所能达到的，谨派臣前来禀告。"吴王下拜叩头说："寡人不才，不能好好侍奉越国，因而成为大夫的忧愁，谨此拜谢他的命令。"给了楚隆一箪珠子，让他送给赵孟，说："勾践打算让寡人活在忧患之中，寡人不得善终了。"吴王又说："快淹死的人必然强作欢笑，我还有句话要问你：史黯为什么能成为君子？"楚隆回答说："史黯在朝廷上做官没人厌恶他，不做官没有人诽谤他。"吴王说："真恰当啊！"

……

冬十一月二十七日,越国灭亡了吴国,请让吴王住到甬东去。吴王推辞说:"我老了,哪里能够侍奉君王?"于是上吊自杀。越国人带着他的尸体回国。

附 录

一、《春秋》所载鲁国十二公世系

隐公,名息姑,公元前 722 年至 712 年在位
桓公,名允,隐公弟,公元前 711 年至 694 年在位
庄公,名同,桓公子,公元前 693 年至 662 年在位
闵公,名启方,庄公子,公元前 661 年至 660 年在位
僖公,名申,闵公弟,公元前 659 年至 627 年在位
文公,名兴,僖公子,公元前 626 年至 609 年在位
宣公,名俀,文公子,公元前 608 年至 591 年在位
成公,名黑肱,宣公子,公元前 590 年至 573 年在位
襄公,名午,成公子,公元前 572 年至 542 年在位
昭公,名裯,襄公子,公元前 541 年至 510 年在位
定公,名宋,昭公弟,公元前 509 年至 495 年在位
哀公,名蒋,定公子,公元前 494 年至 477 年在位

二、《春秋》所载周室及主要诸侯国世次

1. 周室

平王(名宜臼,幽王子)——桓王(名林,平王孙,太子

泄父之子）——庄王（名佗，桓王子）——僖王（名胡齐，庄王子）——惠王（名阆，僖王子）——襄王（名郑，惠王子）——顷王（名壬臣，襄王子）——匡王（名班，顷王子）——定王（名瑜，匡王弟）——简王（名夷，定王子）——灵王（名泄心，简王子）——景王（名贵，灵王子）——悼王（名猛，景王子）——敬王（名匄，悼王弟）

2. 晋国

鄂侯（名郄，孝侯子）——哀侯（名光，鄂侯子）——小子侯（哀侯子）——晋侯（名缗，哀侯弟，武公灭之）——曲沃庄伯（名鲜，桓叔子）——武公（名称，庄伯子，王命为晋侯）——献公（名诡诸，武公子）——奚齐（献公子）——卓子（献公子）——惠公（名夷吾，献公子）——怀公（名圉，惠公子）——文公（名重耳，献公子）——襄公（名骦，文公子）——灵公（名夷皋，襄公子）——成公（名黑臀，文公子）——景公（名孺，成公子）——厉公（名州蒲，景公子）——悼公（名周，惠伯谈子，襄公曾孙）——平公（名彪，悼公子）——昭公（名夷，平公子）——顷公（名去疾，昭公子）——定公（名午，顷公子）

3. 秦国

文公（襄公子）——宁公（文公孙）——出公（宁公少子）——武公（宁公子）——德公（武公弟）——宣公（德公子）——成公（宣公弟）——穆公（名任好，成公弟）——康公（名䓨，穆公子）——共公（名稻，康公子）——桓公（名荣，共公子）——景公（桓公子）——哀公（景公子）——惠公（哀公孙）——悼公（惠公子）

4. 郑国

庄公（名寤生，武公子）——厉公（名突，庄公子）——昭公（名忽，庄公子）——公子亹（昭公弟）——公子婴（昭公弟，立十四年，傅瑕弑之，厉公复入）——文公（名捷，厉公子）——穆公（名兰，文公子）——灵公（名夷，穆公子）——襄公（名坚，灵公弟）——悼公（名费，襄公子）——成公（名睔，悼公弟）——僖公（名髡顽，成公子）——简公（名嘉，僖公子）——定公（名宁，简公子）——献公（名虿，定公子）——声公（名胜，献公子）

5. 齐国

僖公（名禄父，庄公子）——襄公（名诸儿，僖公子）——桓公（名小白，襄公弟）——公子无亏（桓公子）——孝公（名昭，桓公子）——昭公（名潘，桓公子）——公子舍（桓公子）——懿公（名商人，昭公子）——惠公（名元，桓公子）——顷公（名无野，惠公子）——灵公（名环，顷公子）——庄公（名光，灵公子）——景公（名杵臼，庄公弟）——安孺子荼（景公子）——悼公（名阳生，荼兄）——简公（名壬，悼公子）——平公（名骜，简公弟）

6. 楚国

武王（名熊通，蚡冒弟）——文王（名熊赀，武王子）——堵敖（名熊囏，文王子）——成王（名頵，文王子）——穆王（名商臣，成王子）——庄王（名旅，穆王子）——共王（名审，庄王子）——康王（名昭，共王子）——郏敖（名麇，康王子）——灵王（名围，共王子）——平王（名居，共王子，一名弃疾）——昭王（名轸，平王子）——惠王（名章，昭王子）

7. 宋国

穆公（名和，宣公弟）——殇公（名与夷，宣公子）——庄公（名冯，穆公子）——闵公（名捷，庄公子）——桓公（名御说，庄公子）——襄公（名兹父，桓公子）——成公（名王臣，襄公子）——昭公（名杵臼，成公子）——文公（名鲍，昭公弟）——共公（名固，文公子）——平公（名成，共公子）——元公（名佐，平公子）——景公（名头曼，元公子）——昭公（名得，元公曾孙，公孙周子）

8. 吴国

寿梦（大伯十八世孙）——诸樊（寿梦子）——余祭（诸樊弟）——夷昧（余祭弟）——王僚（夷昧子）——阖庐（诸樊子，名光）——夫差（阖庐子）

9. 燕国

穆侯（郑侯子）——宣侯（穆侯子）——桓侯（宣侯子）——庄公（桓侯子）——襄公（庄公子）——桓公——宣公——昭公——武公——文公——懿公——惠公（懿公子）——悼公——共公——平公——简公——献公——孝公

10. 蔡国

宣公（名考父，戴公子）——桓公（名封人，宣公子）——哀公（名献舞，桓公弟）——穆公（名盻，哀公子）——庄公（名甲午，穆公子）——文公（名申，庄公子）——景公（名固，文公子）——灵公（名般，景公子）——平公（名庐，灵公孙，世子有之子）——悼公（名东国，平公弟）——昭公（名申，悼公弟）——成公（名朔，昭公子）

11. 卫国

桓公（名完，庄公子）——宣公（名晋，桓公弟）——惠公（名朔，宣公子）——公子黔牟（群公子，立六年，惠公复入，黔牟奔周）——懿公（名赤，惠公子）——戴公（名申，昭伯顽子，宣公孙）——文公（名毁，戴公弟）——成公（名郑，文公子）——穆公（名速，成公子）——定公（名臧，穆公子）——献公（名衎，定公子）——殇公（名剽，穆公孙立十二年宁喜弑之献公复入）——襄公（名恶，献公子）——灵公（名元，襄公子）——出公（名辄，庄公子）——庄公（名蒯聩，灵公子）——卫君起（灵公子，立一年，奔齐，出公复入）——悼公（名黔，灵公子）

12. 曹国

桓公（名终生，穆公子）——庄公（名射姑，桓公子）——僖公（名夷，庄公子）——昭公（名班，僖公子）——共公（名襄，昭公子）——文公（名寿，共公子）——宣公（名庐，文公子）——成公（名负刍，杜注宣公庶子史记作宣公弟）——武公（名滕，成公子）——平公（名须，武公子）——悼公（名午，平公子）——声公（名野，悼公弟）——隐公（名通，平公弟）——靖公（名露，声公弟）——伯阳（靖公子）

13. 陈国

桓公（名鲍，文公子）——陈佗（桓公弟）——厉公（名跃，桓公子）——庄公（名林，桓公子）——宣公（名杵臼，桓公子）——穆公（名款，宣公子）——共公（名朔，穆公子）——灵公（名平国，共公子）——成公（名午，灵公子）——哀公（名溺，成公子）——惠公（名吴，哀公孙，世

子偃师子）——怀公（名柳，惠公子）——闵公（名越，怀公子）

14. 滕国

滕侯（名谥不详）——宣公（名婴齐）——孝公（名郑）——昭公（名元）——文公（名寿）——成公（名原，文公子）——悼公（名宁，成公子）——顷公（名结，悼公子）——隐公（名虞毋，顷公子）

15. 杞国

武公（谋娶公子）——靖公（武公子）——共公（靖公子）——德公（共公子，《世本》作惠公）——成公（德公子）——桓公（名姑容，成公弟）——孝公（名匄，桓公子）——文公（名益姑，孝公弟）——平公（名郁釐，文公弟）——悼公（名成，平公子）——隐公（名乞，悼公子）——僖公（名过，隐公弟）——闵公（名维，僖公子）

16. 邾国

邾子（名克，字仪父）——邾子（名琐，仪父子）——文公（名蘧蒢，琐子）——定公（名貜且，文公子）——宣公（名轻，定公子）——悼公（名华，宣公子）——庄公（名穿，悼公子）——隐公（名益，庄公子，立十九年而吴执之）——桓公（名革，隐公子，立十二年而奔越，隐公复入）——公子何（桓公弟）

17. 莒国

莒子（名谥不详）——兹丕公——纪公庶其——渠丘公（名季佗，庶其子）——犁比公（名密州，渠丘公子）——展舆（犁比公子）——著丘公（名去疾，展舆弟）——郊公（著丘公子）——庚舆（著丘公弟。立十年，奔鲁，郊公复入）——莒

子狂

18. 许国

庄公——穆公（名新臣，庄公弟）——僖公（名业，穆公子）——昭公（名锡我，僖公子）——灵公（名宁，昭公子）——悼公（名买，灵公子）——许男（名斯，悼公子）——元公（名成）

图书在版编目(CIP)数据

左传/张宗友注译.—郑州:中州古籍出版社,2010.4 (2014.2重印)
(国学经典)
ISBN 978-7-5348-3130-0

Ⅰ.①左… Ⅱ.①张… Ⅲ.①中国-古代史-春秋时代-编年体②左传-注释③左传-译文 Ⅳ.①K225.04

中国版本图书馆CIP数据核字(2010)第033744号

出版社:中州古籍出版社
(地址:郑州市经五路66号　邮政编码:450002)
发行单位:新华书店
承印单位:河南大美印刷有限公司
开本:640mm×960mm　　1/16　　印张:24.75
字数:300千字　　　　　　　　　印数:9 001-14 000册
版次:2010年4月第1版　　　　印次:2014年2月第3次印刷

定价:35.00元
本书如有印装质量问题,由承印厂负责调换。